P9-BHX-775

一寸河山一寸血

关河五十州 著

03 落日孤城

1937~1938

武汉出版社
WUHAN PUBLISHING HOUSE

（鄂）新登字08号

图书在版编目（CIP）数据

一寸河山一寸血．3／关河五十州著．—武汉：武汉出版社，2011．8

ISBN 978-7-5430-5916-0

Ⅰ．①一…　Ⅱ．①关…　Ⅲ．①长篇小说—中国—当代　Ⅳ．①I247．5

中国版本图书馆CIP数据核字（2011）第105070号

著　　者：关河五十州
责任编辑：雷方家
装帧设计：清水工作室
出　　版：武汉出版社
社　　址：武汉市江汉区新华下路103号
邮　　编：430015
电　　话：（027）85606403　85600625
http：//www.whcbs.com　E-mail：zbs@whcbs.com
印　　刷：北京中印联印务有限公司
经　　销：新华书店
开　　本：710mm×1000mm　1/16
印　　张：20.5
字　　数：300千字
版　　次：2011年8月第1版　2011年10月第2次印刷
定　　价：32.00元

序 言

我相信，书有书的命运，就像本书所书写的这段历史，在它发轫之初真相就摆在眼前了，曲折、繁复、虚饰都不是它的全部，只要你在不断地接近，就有意义。

这本书最早的书名叫《正面抗日战场》，但只出了第一部“我的家在松花江上”、第二部“烽火大地”，之后就因故停了下来。其间，有很多朋友在网上留言，问第三部何时面世，对此我也不知如何作答，因为我当时也不知道确凿答案。

唯一可以告慰大家的是，作为作者，我从来没有想到过放弃，也一直在努力，直到有了《一寸河山一寸血》。在这本重新出版的书中，凝聚了一些新的写作思考，尤其是吸收读者意见，加快了叙述节奏，因此它既是《正面抗日战场》的续篇，同时也是一个新的起点。

为了保持延续性，以免突兀，第一部“长城以北”把原先《正面抗日战场》的第一部、第二部综合了起来，并沿着这一线索继续下去，从二十九军参加长城抗战起，写到了长城抗战结束。因为这个原因，“长城以北”的部分内容与《正面抗日战场》前两部不能不有所重复，谨以说明。

借这个机会，需要特别感谢在困顿时期帮助过我的朋友和前辈。

有杨琦和她所在的关爱抗战老兵网，后者数十年如一日地给抗战老兵们送去温暖，显示的是一种来自民间的道德良知，同时他们也收集和积累了很多珍贵的第一手口述资料，这些对本书帮助很大。

有我曾登门拜访过的那些抗战老兵，如现居上海的夏世铎、祝宗梁，现居南通的汪吉佑，现居北京的赵振英、尤广才。这些老人都已九十岁以上高龄，但思维仍十分清晰，能回忆起当年的很多往事。其中，汪吉佑、尤广才两位老先生都是参加过一线作战，打过硬仗，立过大功的抗战英雄，其叙述更给我笔下增添了很多闪亮的元素。

还有很多我见过面或从未谋面的网友、书友，他们有的和我一起踏访过战场原迹，拜谒过烈士墓园，还有的给我寄来过抗战资料及图片，无法一一列举，在此一并致谢。

关河五十州　于2011年7月1日深夜

第一章
鹰击长空

宋美龄请来的这只美国雄鹰，就是后来大名鼎鼎的陈纳德。

在来华之前，陈纳德在空军领域已有相当造诣，只不过那种特有的美式天才性格阻碍了他在国内继续发展而已。

美利坚确实是个出天才的地方，因为那里到处张扬着个性。

先说一件小事，关于军训的事。

我以前也参加过学校组织的军训，很不幸，连一个正步都走不好，结果被教官提溜出来训了一顿，那脸丢大了。陈纳德的正步走得足够好，可他认为很没意思。

我们军训的时候，唯恐教官注意到自己，他却唯恐自己引不起教官的注意。

怎么办呢？有办法，恶炒。

这哥们儿当即把裤脚高高卷起，露出他那多毛的大腿，想用这种办法提高点击率，以“万绿丛中一点红”，来达到吸引教官的目的。

教官果然盯上了他，只不过人家是个老古板，大概也从不上网，对这种“搏出位”的做法不仅不感兴趣，还非常反感。

教官当着学员们的面，很直接地对“裤脚帝”说：“陈纳德，你一辈子也当不了军人！”

老美也是有档案的，到陈纳德第一次申请加入航空学校时，人家看了档案，发现了他的“劣行”，马上给了一句毫不客气的评语：“该申请人未具备成为成功飞行员的条件。”

让人大跌眼镜的是，陈纳德日后不仅做了军人，还成为美国空军中屈指可数的一流飞行员。

天才嘛，岂能用正常人的眼光去衡量。

不过他的性格可一点儿没变，甚至还变本加厉。

空中魔术师

有一年，举行飞行特技表演。一个步履蹒跚的老太太走过来，请求飞行员们捎上她，说是有生之年怎么也得到天上去转一转。

这不是客机，大伙是在玩儿特技，您都祖母级了，这要是飞着飞着，头一歪可怎么得了，所以一开始没人敢答应，但是禁不住老太太再三哀求，一个飞行员终于同意载她一程。

接下来，特惊心动魄的事儿发生了。

飞机在滑行过程中，突然向边上一晃，说时迟那时快，飞行员竟然被甩了出来。

全场观众都惊呆了，直呼老太快下来，可是已经来不及了，飞机以离弦的速度向前冲刺，随后飞上蓝天。

只一会儿，飞机开始翻着跟斗，从半空中俯冲下来，几乎要碰着地面了。

“空中魔术师”陈纳德从来不走寻常路

现场一片惊呼声，很多人闭上了眼，可怜的老太啊，你何苦来哉。

可是当人们再次睁开眼的时候却发现，飞机并没坠毁，反而又奇迹般地拉了起来，随后便出现了让大家瞠目结舌的场面：这架没有飞行员的飞机竟然在天上展开了类似于杂技一样的表演，旋转、筋斗、空翻、倒立，什么惊险它来什么，尽是前所未见，闻所未闻的花样动作。

难道飞机被上帝直接操控了？

当飞机重新降落，“祖母级老太太”卸去装束，露出真容，原来他才是今天的主角——“空中魔术师”陈纳德。

光是飞行技术棒，还不足为奇，真正让人叫绝的是，陈纳德对所谓的“正宗空军理论”进行了相当大的颠覆。

在当时的美国空军上层，普遍都对战斗机持轻视态度，认为轰炸机才是空军的主角。受到这一思潮的影响，很多一战时的战斗机好手都被迫改换门庭，开上了轰炸机。

陈纳德是天才，不吃这一套。

我相信，在未来的战场上，战斗机才是天空的王者！

美国农民

然而这个时候的美国空军暮气沉沉，真的活像个“祖母级老太太”，他们不仅不采纳陈纳德的建议，还很烦他，希望他早点退休。

这是真正的“早退”，陈纳德时年44岁，正处在一个人经验和能力的巅峰期。

他虽然人还在美国航空队里，但这种寂寞的滋味实在难熬，更何况就算这种滋味也在倒计时了。

心，满了又空，一个人满街游走，却没有地方可以让我停留。

难道就要这样在碌碌无为中度过“晚年”吗？

他不甘心，却又十分无奈。

此时苏联人第一个盯上了这个空军奇才，苏联军事考察团在看过陈纳德率队表演的飞行特技后，立即私下邀请他去苏联执教。

陈纳德头脑很清醒，他当时就预感到美苏两国今后不可能成为真正的朋友，因此并不想将自己的技术传授给未来的“隐性敌人”。

但这些话是难以说出口的，陈纳德就想了个办法，故意把执教条件抬到离谱的地步。

他想，对方肯定会一口拒绝。不料，苏联代表竟然全部应承了下来。

无论多么苛刻的条件，都没有问题，只要告诉我们，您什么时候可以起程。

陈纳德很无语。最后实在拖不下去，他只好把对方的邀请函全部退回，以示自己的婉拒决心，这才使事情得以了结。

苏联没了机会，我们就有了机会。

20 世纪最缺的是什么？人才！

不抢还行。

在宋美龄所发来的邀请函中，有一句话让陈纳德格外动心：您将有权驾驶中国空军的任何一架飞机。

Very good！（很好）！

先去看看再说。

1937 年 5 月，陈纳德以上尉军衔正式退役，乘坐邮船自美国抵达上海。

不过在护照上，他所填写的职业却不是退役空军上尉，而是“农民”。

当然是为了保密。

但是在深入了解之后，陈纳德发现，中国空军果真就像个亟待开垦的荒原。

“登记册事件”只是冰山一角。

为什么那四百架都不能用，你说从北洋政府手里接收过来的飞机吧，什么美制“可赛”，德造“容克”，确实太老了，不中用，这还情有可原，但其中还有相当一部分是新的，比如刚刚从意大利订购的“布瑞达”，买来没多久就不能飞了，这能说明什么，说明他们的东西真够差劲的。

当时在南昌还造了一座飞机修配厂。可是在意大利人指导下装配出来的飞机，在陈纳德看来，简直是“害人的陷阱”。所谓的轰炸机，更是等同于废物，最多只能当运输机用。

可就是这样的“陷阱”和废物一般的运输机，也都堂而皇之地载入了“五百架名录”。

当初，陈纳德答应的是作三个月考察。一转眼，三个月已经过去，这才发现中国空军的问题大大超出预计，解决起来十分棘手。

按照合同，他在把所有发现的问题交给中国人后，就可以打道回府，如果他能做到这一点，已经算是很尽职了。

但是一个突发事件使他临时改变了主意，这就是七七事变。

七七事变爆发时，陈纳德正在洛阳航校进行考察。

他意识到，此时此刻，这个古老的东方国度，比任何时候都更需要他留下来。

陈纳德随即给蒋介石发去电报："如果有用得着我的地方，请尽管吩咐。"

两天后，蒋介石回电："非常感谢，请立即奔赴南昌，去主持那里的战斗机训练。"

让陈纳德没有料到的是，南昌之行却成了他这一生都不能忘记的噩梦。

大多数飞行员除了起飞和降落，其他技术动作都做不了。陈纳德亲眼看到飞机在空中打着转，一架接一架掉下来。一天之内，竟发生了五起机毁人亡的事故！

这不过是基础飞行训练，难以想象，那些意大利教官们都是怎么教导的。

一了解，原来意大利人平时就只教飞行的"ABC"，而且他们对航校学生的要求松得可怕，就像现在的国内大学，只要进得此门，管你如何，一律可以顺利毕业。

我们在学校里念书念得不好，可以继续补课，到了天上，连补课的机会都不会有。

飞机不行，飞行员更不行，如何跟人家进行空战？

陈纳德变得心情恶劣，这种情绪一直伴随他和毛邦初登上庐山。

喜剧变成了悲剧。气急之下，蒋介石恨不得把毛邦初一枪给毙了，但

是毙一个人解决不了任何问题。

蒋氏夫妇都把目光转向了美国人，他们需要眼前这个救星。

陈纳德鼓起勇气，把自己在路上考虑的方案和盘托出：完全改造时间已经来不及了，但我可以部分改造。

陈纳德讲了二十多分钟，蒋介石听完之后站了起来，望着他，慢条斯理地点了一下头，然后回转身走进了里屋。

陈纳德刚来中国不久，对东方人说话处事的含蓄方式还不太能够适应，倒是宋美龄很快笑着解除了他心中的疑团。

你的方案通过了！

陈纳德，这位大洋彼岸的怀才不遇者，终于可以撸起袖子干了，他将以一位“美国农民”的身份，实际执掌中国空军的指挥权。

出师未捷

1937 年 8 月 13 日，在南京中国空军总部，陈纳德熬夜干到凌晨，制定了空军的第一份作战计划。

目标：轰炸日舰。

空军就是要配合陆军作战，黄浦江江面上停泊的日舰对中国陆军的威胁着实不小，“虎将”黄梅兴就是中了日舰打出的炮弹而阵亡的。

显然，目标定得很准，就看效果如何了。

效果很糟，糟透了！

那天上海的天气条件不好，下面看不太清楚，难以进行高空轰炸，这一点是陈纳德起先没有想到的。

不能炸，那就返航呗。

没有一个人愿意返航，都憋着劲儿要炸它一艘，立一大功。

轰炸方式一共两种，高空行不通，便只有降低高度俯冲了，可问题是，所有轰炸机飞行员只接受过两千二百八十米高度的训练，低了根本就没怎么练过。

飞行高度很快降到四百五十米，这下可坏了事。

在下降的过程中，他们不知道要控制航速，不知不觉竟然开到公共租界上空来了，而避开租界曾是陈纳德在命令中再三强调过的。

更严重的是，飞机上的轰炸瞄准器也没有进行重新调整，大家都以为自己罩住了日本军舰，谁知瞄准的却是公共租界的中心！

毫无疑问，炸弹下去，死伤惨重，不过损失的不是日军或日舰，而是中外平民。

陈纳德使足力气一个大脚，结果射出去的却是地地道道的乌龙球——除了误炸公共租界外，真正的目标日本军舰安然无恙。

我的上帝，这怎么可能？

陈纳德马上开起一架飞机亲自到前线察看，本来想去出事地点上海，但在长江上空他停住了。

眼前正有三架中国轰炸机在进行俯冲轰炸，并且炸弹已经击中了一艘军舰。

太棒了，不管怎么说，总有那么一脚射进对方球门了吧。

陈纳德的飞机上贴着中立国标志，没有任何作战设备，但他艺高人胆大，冒着弹雨从军舰旁边一穿而过。

一看，人差点没一个倒栽葱从飞机上摔下去。

军舰甲板上的标志又大又明显，原来竟是英国巡洋舰。

陈纳德气得扭头就走。

回到南京机场一看，自己的机翼上全是弹孔，原来也中了招。

英国舰你们炸，我这架“中立国”飞机你们也打，长眼睛都是干什么用的！

美国人怒吼一声，给我飞机上装机枪，马上装。

他瞪着刚刚返回的轰炸机飞行员：还等我给你们发勋章吗，下一次再让我看到你们中有人朝我开枪，我立刻把他给打下来！

战术制胜

首轮就没能成功，这让陈纳德颇受打击。

事到如今，也不可能再手把手地教飞行员们如何俯冲轰炸了，还是得靠战术才能制胜。

这个战术就是：用战斗机来对付轰炸机。

陈纳德是个有心人，在应邀来华之前，他曾秘密潜入日本，搜集了关于日本航空队的第一手情报。

这些情报让他心跳不已，原来日本人也研究过美国“正宗空军理论”，而且对其中的每一句话都深信不疑，是“轰炸至上论”的绝对拥趸。

你们学什么不好，要学这个，看来不倒霉都不可能了。

陈纳德据此作出判断，日本轰炸机前来进攻时肯定不会使用战斗机护航。

早在八一三淞沪会战之前，陈纳德便集中挑选了一批最优秀的战斗机飞行员，使用最好的飞机机型，进行突击训练，而训练的内容只有一项，那就是对付轰炸机。

中国空军一共有三个战斗机大队，所谓最优秀的战斗机飞行员，大部分都集中于四大队。

四大队从中队长、分队长到普通飞行员，都毕业于中央航校。这个航空学校是美国顾问的大本营，接受的是美式教育，而且训练和考核都很严格，绝不是意大利教官闭着眼睛点个头，就能顺利拿到文凭，因此他们就顺理成章成为中国飞行员中的佼佼者。

至于最好的飞机机型，当数美国鹰式飞机（霍克式飞机）。它们属于那九十一架可用飞机中的王牌，绝非意大利烂飞机可比，而后来的事实也证明，这一机型确实是中国空军最犀利的作战武器。

正所谓好马配好鞍，两个“最”加一块，那矛就不是一般的亮了。

在聪明的学生面前，洋老师倾其所有。这就是陈纳德在庐山上向蒋氏夫妇所承诺的“部分改造”。

美制鹰式战斗机成为抗战初期中国空军最犀利的作战武器

他没有白下工夫，很快就在第二轮收到报偿：“八一四”空战大获全胜。

“八一四”空战的胜利，除了陈纳德战术运用得当外，还与另一位传奇人物有关。

与妻书

在飞行员中，最优秀里面还有最优秀，宝塔尖上站着一位——四大队大队长高志航，此后被誉为中国空军“天神”。

高志航的人生经历很坎坷，他曾经是东北空军中的一员。

跟十九路军中的翁照垣一样，高志航的飞行技术也是在法国学的，只不过老翁转了一圈又回到了他的陆军起点，而高志航却因缘际会，成了不世出的空中骄子。

高志航 19 岁就成为少校飞行员（陆军衔），看到这里，陈纳德可能要狂郁闷了，他都快混到五十岁了，在美国空军中的牌牌竟然还是尉官。

不过五年之后，现实就给了包括高志航在内的整个东北军狠狠一击。九一八那个晚上，东北飞机场上停靠着三百多架飞机，可是一弹未发，全都原封不动地送给了日本人。

王牌飞行员高志航称得上年少得志

面对这残酷的一幕，这个叫高志航的东北人心都碎了，他不再年轻，尽管从生理年龄上来说，他那年才刚刚二十四岁。

在高志航背后，是一支军队被命运无情拨弄的身影。

因为一个偶然的机会，我曾到过沈阳，并在那里看到了如今可以说是硕果仅存的北大营营房，那应该是一所马厩。

当时还要拍一个视频，为此，人一直静不下来，但当我置身真实现场，仍有一种莫名的惆怅和感伤。

遥想当年，这里一定会有很多东北军的官兵出出进进，那时候的东北，茅草很高，骑兵们骑着马，飞奔在草原上，于是草地就像波浪一样，从中间划开一道道流线，并往前不断延伸。

只是这一动人的情景突然就被无情地打断了。从那个晚上之后，骏马失去了主人，马厩失去了骏马，东北的上空一片阴郁，直到彻底归于沉寂。

斗转星移，这个叫做东北军的军队也曾经勇冠三军，也曾经入主中原，也曾经是这片黑土地的主人。

昔日的主人们，你们到哪里去了？

高志航告别家人，只身进入了山海关。

从此，他将度过每一个寒冷的夜晚，对故乡和亲人的思念如刀割肤，他的心会被一次次唤醒，然而也只有在梦里，才能看到自己走在归乡路上。

我会回来的，我一定会回来的！

在南京，高志航经人介绍，准备加入中央航校。

可是按照当时的规定，空军军官不能与外籍女子结婚，而高志航的妻子是白俄流亡贵族，这成为他加盟中央空军的最大障碍。

也不知道制定这条规则的人是怎么想的，娶外国美女是爱国举动嘛，难道让老外把我们的美女都给拐了去你才高兴？

高志航夫妻感情非常深，他为此困惑得整晚整晚都睡不着觉，最终还是咬咬牙，硬起心肠，写下了一篇史上最奇怪也最动人的“休书”，东北一别竟成永别，请你不要怨恨我，因为国难当头，又何以为家，要报国，就只能如此。

我记得，上学时读到林觉民的《与妻书》，一句“吾今以此书与汝永别矣”，就几乎让我也跟着“泪珠和笔墨齐下”。

而同《与妻书》那样的“死别”相比，高志航的“休书”无疑就意味着生离。

一样的伤心欲绝，一样的痛彻心扉。

自此以后，高志航永失所爱，心里再也装不下别人，而他的俄国妻子最后也在战乱中不知所终。

没有谁知道，这位未来的空军“天神”是否也经常在梦中见到那熟悉的脸庞，当清晨醒来，是否还会泪流满面。

这是属于个人的悲剧，却是国家的幸运，因为高志航终于能够再干回老本行了。

只是，他不再是那位人人称羡的少校飞行员，一下子连降三级，成了空军少尉，后面备注：见习。

在这之前，高志航已经拥有整整五年的飞行经验，可给他的位置还是个实习生，只拿军饷，不参加飞行，就是军饷也拿不全，只能拿七成。

当时东北军人在全国的声誉和境遇都已降到冰点，他们一失东北，再弃锦州，三丢热河，最后弄到连栖身之处都没有了。

所谓墙倒众人推，等到落魄的时候，就没几个肯待见他们的，皆称之为“误国军”。

有人讽刺说，中国不是拿不到诺贝尔奖吗？依我看，至少有一个奖是

有希望得的，那就是诺贝尔和平奖，应该把这个奖授给他们的少帅才是。

张学良那时几乎就是东北军的精神偶像，说这种话就等于是在指着你鼻子尖骂人了。

坐着冷板凳，还要时常承受类似的冷言冷语，是人都得精神崩溃，更何况空军本来就是个在天空中翱翔的军种，骄傲是他们立身的资本。

很多跟高志航一道进来的原东北军飞行员都因忍受不了，一个接一个退出，可是高志航选择默默地留了下来。

如果换成多年前那个年少得志的少校飞行员，这一切都是不可想象的。

多少痛苦纠缠，多少黑夜挣扎，哪怕每一刻都必须承受孤独和苦痛，然而你仍然需要坚忍地度过，只为了那句入关前曾许下的庄重誓言。

请给我一个机会，一个高飞的机会。

伯乐

这个机会终于让高志航等到了。

航委会主任黄光锐前来检阅空军，飞行员们都在老大面前尽情施展。

这时黄老大注意到了一个人，这个人虽然也站在人群中间，却显得那样孤单和落寞。

黄光锐心里一动：为什么他不飞？

旁边有人赶紧解释，说这哥们儿是见习员，没有资格在领导面前表演。

黄光锐说让他飞起来试试，我想看看。

终于遇到伯乐了。

黄光锐出身华侨世家，据说十六岁就学飞行了，曾担任广东空军司令。正因为他自己就是个行家，所以才识得千里马。

高志航完全没想到自己会如此幸运，他差不多是以一种受宠若惊的心情爬上了飞机舱位。

前面表演得都不错，让人颇有眼前一亮的感觉，可问题是最后一下演砸了。

降落时，由于起落架放得太迟，机身受到了损伤。

这种失误过于低级，飞行员还没从飞机上下来，周围就议论纷纷。

议论的内容，叫做阴谋论，意思就是这姓高的哪里是来表演的，八成就是来搞破坏的。

众人的逻辑关系大致如是：东北人不好，高志航是东北人，所以他也不好，不好的结果就是想破坏我们的飞机。

高志航傻眼了，他的心也又一次跌到了谷底。

自始至终，黄光锐都在观察着高志航表演的每一个动作，这时他得出了一个让在场所有人，包括高志航自己都意想不到的结论。

黄老大说，高志航是好样的，他的飞行技术非常好，至于失误，纯粹是由于他久不训练的缘故。

不仅没处分，还直接提升为中尉分队长。

看到这里，连我都要流泪了。老天，怎么我就从来没碰到过这样的伯乐呢?

高志航自然更是激动加感动，自此以后，他得到了训练的机会，一练起来就疯魔一样。顺过来飞，倒过来飞，直线飞，弧形飞，一架飞机摆弄得跟我们上下班骑的电动车一样，想它怎样就怎样。

他后来甚至到了这样一种程度，即晚上开飞机不用打灯，摸着黑就能把飞机给拉上去。

等到黄光锐第二次检阅，在看过高志航的表演后，当场下了断语，你的技术在中国空军中已经是独一无二，东方不败了。

既然是东方不败，再做中尉就屈才了，马上提升，做上尉。半年之后，再升为空军教导总队少校总队副。

千里马由伯乐提携，终于出头了。

可这时候，高志航却与顶头上司毛邦初乃至恩人黄光锐发生了意见上的分歧。

高志航跟“空中魔术师”陈纳德一样，在战略思想上都主张冒险和进攻，而反过来，领导跟你想的可能就不一样，他们觉得中国空军力量不行，所以要“维稳”，主张防御。

两任领导，黄光锐和毛邦初，都是如此。

一个要攻，一个要防，在平时的训练中肯定会有冲突，这让高志航感到自己受到很大束缚，因此也有了陈纳德式的苦闷。

不过他的苦闷很快就得到了解放。

蒋介石过五十岁生日，号召大家捐飞机。英国、德国、意大利的飞机供应商一听到消息，马上就派自己的飞行员到南京来做飞行表演，以便吸引中国买家。

外国人都是生意头脑，而中国人在这方面却一向敏感，觉得老外是不是要在我们家门口摆擂台啊，欺咱飞行技术不行是不是？高志航闻讯后，憋着一口气，主动请求进京表演。

蒋介石在检阅台上看半天，天上眼花缭乱，穿来穿去的都是人家的飞机，心里自然有些不爽。忽然，斜刺里冲出一架中国人自己驾驶的飞机，忽上忽下，忽高忽低，花蝴蝶一样地玩儿动作，把老外都给比了下去，引得地面上的人们一片叫好。

一问，飞行员叫高志航。

蒋介石立命召见，并当着众人的面夸奖高志航说，你的技术如同你的姓氏，确实是高，我看快超过世界水平了。

不光褒奖（似乎都有些过了），蒋介石还难得地慷慨了一把：将自己的座机奖给高志航自用。

天子把座驾都给你了，这是什么礼遇，你懂的。

原来黄光锐说高志航“东方不败”，影响还只局限在空军内部，现在连蒋介石这样的国家元首都作出了表示，那就不得了了。

高志航立马火了起来，红遍全国，其名无人不知，无人不晓。

世界上的事就是这么简单，你困守陋巷，谁也不把你的话当回事，等到你出了名，打个喷嚏，旁边的人都可能要研究半天。

意见分歧迎刃而解，至少在四大队内部，高志航成了绝对的权威，所有训练课目和要求都开始跟着他的步子走。

等到陈纳德来华，高志航带着四大队的精英们接受了小灶式的训练。他们本来就有较好的功底，再经过最新理论和技术一熏陶，那水平更是翻着跟斗哗哗地就上去了。

连战连捷

8 月 14 日，日本第三舰队司令长谷川清下令海军航空队出击，分别轰炸中国在华东的两大机场——杭州笕桥机场和皖南广德机场。

地面有势力范围，天上也得有。北方是陆军航空队，南方就是海军航空队。这倒不完全是海陆两军互相讨嫌的结果，更多原因是日军在华北有陆上机场，而在华东、华南却没有，由此海军在南方就拿到了“垄断权”。

海军航空队共有三个基地，即日本本土、台北以及海上航母。那天正好刮台风，本土的木更津航空队被台风挡住了，过不来，而航母上的飞机因为风浪太大和能见度太低，也不敢飞。

三支航空队，只剩下了台北鹿屋航空队一家。

台北在台风区外面，那里的气象报告显示，天空晴朗，没有问题。可是到杭州后就不一样了，眼见得天气越来越糟，竟然下起了大雨。

那时的飞行员，都是靠一双肉眼保持联系，在雨中能见度非常低，视野一片模糊，结果一个九机编队，中途有三架迷失方向，真正到达杭州笕桥上空的仅为六架。

陈纳德的预计极其精准，日本海军航空队出动的果然全是轰炸机，里面没有一架战斗机用于护航。

在轰炸机上，有枪也有炮，该有的都有了，这就叫自己做自己的保镖，用不着再另外请人，还得额外付工钱。

六架轰炸机刚刚进入杭州境内，笕桥机场里面已是警报大作。那时没有雷达，中国空军依靠的是陈纳德“战斗机制胜论”之外的另一个新理

论——预警网络。

所谓预警网络，并不需要什么高科技，连“黑客”都不用，只要雇两个人，拿着望远镜在高处瞭望，一旦看到远处有轰炸机出没，立即通知机场，这样可以为战斗机出击提供更多的准备时间。

别看这招简单，在雷达还没有普遍运用之前，却非常实用。在陈纳德之前，也从没有人想到，或予以重视。

战前，陈纳德在沪宁杭构建了一个三角空袭预警网，犹如古代的长城烽火台一样，发现敌情后，便燃起烽烟，然后一站传一站。

杭州笕桥机场，正是高志航四大队的营地。

七七事变以后，四大队本来已秘密进驻河南周家口机场，准备从平汉线起飞，对华北日军发动空中突袭。

就在作战计划将要付诸实施的时候，淞沪会战爆发，四大队奉命取消原计划，驰援上海战场。

机场地面拉响警报时，高志航刚刚率一个中队落地，尚有两个中队在天空。

刚开始听到警报，他还以为是预警网络错把四大队的飞机当做敌机，跑到指挥塔一问，才知道千真万确，砸场子的来了。

按照一般程序，似乎战斗机要编好组，作好准备才能迎敌，而且四大队经过长途跋涉，机舱里的油料已经不多，急需加油，可是陈纳德曾在课堂上明确告诉高志航：不行！

传统理论为什么会认为战斗机截击不了轰炸机，就是因为墨守成规的结果。

人家轰炸机早就来了，你们还在那里排队，等到你们编好队形，准备出击的时候，对方早就完成任务，吹着口哨回家睡觉去了。

如此，焉能不败。

其实很简单，对于战斗机来说，等什么等，第一时间飞上去干掉它们不就得了。

战斗机要截击轰炸机，就是要打破常规，抢先出击。

高志航命令刚刚着陆的飞行中队马上重新启动，起飞迎敌，同时通过信号，要求另外两个飞行中队就地留空拦截敌机。

他自己也往座机上一跨，上！

此后几乎就是对陈纳德课程的复习。

陈老师在课堂上侃侃而谈。

我告诉你们，我在美国组织过空中马戏团，这是需要三个人配合表演的节目，现在我把它教给你们。

假如一架敌机飞来，你们要用三架战斗机去抱团对付它，第一架，从上面揍它，第二架，从下面咬它，第三架，先不要动，养精蓄锐，以完成最后的致命一击！

击哪里，不要击机身，要击它的发动机，那样即便没瞄准，也一定可以扫射到机翼根部的油箱，油箱一起火，机身必然完蛋。

现在高志航拥有三个飞行中队，三十六架美国鹰式战斗机，而对方只有六架轰炸机，三个打一个，绰绰有余。

高志航上去后不是马上干仗，而是得找，因为天空云层密布。日机全都躲在云层里，投弹时才冒出来。

带着两架僚机，从三千米云层开始找，没有。

下降高度，结果正好搜索到一架日机。

日机的尾部有一个炮塔，里面的机枪手也几乎同时发现了身后的中国飞机，赶紧瞄准。

可惜他晚了一步。高志航抢先射击了。

鹰式战斗机装有四挺考尔脱机枪，火力甚是生猛，一下就敲掉了对方的后炮塔。

没了后炮塔，等于日机的牙掉了个精光，自然不能还手，只能锻炼自己的抗击打能力了。

日军飞行员见势不妙，赶紧往云层里钻。可是，被高志航逮住的，它就不可能逃得脱。

又是一阵密集的机枪子弹。这一回正是朝着发动机去的，日机主油箱被击中，引起大火，随后坠落。

这一记远射建功非常重要，大家的士气和斗志立刻都被调动起来，中队长李桂丹和两架僚机合作，紧接着又揍下了一架日机。

当四大队降落机场时，大多数飞机正好油尽，秒钟掐得那叫一个准，只有一架因为油少得实在没法接近机场，才临时迫降在了机场附近。

半个小时的空战，四大队当场击落日机两架，击伤两架，而中方无一损失。

受伤的那两架日机当时虽然逃出生天，却仍未能摆脱厄运。其中一架因受伤严重，掉进了海里，另外一架都飞到了自家机场，却还弄了个人仰马翻，结果也彻底沦为废品。

空战之前，日方认为他们的航空部队百战百胜，横扫千军，在他们眼里，中国就没有空军，或者所谓的空军也无足轻重，等于空气一般。相比之下，中方原先最担心的也是自己的空军，但实战结果完全颠倒过来。

当时传闻击落日机六架，蒋介石在南京得报，乐得都快晕过去了，庐山上听闻“九十一架”时的那种沮丧和无奈顿时一扫而空。

小子们真给我长脸啊。日本人就会吹牛，说他们的航空队如何了得，看来倭寇的空军也很差劲嘛，“八一四”一战，可以寒其胆矣。

就像在奥运会上许海峰首夺金牌一样，高志航因“八一四”空战而名垂史册，中国空军也就此打开胜利之门，奠定了他们的不世荣耀。

“八一四”之后，即有“八一五”。

8 月 15 日，继鹿屋航空队后，长谷川清又将木更津航空队和航母上的飞机集中起来，以便换换手气。

高志航再次率队出击，迎头先击落一架，接着又咬住一架。

在他看来，被咬住的这一架已是自己的盘中餐，击落不费什么事，可是他并不想立刻予以击落。

咱们缺飞机，要是能俘获到一架，那岂不是比击落好。

“八一四”空战打开中国空军胜利之门

逼近右后方，平行飞行，打手势告诉对方，喂，哥们儿，投降吧，以飞机换小命，还来得及。

日机飞行员哪见过这个，伤自尊啊，一冲动，就拔出手枪朝高志航开了枪，正中后者手臂。

高志航忍着痛，再不言语，直接对准日机，把这个不知好歹的家伙打得空中开花，一命呜呼。

主将神勇，部下们也不是盖的。

继高志航歼敌后，又有几个神人浮出水面，首发者为四大队分队长乐以琴。

此前他一直蛰伏在三千米高空的云层中，充当陈纳德所说的“第三杀手”。忽然在谁也想不到的情况下突然杀出，并且左右开弓，一口气打掉

空军“四大金刚”之一的乐以琴

对方四架战机！

这不是在玩儿电子游戏，能一对一已属不易，何况以一击四，乐以琴遂被誉为“江南大地之钢盔”。

除了老将，还有新秀，印尼华侨梁添成是新近入伍的中央航校学员，而且是首次上阵，可这小子的胆子比谁都大，运气也特别好，竟然也像大队长那样，一人干掉了俩。

返航时，由于过于兴奋，他连降落要放起落架这事都不记得了，结果飞机机腹着地，当场掀了个底朝天。

众人大惊失色，急忙上前准备抢救，却见小梁自己从里面钻了出来，一蹦一跳，嘴里还狂呼：“我干掉了两架，两架啊！”

至此，四大队飞行员全都有了击落日机的纪录，一般都是击落一架，两架以上的择优进入了中国空军“四大天王”名录。在这个榜单上，四大队一下子就占了三席，分别是：高志航、乐以琴、李桂丹。

高志航是老大，老二的位置虚席以待，它在等待另一位天才英雄的加入。

继他们的天神队长之后，四大队人人称雄，被称为志航大队。

长谷川清本想翻本，没想到“八一五”比“八一四”损失得还要多、还要大，当天出去的相当一部分轰炸机都没能做到全身而归。

这么说吧，淞沪会战开始后就三天时间，日机总共被击落四十六架，其中大多出自鹿屋和木更津航空队。

要知道，这两支航空队都是日本海军最精锐的航空部队，它们原先可都是为应付将来的日美之战，以美国为假想敌训练出来的秘密武器。

虽然日本的飞机很多，但要蒙受这么大的损失，以致华东的天空几乎成为日机墓场，这也令日本人心疼得受不了。

曾经不可一世的日本航空队再也傲不起来了，在无战斗机护航的情况下，他们被迫改变了白天进攻的方式，准备夜袭南京。

探照灯战术

想趁晚上来我们这里捞便宜，没门儿，不过作战环境变了，战术当然也要变。

在陈纳德的要求下，一天之内，附近能征集到的所有高防炮和照明灯都被集中到南京，在南京上空部署出了一个防空网。

但是这只是内线防御网，陈纳德的目标是尽可能御敌于城外，所以他又建立了一个外线防御网：在南京周围设置了数十盏大型探照灯，用以覆盖日机可能出现的区域。

舞台已经搭出来了，灯光也有了，孩子们，我要给你们上一堂新课，告诉你们如何进行空中夜战。

对先前的部署，大家可能会觉得疑惑——南京城外也没有高防炮，光有探照灯有什么用，这不变成给轰炸机指路了吗？

我告诉大家，这是一种古老而奇特的进攻战术，不过是在空中的运用而已。

没有意外，陈老师即将讲述的，也是他自创的众多新理论中的一种，唤做：探照灯战术。

陈纳德说它古老，是因为其灵感来自于生活中的一个小常识。比如你夜间行走，迎面碰到一辆汽车，这汽车还开着大灯，那么在耀眼的强光下，你的分辨能力一定会降到最低。

所以我们在影视片中经常看到这样一幕，当事人在汽车灯光的照射

下，双手捂着眼睛，哇的一声大叫，然后惨祸发生。

探照灯所起的作用，就是传说中的汽车灯光。它可不是给日本轰炸机照明的，而是为了不让轰炸机飞行员往下看，如果在被探照灯光束完全罩住的情况下再往下看的话，强烈的光线会直接刺激他的双眼，使他瞬间什么都看不见。

只要不往下看，那就好办了……

课堂下面，一群中国学生听得聚精会神，听到节骨眼儿上，个个瞪大眼睛，竖起耳朵，着急着要听下文。

美国老师都有这么一个特点，你越问，他越高兴，讲起来也就越带劲。

你们问我为什么日军飞行员不往下看就好办了，很简单，我要让你们顺着探照灯光，从轰炸机下面直飞上去，此谓猴子爬杆！

由于对方不能往下看，所以在轰炸机裸露肚皮下方五十米内，他绝对察觉不了。

接下来该怎么办，你们应该懂了。

就好像《西游记》中悟空被师父用戒尺敲了三下，优秀飞行员们马上领悟过来。

依靠探照灯战术，中国空军再显神威。有一天晚上，日本海军航空队一共出动飞机十三架，其中竟有七架有来无回！

对南京进行轰炸，没捞到什么大的油水儿不说，平均每天晚上还要损失差不多一半的飞机，这不是亏，而是亏得太大了。

整整六周，日本航空队偃旗息鼓，再也不敢轰炸南京，这使陈纳德得以在小范围内从防守转入进攻。

准天神

“八一五”空战中方虽然战果辉煌，却损失了“天神”——高志航因受伤而被送往汉口医院。

陈纳德要打进攻战，就必须寻找一位新的领军人物。

在讲述探照灯战术的过程中，陈纳德发现有一位飞行员十分用心。

他不仅认真听，还一边在笔记本上拼命作着记录，而且每节课后，都要带着十几个详细的问题，拉住陈老师问个不停——当然是通过翻译。

陈纳德认定这就是他要找的人。

美国人的眼光真是够毒，一眼就知道谁是“准天神”。

在中国空军飞行员里面，要论飞行技术，高志航是最出色的，能与之一较短长的，还有一个人。凑巧的是，两人又同为东北同乡，并且是中央航校的一对师徒。

他是五大队二十四中队队长刘粹刚，也就是陈纳德手下最用功的那个学生。

一个九一八，不知在华夏大地上制造了多少人间悲剧。刘粹刚本是一介书生，也曾梦想过“工业救国”，此时却不得不投笔从戎，一路流亡到南京，并考入了黄埔军校。

黄埔教的是步兵，凑巧这时中央航校来黄埔招生。小伙子身为关东大汉，有副好身板，想想还是空军有劲，从此便另投门庭。

在这里，他遇到了高志航。

如果说高志航是最好的航校教官，那么，刘粹刚就是最棒的航校学生。

当时在中国空军内部，空中射击训练纪录保持者，唯高刘二人。

据说在一次打移动飞靶时，刘粹刚曾分三次射出五十发子弹，全部命中目标，直让人看得目瞪口呆。

虽说高刘一个是教官，一个是学生，但共同的命运和相似的性格，却使他们难分彼此，师生经常在一起切磋技艺。编队后，高志航曾一度争取

把刘粹刚调入自己的四大队，只是五大队对这位中队长兼王牌飞行员亦依赖甚深，才不得不作罢。

到七七事变乃至淞沪会战爆发，高刘都感到杀敌报国的机会来了，打回东北老家去也从此有了希望和可能，刘粹刚甚至激愤地说，要凭借自己的铁和血，去炸毁扶桑三岛。

但是刘粹刚也不是一个盲目的愣头青，他清楚地知道未来将是一条牺牲之路，而他当时已经有一个幸福的家庭，要牺牲，就必须有勇气割舍这一切。

他在给妻子的家书中言道，万一为国牺牲，那是自己尽了天职，因为生于现代的中国，是不容许偷生片刻的。

到那时，你要勇敢地开始新生活，我只希望你记住："在人生旅途中也曾遇着过一个我这样的人。"

无情未必真豪杰。

"这样的人"注定将在人生旅途中创造辉煌一页。

在高志航暂时离开后，正是他挑起大梁，带领战斗机飞行员展开空中夜战，把陈纳德的课堂所授非常完美地付诸实践。

在初次参战的前两个晚上，光他一个人，就击落了三架日本轰炸机。以后一发不可收拾，在前前后后的历次空战中，先后击落日机十一架，牢牢奠定了"四大天王"次席的位置。

陈纳德将刘粹刚视为自己的得意门生，认为美国现役飞行员中能与之相提并论的都很少。

此时被一连串胜利所鼓舞的陈纳德信心十足，他需要刘粹刚带着战斗机飞行员们实现他的下一个目标。

战斗机当轰炸机用

首轮轰炸的失败一直让陈纳德耿耿于怀。

那些意大利人教出来的轰炸机飞行员基础实在太差，短时间内看来是补不回来了，但是空军要投入进攻，除了轰炸，也没有别的途径。

最有灵性的无疑是集中起来上课的这批战斗机飞行员了，要不，让他们上？

这并非陈纳德异想天开，因为鹰式战斗机确实是可以当轰炸机用的。

日本轰炸机是以轰炸为主，战斗为次，鹰式战斗机，则是以战斗为主，轰炸为次。

陈纳德要把鹰式战斗机的次序换过来，改成轰炸为主，战斗为次。

在黄浦江上停泊的日本军舰越来越多，舰炮形成了一道道火力屏障，白天根本就闯不进去，只能晚上，另外，由于战斗机仅能携带小个炸弹，所以又必须进行俯冲轰炸，否则就没有效果。

可是夜间的俯冲轰炸，别说战斗机，连轰炸机都鲜有此例，因为十分危险。

陈纳德不是一般的人：我创造了，然后就有了！

他晚上在南京机场的地面上画了一个军舰的轮廓，告诉战斗机飞行员，这就是假想的日本驱逐舰。

在南京机场上空，飞行员们连做三次演习，将陈纳德所授要诀全都记在了心里。

刘粹刚带着战斗机编队，以夜色为掩护，开始向江面上的日本舰队冲击。

在发现中国战机展开进攻后，日本舰队一片忙乱，又是探照灯，又是高射炮，但是几乎没有一发炮弹能击中战斗机。

原因是在演习时，陈纳德便给战斗机设定了一个高度：一千零六十米。

这样的高度，轻型高射炮够不着，重型高射炮又嫌太近，相当于一个射击死角。

当然战斗机还要下降高度，不然就无法进行俯冲轰炸了，而在下降和俯冲过程中，如果让对方听到飞机发动机的声音，则难免会挨上一炮。

陈纳德的要诀是，沉住气，当日舰出现在机翼的后缘时，关闭油门，垂直俯冲！

此时心里数数，一二三……数到十五，马上垂直改水平，俯冲投弹。

投弹结束，开足马力，紧贴地面逃离。

这套程序讲究的就是一个快字，快速俯冲，快速投弹，快速启动，要是慢上一点或者技术动作出现不协调，飞行员和飞机就麻烦了。

所以普通的轰炸机飞行员们玩儿不了，必须依赖刘粹刚这些高手。

刘粹刚几乎每天晚上率队到江上“赴宴”，类似程序自然也要重复重复再重复，但日舰对陈纳德的这一战术从来都没有真正弄懂过，也作不出任何有效的防备措施。

在日舰中，中国战斗机攻击最集中的是第三舰队旗舰“出云号”。有一次共投进去三枚五百磅炸弹，“出云号”当即着火并引起剧烈爆炸。

然而让陈纳德百思不得其解的是，三天之后，“出云号”竟然又完好无损地回到了原来的停泊点，甚至连个疤痕都找不着。

难道这是金刚船？

陈纳德回去翻了翻资料，原来“出云号”是日俄战争时日本从俄国人那里得来的，不是一艘，是两艘，而且一模一样，乃姊妹船也。

他于是断定，肯定必有一艘被击沉了，如今现身的不过是替身而已。

后来抗战结束，陈纳德专门查阅了日方资料，果然发现姊妹船很早就由两艘变成了一艘，以此证实了自己的结论。

第二章

性格即命运

由于得到空军支援，张治中在第二次总攻中没有受到日军舰炮的太大压力，而他所实施的“铁拳计划”也着实把长谷川清给打疼了。

为此，第三舰队指挥部向海军军令部连发两份急电，要求速派援军。

8 月 18 日，英国提出调停建议，中国统帅部第三次向张治中下达了暂停进攻令。此时，日本统帅部却已通过继续增兵计划，所以很快就拒绝了调停。

8 月 19 日，张治中发起第三次总攻，逐渐把淞沪之战推向了高潮。

重装上阵

这次张治中决定从杨树浦租界开始攻起，毕其功于一役。

杨树浦在虹口和黄浦江之间，如果能从杨树浦一直杀到黄浦江边的汇山码头，依着这一线路，便可与闸北一起将虹口做成夹心饼干。

然而此次总攻称得上是三次总攻中最难的。

日本海军军令部把用于北方作战的海军调回南方，原拟登陆青岛的两个陆战大队登陆上海，上海陆战队总数增加到八个，长谷川清将其大量部署于杨树浦日租界，并以大据点为中心，设置了重重障碍。

前面骨头还没啃完，后面又要吃肉，难度系数无疑在翻倍。尤其那些大据点，在一·二八会战结束后，就被用钢筋水泥层层加固，下面连地道都有，实在不是一般地难啃。

对付这种东西，光血肉之躯不行，得用金刚钻。张治中向中国统帅部请命，要求调动特种部队参战。

首批进入上海的是化学兵部队，更准确一点说是抛射炮化学兵部队。

在化学战方面，使用得最肆无忌惮的是日本人。从九一八到一·二八，再到长城抗战，几乎无处不见日军的化学武器，后来更有令人毛骨悚然的731细菌战。

不过，小日本放毒气也就只敢对着中国人，当他们面前站着的是西洋老外时，连手指头都不敢动一下，因为后者在化学战方面的能力更为了得，你放我也放，日军吃亏，所以不敢放。

我们最好也能以牙还牙，散点毒气给他们闻闻，可惜我们没他们坏，搞不了那么伤天害理的“科学研究”，同时受《日内瓦公约》的限制，也没法弄到毒气炮弹。

中国化学兵的武器叫做抛射炮，又称李文斯抛射炮。这种炮本来是用于投射毒气弹的，可是因为搞不来毒气弹，所以只能派另外一个用场——抛放燃烧弹，后者倒可以通过进口得来。

早在张治中发起第二次总攻时，由于普通火炮奈何不了大据点，他就想到用喷火器，而抛射炮就相当于改进后的喷火器。

抛射炮始于一战，当时喷火器刚刚投入使用，一个个巨笨无比，射程又极短，等士兵呼哧呼哧把大油罐搬到前线战壕，没打死敌人，自己就先给累死了。

在这种情况下，一个叫李文斯的老外便造了这种抛射炮，不用油罐，用油桶，靠炮把油桶抛射出去。

这一下就解决了全部问题，虽说弹着点没有一般火炮准确，但它的覆盖面大，一爆开来，到处都是燃烧着的火苗，效果比一般喷火器强多了。

供张治中调遣的是一支抛射炮化学兵联队，共有十二门抛射炮，官兵三百余人。

在杨树浦有一座日军的大据点，楼高七层，张治中要求化学兵予以拔除。

抛射炮长相奇特，跟普通炮有所不同，它没有炮架，只有一个圆形底座，开炮时大半个身子埋在工事里，然后用电线将各门炮连在一起，要放了，按一下电钮即可进行，看上去还是蛮现代的。

在张治中下达命令后，第一下，没打中，这是预料中的，因为还要修正距离和方位。

第二下，燃烧弹直入高楼第四层。

顿时楼里浓烟滚滚，燃烧弹制造出来的电光效果真是不同凡响。刚刚还用枪炮还击的陆战队队员终于知道了厉害，逃命成了大事。

化学兵一招得手，大为振奋，紧跟着又是连续三次齐射。烟火弥漫处，就见高楼哗的一声垮了下来，阵地上日军陈尸狼藉。

李文斯抛射炮设置阵地

上海各家报纸均头版头条报道了这则消息，对陆战队的心理是一个很大震慑。

继化学兵之后，中国坦克兵也现身上海滩。

自一·二八淞沪会战以来，都只看到日本人的坦克，从没见过我们的坦克长啥样子，这可真够新鲜的。

日军据点被抛射炮击中起火

在当年的长城抗战中，身为第十七军军长的徐庭瑶被日军特种部队刺激得不行。战后不久，他即上书蒋介石，建议组建自己的坦克部队。

经蒋介石批复，由徐庭瑶负责组建了装甲兵团，这是当时中国第一支也是唯一一支坦克部队，徐庭瑶由此被称为“中国装甲兵之父”。

装甲兵团从南京给张治中调来两个战车连，用以清除马路上的坚固障碍。

战车连连长也是黄埔学生，但在观察战场情况后迟迟不敢进入杨树浦。

“车子太坏”（非重型坦克），日军火力过猛，加上步兵又没有练习过步车协同战术，坦克沿途将缺乏保护，这样太危险了。

这时张治中一心要贯通杨树浦，当然不能答应。

好不容易把你们请到上海，却不敢或不想打仗，如何能行。

必须攻入，否则不要来见我！

连长遂驾驶坦克带队冲锋，有了钢铁清道夫，部队前进果然顺利多了。

冲到汇山码头，由于日军火力越来越猛，连长车毁人亡，张治中只得下令后撤。

通过第三次总攻，张治中虽初步贯通杨树浦，但长谷川清在再一次得到援兵后，又很快卷土重来。

这次的援兵是直接从国内调来的两个陆战大队，上海陆战队总数由此猛增到十个大队，兵力骤然多出二千四百人，因此又重新控制了杨树浦。

8 月 20 日，张治中趁着月色赶到前线，督导各部发动第四次总攻。

如同汤恩伯调遣罗芳珪，张治中这次同样召唤到了一位开路的巨灵神，其人也是团长，名叫胡家骥。

胡家骥毕业于黄埔军校工兵科，工兵这个专业很重要，却也很冷门，没点自己的套路，都很难出人头地。

胡家骥的套路就是拼命。

所谓黄埔精神，说到底就是拼命精神，所以刚毕业的黄埔生在战场上的淘汰率非常之高，因为都需要拿着枪冲锋，但等到了连以上军官时就要好得多了，再到团长乃至像关麟征、黄梅兴这样师旅级别的，不管多猛，也只是在情况特别危急时，才需要随队冲杀。

胡家骥已经是团长了，可他没有哪一仗肯老老实实地待在后面指挥，总要拿杆枪冲在最前面。

领导见了面就训，你这样怎么行，一打仗，你第一个升天了，以后部队靠谁指挥？

胡家骥态度很老实，我错了，下次改。

下次照旧。

让人奇怪的是，这个拼命三郎每次都不死，照样活蹦乱跳。

他在杨树浦的路上就被卡住了，一阵弹雨袭来，部队死的死，伤的伤。

胡团长没有死，仍旧冲在最前面。但是他的两个警卫员，一个战死，一个中了两弹，却还在继续跑。

能不跑吗，他那团长，人家已经中五弹了！

中了五弹，却不是要害位置，不冲何待。

于是过五关斩六将，直杀到汇山码头。

防守码头的日军见过不要命的，没见过这么不要命的，就看着一个血人带着一群似乎刚刚从地狱中解放出来的人冲杀过来，都不知道该怎么办好了。

精神上再也支撑不住，只得一窝蜂逃向外滩的公共租界，英军马上端着枪上来了：yes or no？（是或不是？）

Yes，好，缴枪投降吧。

前面没鬼子了，但有铁栅门，而且十分坚固，打不开。

胡家骥一看，这好办，爬过去嘛，看我的。

他一个翻身嗖地爬了过去，那样子，根本就没人会想到他身上已经中了五颗子弹。

团长做了榜样，其他官兵也就如法炮制。

但是进去了以后没用，因为你守不住，江面日舰只要几炮打过来，就会给你造成伤亡。

不能白白送命，于是胡家骥搞完打砸抢之后，又带人撤了回来。

回来之后就由不得他了，都中五弹了，拉下火线，治疗。

从杨树浦到汇山码头，道路又重新扫过一遍，可这不是说扫过之后就能算，长谷川清占有火力优势，仍然能够反攻倒算。

事实上，这条道路已成为一条生死线。

假如张治中牢牢控制此处，则虹口和杨树浦两大租界之敌将不能相互援助，变成东一块，西一块，且不得不逐步收缩到各自的孤立大据点里去，等于是坐以待毙。

为了争夺生死线，长谷川清白天来，张治中就晚上攻。

面对着中国军队入夜之后翻来覆去的折腾，陆战队惊恐万分，到实在挡不住时，被迫纵火为障，有的街道上的大火一烧就是三天三夜。

更有甚者，自从驻守汇山码头的日军开了向外滩逃命的先例后，大家争相效仿，前后竟有三批人这么做，向英军投降的陆战队队员达四五百人之多，被缴械后统统关在了外滩公园。

自淞沪会战开战以来，张治中以三个德械师为主，反复包夹，打到日军最后能龟缩的大据点就剩下了两个，一个是虹口的日本海军陆战队司令部；另一个就是杨树浦的公大纱厂。除了这两个地方，陆战队在上海几无容身之处。

从8月13日至8月23日，史称十日围攻，张治中一步步到达了主动进攻的顶点。

不需抬脚的门槛

8月23日，日军在川沙口登陆，它标志着中国军队将从此由攻转守。

登陆的军队是善通寺第11师团，属于日本统帅部刚组建的“上海派遣军”两大常备师团之一。

如同当年的白川义则，新一任派遣军司令官也是一位老资格军人。

松井石根大将，毕业于陆大十八期，与本庄繁是陆士同学。

松井的父亲是一位研究古文的汉学家，本来指望他能继承父业，学有所长，不想这小子喜欢的却是打打杀杀，以后更是走上了一条完全不同的道路。

汉学，他后来也研究，不过跟老爸不同，他不研究古文，而是研究怎样侵华，也就是他所谓的“哥哥打弟弟”。

他是老一代日军将佐中首屈一指的“中国通”，板垣、土肥原等新一代“中国通”都在他那里取过经。不过，同是“中国通”，由于履历不同，各人的“专业方向”还有所侧重。比如松井曾在上海担任过驻华武官，对华中和上海的地理就比其他人要熟悉。

在淞沪会战爆发时，松井已退役两年，且患有肺病，但正因为有这么一个背景，陆相杉山元在考虑指挥官人选时，一眼就相中了他。

进攻上海，松井有两个选择，一是从黄浦江上岸，加入市区作战，那样可以直接解陆战队之围；另一个是从郊区登陆，进行迂回大包围。

松井石根属于“南方中国通”

一·二八会战，白川选择了后者，松井萧规曹随，如法炮制。

日军能够这么潇洒地来去自如，想登哪里就登哪里，原因还在于中国中央海军形同虚设。

所谓中央海军，其主体是闽系海军。他们大多是福建人，留过洋，出过国，对英国皇家海军特别崇拜。回来以后，在国人面前也改不了英国绅士的派头，到哪里都操一口倍儿有面子的伦敦腔，开口闭口都是，兄弟在国外的时候……

几乎所有跟中央海军打过交道的，都吃不消这帮英国绅士的谱，而这里面谱最大的，就是海军部部长陈绍宽。

军政部部长何应钦主持的会议，只要陈绍宽哪个要求没达到，人家都不跟你废话，夹着皮包当场就走，愣把你给晾在当场。

陈绍宽曾当着蒋介石的面，要求“最低限度”给海军造一艘航母。一艘航母光造价就得两千万元，如果再加上维护保养之类，就要上亿了，包括蒋介石在内的许多人听后都被惊得说不出话来。

陈绍宽一看，连航母都舍不得给我造，那还怎么干法，辞职走人！

中央海军是一个依靠技术壁垒建立起来的独立王国，陈绍宽要撂挑子，就等于说整个海军都要撂挑子了。蒋介石哪里能放，无奈之下，就索性扯开了忽悠，说为什么只造一艘，我们不造便罢，要造就造三艘，不过时间要稍微长一点而已，至少得五年。

三艘航母，你就算把南京政府给兜底卖了，也换不来这么多钱，可是陈绍宽却信了，而且还一本正经地为之忙活开了，就等着收获这些大家当。

蒋介石哪里有办法给他造航母，为此头疼了好些年，几乎见到陈绍宽就躲。

给蒋介石解围的却是中央海军自己的表现。

在一·二八会战中，中央海军一枪未放，与日本海军“你不打我，我不打你”，因此激起了公愤。会战结束后，甚至有人提出要弹劾陈绍宽，后者这才不追着蒋介石要航母了。

这么牛，应该有两下子才对，然而到了“八一五”淞沪会战，人们才发现，原来海军牛只是在国人面前牛，真正打仗，全不好使。

陈绍宽采用的是消极得不能再消极的自残式防御战术，他把中央海军一拆两半，一半凿沉后拿去阻塞江阴水道，另一半则缩在自家门口，日本海军从舰上往上海扔了多少炸弹，日本陆军从哪个地方登陆，似乎都充耳不闻，视而不见。

你就是上去挡一下也好啊！

在淞沪战场上亮了一下剑的，恰恰是“英国绅士”们最看不起的电雷系。

电雷系，又名电雷学校，乃蒋介石自己操刀的作品，它是依照黄埔模式套出来的一支小海军。

就像黄埔军校平时上课，但拉出来就能打仗一样，电雷系也集军队与学校于一身，并且有一个响亮的称谓：海军的黄埔军校。

在陈绍宽的闽系中央海军看来，电雷系的这些人真是土得掉渣儿，连艘正经的大舰都没有，就只会捣鼓水雷鱼雷这些小玩意儿。

更让他们不能接受的是，这个学校教出来的学生简直就是一帮下里巴人，竟然连海军的基本礼仪都不会，船舰相遇，人家给他们敬个礼，他们连怎么回礼都不知道。

那电雷学校练什么呢，简单，黄埔精神！

电雷系平时理解的黄埔精神，就是抱着雷，嘴里大叫，冲啊，然后不顾性命地往前冲。

听听他们给鱼雷艇中队起的名字吧，一共四个中队，分别以四个好汉

的名字命名：文天祥、史可法、岳飞、颜杲卿。

也难怪闽系的“英式绅士”们要耸肩无奈了：你们以为这是在陆地上吗？真够傻的。

可是世界上的傻子往往都是执拗者，而执拗者又往往更出色。

就在“绅士”们只能叮叮当当凿船的时候，电雷系却架起高射机枪，打下了一架木更津航空队的轰炸机。

这是海军打下的第一架日机，却跟中央海军没有任何关系。

除此之外，电雷系还派出两艘经过伪装的鱼雷快艇，乘夜袭击过“出云号”——也就是陈纳德所说的那个如假包换的姊妹替身。

虽然并没有能将假“出云”给击沉，但这毕竟是中国海军第一次主动攻击日舰。有此一举，已足以把“绅士”们给比下去了。

电雷系是没有舰，要有舰，起码不会让日本人在海岸线上这么为所欲为吧？

陈绍宽当然也有自己的想法，他的如意算盘是当日本舰队向他冲击时，双方再舰对舰，炮对炮，来一个绅士般的决斗。

可惜人家的脑子转得比部长大人要快得多。

你们既然都挤在了一个小角落里，凭什么还需要舰战，飞机炸弹就可以报销你们。

结果，中央海军成了人家空袭中的死靶。

陈绍宽的主力舰队最后全军覆灭，抗战中唯一的一次海战刚开始就结束了，它的失败，并不比甲午海战让我们心里更好受一些。毕竟在那次让国人蒙羞的海战中，还击沉击伤过多艘日舰，这次却一艘都没有。

事实证明，平时那种故步自封、唯我独大的衙门式治军理念，确实极大地禁锢了陈绍宽等“英式绅士”的头脑，弄得堂堂中央海军都不会打仗了，几乎等同于海上的晋军。

中国三大军种，只有这道门槛最低，松井连脚都不用抬，就轻轻迈了过去。

真的受伤了

8月23日这天上午，张治中满脑子还在考虑怎样在市区组织下一次总攻，上海派遣军的忽然出现，令他大吃一惊。

一个可怕的念头闪现出来：日军要抄我的后路！

教训就在眼前，一·二八白川派兵在七丫口上岸，一下子就把局面扳了过去。

颇有意味的是，当年负责登陆七丫口的就是善通寺师团，而川沙口距离七丫口并不远。

让人更加觉得神秘莫测的地方还在于，守卫七丫口的是一个连，现在驻守川沙口的，偏偏也是一个连。

难道跌跤要跌在同一个地方？

赶快抽兵过去吧。

调动一兵一将也得打电话，可是一打电话才发现，竟然全都不通，连与江防司令部都断了联系。

原来日军刚刚对南翔司令部外围进行了轰炸，所有电线都给炸断了。

张治中先派参谋们出去联络，等了一会儿，他自己也坐不住了，索性坐上汽车直奔江湾前线。

连司令部周围的电线都被炸断，表明日机早已牢牢盯死这里，所以他一出门就碰见了鬼，竟然有三到九架飞机不停地在上空进行轰炸扫射。

小汽车目标太明显，只得下来隐蔽。本想等日机离开再上车，不料这帮家伙还赖在上空不走了，就朝着汽车使劲。

没法坐车了，走路吧。

从南翔到江湾有十八里地，靠这双光脚板，没个半天还真走不到，张治中心急如焚。

半路上，碰到了一个传令兵，这兵骑一辆脚踏车，看见张治中还觉得奇怪。

怎么总司令车都不坐，改徒步了？

不是不想坐，是不能坐。

张治中二话不说，骑上脚踏车就走。

由于和司令部的联系突然中断，又获悉日军从侧后登陆，江湾前线陷入一片忙乱，在看到主帅冒险亲临后，军心才得以稍安。

张治中当即决定，紧急抽调两个师去罗店。

平时调兵容易，这时调兵很难，因为部队都在杨树浦参加作战，而且沿途日机正不断地进行扫射和轰击，行动上也十分困难。

一位师长在接到调动命令时，向张治中诉苦："路上要被炸得抬不起头来的，怎么走啊？"

张治中说："不能抬头也要走。"

"你们知不知道，我就是在轰炸中从南翔走到了江湾，你们就不能从江湾走到罗店？"

等这两个师到达罗店时，善通寺师团已突破了川沙口。

罗店为上海守军之后路要道，若此地被日军先行控制，不仅江湾正面必将受困，后续援军也无法迅速增援。

幸亏是出击得早，渗入罗店的尚是善通寺师团先头部队，所以张治中很快又收复了罗店。

若没有这么一调一击，后面局势将大为不同，连跟松井对峙都很难。

张治中再次回到南翔司令部，已是深夜十二点了。

自"十日围攻"以来，这位前敌总指挥不是在司令部，就是在前线，没有好好地吃过一顿饭，也没有睡过一个好觉。时间一长，眼睛通红，喉咙嘶哑，人也急剧消瘦了下去。

精神稍一放松，才想起晚饭都还没有吃，于是随便喝了点粥，倚靠在椅子上合了合眼。

他不能够完全睡着，脑子里翻来覆去仍是如何击退登陆之敌。

第十八军已到达嘉定，必须把这支生力军顶上去，才能确保无忧。

此时由于日军不断轰炸，司令部与周围各个部队的联系时断时续，要指挥第十八军，还得先去找到他们再说。

第二天一大早，张治中就赶往嘉定，这一路上又是到处躲飞机炸弹。

好不容易找到第十八军，对方的一句话却让张治中愣住了：您怎么来了？

张治中丈二和尚摸不着头脑：我是前敌总指挥，当然要来，这有什么奇怪的吗？

再看第十八军将官的表情，仍然是一脸诧异，一点都不像是开玩笑。

坐下来一谈，张治中才恍然大悟，原来现在的淞沪战场以蕴藻浜划界了，以北归陈诚指挥，以南才归他指挥，而罗店和第十八军都处于北战场。

也就是说，他张治中不再是淞沪战场的唯一总指挥了，总指挥有了两个。

可我从来没有接到过通知啊！

张治中顿时变得尴尬万分，他亲冒矢石，跑到前线来进行指挥，却让人看了一场笑话。

现在他完全成了局外之人，真是留也不是，退也不是。

张治中郁闷得要命，他虽然一时还无法完全猜透其中机关，但有一点还是隐隐约约感觉到了，那就是统帅部已经对他的指挥产生不满，要不然怎么会突然插进另外一个人，让他变成半个总指挥？

开战以前，蒋介石曾问他："对这一战你有没有把握？"

张治中当时的回答是："有！"

可是这个"有"是有前提的，那就是空军的配合。空军一开始是打得不错，然而现在你再看看，从司令部到前线，完全成了人家的天下，陆军哪里能再得到什么配合？

让张治中耿耿于怀的，还是闪击战的失败。这不是他的错，是统帅部的错，三次叫停总攻，以外交牺牲了战机，结果骨头越来越难啃，以至于

上海还未能完全占领，对方就等来了强力援兵。

张治中认为自己在战术指挥上没有犯什么错，况且这么搏命，始终冲在第一线督战，可谓任劳又任怨，为将如此，还要怎么样？

当然，打仗是件见仁见智的事，蒋介石觉得打得不好，哪怕当着面骂两句都无所谓，只是这样的方式，也太那个了吧。

在嘉定时，张治中得知第三战区副司令长官顾祝同也到达了苏州，于是他临时决定第二天前往苏州，在拜见顾祝同的同时，也正好可以商量一下战局。

到了苏州，张治中想起应该给蒋介石打个电话，刚刚挂通，还没等他诉说自己的委屈，对方已经咆哮起来：两天找不到你，你跑哪里去了？

原来这两天蒋介石一直在找他，偏偏张治中又不在司令部。

想要解释，但是蒋介石这个人发起火来，根本就容不得别人辩解：苏州是后方，你一个前敌总指挥竟然跑后方来了！

张治中本来就有闷气，被这么一质问，心头无名火起，也跟着叫了起来："我是到后方来跟顾墨三（顾祝同字）商量问题的，我一直在前方，'委员长'你究竟想怎么样？"

蒋介石大概没想到一贯温和儒雅的"教育长"会跟他"蒋校长"叫上板，嘟囔一句后，啪地把电话给直接挂断了。

这个电话，深深地刺伤了张治中。

临上淞沪战场之前，张治中特地穿了一身整齐的上将军服，胸前徽章和肩上领章一个不缺。

他告诉部下和幕僚这么做的理由：一个将军要是在战场上阵亡了，敌军官兵看到是要敬礼保护的，还会准许你将尸体领回，所以穿戴不能马虎，至少得让对方知道你是主将。

即使在从南翔赶往江湾的路上，那么紧张，甚至于有些狼狈，张治中仍然穿着高筒马靴，保持着高级将领一丝不苟的外在仪表。

有人或许会觉得麻烦，但张治中不会，他是一个受过伤也怕受伤的人，所以时时刻刻都知道要保护自己的尊严。

张治中出生于安徽一个贫寒农家，家里省吃俭用供他读书，在私塾一读就是十年。他人也很聪明，从小被老师和亲友称为“小天才”，一部《左传》，别人读多少遍都记不住，他读一两遍就烂熟了。可是这样有口皆碑的“小天才”，十年寒窗苦读，考秀才却屡考不中。

后来他去投靠一位本家，在公馆里陪少爷读书。公馆里一位中过秀才的闲客看不起他，竟然当着那位少爷的面加以奚落：人家是少爷，你个穷小子配和他一起住在公馆里吗？

张治中其时入世未深，尚不知人间险恶，哪里经受得住这种刺激，听到之后大哭不止，一路讨着饭离开了那座让他一辈子都忘不了的公馆。

人终究是有得有失。张治中之后能走上拜将台，与他的青少年经历可以说脱不开干系，而那段经历给予他的，除了时刻告诉自己要奋发努力外，当然还有难以抹去的阴影。

我可以失败，但决不接受侮辱和难堪，哪怕是流浪死，漂泊死，冻死，饿死！

肉体的疼痛可以承受，承受不住的是精神的苦闷。

张治中回到司令部后就写了辞职信，30 天后，蒋介石终于同意他辞去军职，从此弃武从政。

茫茫夜色中，张治中向自己浴血奋战了 40 天的战场凄然告别。

虽然还站在舞台之上，但灯光熄灭了，声音停止了，剩下来的只有一个疲惫不堪的身体和落寞忧伤的心境。

眼泪，再也止不住了。

这个世上的很多事，有了开始，就不会马上结束，包括人与人之间的那些恩恩怨怨，磕磕绊绊。

一年之后，长沙大火，酿成了抗战以来最严重的一次自摆乌龙事件，时任湖南省主席的张治中难辞其咎。

其中的原因之一就是，当时第九战区司令长官为陈诚，可是张治中极

少主动与之联系，对前线军事动态两眼一抹黑。

长沙纵火，是因为张治中事先得到情报，说日军已抵新墙河，他给听错了，把新墙河当成了新河。实际上，新墙河在岳阳，新河在长沙，两者还相距三百里路！

性格在造就人的同时，也在制造着一个又一个悲剧。

土木系

人的性格千差万别，各有不同，比如新任前敌总指挥陈诚，一生的为人宗旨概括起来就是四个字：绝不服输！

由于个子不高，他甚至在与人合影时，都会尽量把肩膀抬得高高的，以示不被压过一头。

陈诚，字辞修，浙江青田人，毕业于保定军校第八期。

在黄埔学生没出来之前，保定学生在社会上还没那么吃香，所以有一段时间陈诚混得很不如意，可谓穷困潦倒。回到家后，连老婆都看他不起，经常对之冷言冷语。

陈诚是个不肯服输的人

受到刺激后，陈诚的反应不是大哭，而是大怒。他立即动身，到广东黄埔军校做了教官，此后陈诚竟然飞黄腾达，反过来向老婆下了休书。这时老婆见他发达了，却又死活不肯离了，但不离也得离，陈诚最终以十万元代价把自己给"赎"了出来。事情经过，倒颇有点像覆水难收的那个段子。

陈诚一向是蒋介石身边的大红人，这是尽人皆知的事。一些觉得老头子偏心眼儿的就在背后说，那是因为两人皆为浙江人的缘故。其实蒋介石在军政部门的浙江同乡多了，你肚子里要没点真货色，如何入得了他的法眼。

首先是陈诚确实很能干，做什么事都有一股不服输的劲头。

依靠一个第十一师，他拉出了第十八军，从而发展出了独树一帜的“土木系”。这个“土木系”可不是某理工科大学里的土木工程系，而是一个出将星的窝，在它后面，跟着一大串“优等生”的名字——罗卓英、夏楚中、黄维、胡琏……

之所以被称为“土木”，缘于“土”拆开为“十一”、“木”拆开为“十八”。

在国民党内，陈诚有“小委员长”之称，其人的坚忍自律和军政才能与蒋介石有异曲同工之妙，所以中央军“陈胡汤”三系，陈独居首位。

当然了，能干并不一定就意味着被信任。同样担任过黄埔军校教育长的邓演达够能干了吧，人家几乎在黄埔学生中与“蒋校长”形成分庭抗礼之势，可那样就不行了，那叫死敌。

蒋介石能对陈诚言听计从，高度信赖，无疑还缘于后者是个“绝对忠臣”。

民国年间有个政治笑话，是这样说的。

有一天，蒋介石突发奇想，要考验一下亲信手下对他的忠诚程度。他假装召集众人开会，等大家坐定之后，却突然命令诸人去死。

此时何应钦坐着动也不动，只当蒋介石在放屁。顾祝同滔滔不绝，列举了很多他不能死的理由，比如他还要继续工作，国家和使命一致要求他不能死之类。刘峙嘴巴既不能讲又不敢不遵命，只好声泪俱下，苦苦哀求：小的上有七旬老母，下有待哺幼儿，千万饶命啊。

剩下来的是陈诚，但见他站起立正，刷地一个敬礼，然后昂首挺胸，转身就向门外走去……

淞沪会战打响时，陈诚尚在庐山，在抗战问题上，他是个积极主战派，甚至跟何应钦都素不相识，常常是针尖对麦芒，所以索性选择了窝在山里搞训练。

战事紧张，急需用人，蒋介石在会战开始第二天即电召陈诚：速来京相商。

到了南京之后，蒋介石给了他两条选择，或去华北战场，或去淞沪战场。前者负责指挥，后者前去考察。

陈诚去了淞沪战场。

去了以后他发现，在这一战场上的部队虽多，却还是不够用，看看据点被我们包围了，但是包围的密度不足，空隙太多。

孙子兵法有云：十则围之，五则攻之，倍则战之。也就是说，如果你的人是对方的两倍，才可以放心大胆地和他打一仗，是他的五倍，才能攻他的城，但是攻了半天还是拿他不下怎么办，这时候就要围，而要达成围的目的，没人家的十倍人马通常是搞不定的。

陈诚希望的，不光是十倍，最好是二十倍，三十倍，如此才有把握围而歼之。

几天后，他向蒋介石进行汇报，一同考察并且汇报的还有时任江西省主席的熊式辉。

熊式辉看了战况，说不能打。

当时正是“十日围攻”时期，张治中还在上海发动主动进攻，但熊式辉到底是个老江湖，就算自家部队风头正盛，也知道情形不妙，这仗很难打赢，既然打不赢，为什么还要打呢？

对于这种就事论事的论断，蒋介石并不感兴趣，他何尝认为淞沪会战能一定打赢，但问题的实质不在这里。

他扭头转向陈诚。

陈诚说，现在不是能不能打，而是要不要打。

哦，有见地。蒋介石的眼睛立刻亮了起来，具体说来听听。

陈诚首先提到的却是北方战场。

当时南口战役尚在进行当中，但陈诚认为北方战事继续扩大是一定的。日军机动化速度极快，一旦得手，完全可以沿平汉路快速南下，直取武汉。武汉一失，中国战场即从纵向被剖为两半，那样的话，中方将处于不利地位。

唯今之计，莫不如集中力量，继续扩大淞沪战场的规模，把日本原拟调往华北的兵力一点点诱到上海来，这样尚可收稳扎稳打之效。

陈诚所说的观点其实就是 1936 年国防计划上的战略方针。蒋介石表示完全赞同，遂当场拍板："打！打！一定打!"

陈诚加入淞沪战场，本来是要协助张治中围攻陆战队据点的，但来了之后，正好赶上松井在川沙口实施登陆，于是便被蒋介石紧急任命为淞沪北战场前敌总指挥，而北战场上使用的主力部队，像第十八军等，基本都是陈诚"土木系"的班子，这就是淞沪战场之上会突然出现南北两个总指挥的原因和背景。

血肉磨坊

对北战场而言，关键中的关键，还是要守住罗店。如果这一后路被松井掐断，大军就将处于崩溃边缘。

善通寺师团并不是呼啦啦一下子涌上来的，而是一个梯队一个梯队登岸，随着上岸的日军越聚越多，罗店战事也越来越激烈。

8 月 26 日，在第十八军中身居少将旅长的蔡炳炎在距离日军阵地几百米处中弹倒地，弥留之际，喉中仍留二字：前进!

蔡炳炎是陈诚的得意战将，这一噩耗无疑对前方震动不小。

陈诚紧急赶到第一线，一边给子弟部队打气减压，一边亲授机宜。

官兵们反映，日军火力太猛，压得人头都抬不起来。陈诚还了解到，有的兵从未见过如此大仗，精神十分紧张，阵地前沿鬼子兵的影子还没看清楚，自家步枪里的子弹倒快放光了。

陈诚就说，你们注意到没有，鬼子轻重机枪的声音是"啪啪啪"，什么意思呢？就是考验你呢？问究竟"怕不怕"。

我们能服气吗，当然要干脆利落地回答他：不怕！不怕!

日军陆军只能逐队登岸

若用手中的枪来表达，就是两发点放，“不”——“怕”！

如此，小鬼子知道我们有胆气，他就不敢再往前拼命攻了。

要是你闭着眼睛乱射，那就是“怕怕怕怕”，完了，鬼子知道你嫩着呢，没有经验，等你子弹全放完了，人家就会上来招呼你了。

陈诚是一路从死尸堆里滚过来的，从军后仗就没断过，所以堪称打仗老手，作战很有实际经验，不过能把道理说得这么浅显有趣，也真服他了。

你还别说，偏偏当兵的都爱听这个，部队里有文化的不多，稍微复杂一些的根本没人能听明白，只有这个，一听就懂，而且马上就记住了。

这是教给一般士兵的，将官以上则得另授良谋。

白天，日军飞机大炮坦克一齐上，没法硬拼，那就先退出阵地，隐伏到棉花地或村庄里去。

飞机炸，由它，大炮轰，由它，反正一句话，他强由他强，清风拂山冈，他横由他横，明月照大江。

我们到了晚上再出气。

晚上，飞机找不到目标，大炮也轰不准，就只剩下了一个坦克。

对付坦克也有办法，那就是在公路上埋地雷，地雷不够，则把手榴弹捆扎起来代替，然后在路上设置障碍物。

坦克再牛，也怕地雷和集束手榴弹，即使避开二者，前面还有障碍物呢。

坦克一停，两侧伏兵刺刀上阵，与他贴身白刃肉搏。

上海北郊，稻田水塘纵横，尤其是下雨之后，路面一片泥泞，再给日军的炮弹一炸，触目所及，全是泥巴路。

在这样的路面上打白刃战，日军其实并不占便宜。他们穿的是靴子，而我们穿的是草鞋，草鞋本来就是穿着风里来雨里去的，但靴子不行，你别瞧公路上走起来“咔咔咔”，很神气的样子，一陷到烂泥里就完了蛋，拔都拔不出来。

等他快拔出来的时候，一抬头，明晃晃的刺刀可能已抵到胸口上了。

这样的白刃战打多了，日军明显吃亏。他们自己也不会打草鞋，就专捡战场上遗落的破草鞋，然后套在自己脚上，以应付肉搏这样的“不时之需”。

如此彼来我往，就形成了拉锯战，常常是：白天松井把阵地夺过去，晚上陈诚再给夺回来，

小小罗店，被双方炒翻了锅。

第十八军继旅长战死后，师长也受了重伤，难以继续指挥。

堂堂师长可不是谁都能代的，这时候陈诚想到了自己的爱将——正在德国留学的黄维。

黄维，江西贵溪人，毕业于黄埔第一期。

有人说，在处世为人方面，陈诚与蒋介石最为相像，所以有“大小委员长”的说法，而在“土木系”中，黄维的性格又与陈诚最为接近，故被称为“陈诚的影子”。

黄维是小学老师出身，当了军人后，也还是端着为人师表的架子，平时一板一眼，丁是丁，卯是卯，从不跟你开什么玩笑。

别人正经，可能是装的，黄维却不是装。他跟“土木系”的另一位后起名将胡琏正好相反，胡是不拘小节，荤的素的样样来，黄则俨然就是一位现代的道学先生。

黄维被从德国召回时，学业还没结束，而这时罗店主阵地却已被

黄维被称为陈诚的影子

攻破。

临危受命的黄维从陈诚手里接过兵符，迅速率部反击，阵地重被夺回。自此以后，这位小学老师就像强力胶水一般死死粘在了罗店。

打到最后，黄维的部下不是死就是伤——还是重伤，而到实在无兵可派时，他就索性只在师部留一个对外联络的发报员，其余的人，摇笔杆子的文书，烧饭的师傅，全部集中起来，由他自己带着，握着枪呀呀叫着冲上阵地。

淞沪会战结束，人送黄老师绰号：书呆子，谓其爱认死理，打仗跟个愣小子一般。他本人亦感慨系之，称淞沪战场“一寸河山一寸血”，每一寸土地的得失，皆是鲜血换来。

罗店，这个原本名不见经不传的小地方，从此天下皆知，因为它拥有了一个新的称号，叫做：血肉磨坊。

松井的“上海派遣军”是从两个方向登陆的，继善通寺师团登陆川沙口后，名古屋第三师团也在张华浜实施登陆。

8 月 31 日，吴淞失守。

9 月 5 日，宝山被围。

驻守宝山的是一个营，营长叫姚子青。

名古屋师团在围住宝山后，即用飞机投下劝降信，要求城内放弃抵抗。

我看过姚子青的一张照片，戴一副眼镜，斯斯文文的样子，不像军人，倒像一位书生。

可这位书生模样的军人，内心却极其强悍。

现在是下定必死决心的时候了，与其偷生而死，不如慷慨赴死。在“死”字面前，我姚子青绝不后退半步。

我死了，连长接替指挥，连长死了，排长接替，依此类推。到时候不用请示报告，自动接替就行。

说完这些，姚子青拿起枪，带着麾下勇士上了城墙。

两日之后，城破。姚子青营全数战死，与城同殉。

前线再陷危机，除宝山、吴淞外，刘行也被日军突破，罗店侧背顿时暴露无遗。陈诚在视察前线后，决定放弃固守罗店主阵地的原计划，退守罗店西南。

天下第一军

退是退了，但陈诚并没有离开罗店，所以松井仍无法切断中国军队的后路。

战场形势瞬息万变，大家都得不停变招。松井变的招叫做“中央突破”战术，一刀砍在腰上，让你鲜血狂涌，洒满长天的那种。

这个腰，指的是杨行。如能占领杨行，松井便可将淞沪南北战场截为两段，再一口口吃掉。

陈诚再调良将，此人便是胡宗南。

胡宗南，浙江镇海人，毕业于黄埔第一期。

少年时代的胡宗南，读书十分刻苦，曾以全校第一名的成绩在中学毕业，但是无奈家里太穷，不得不放弃继续求学的机会。为了生计，他曾做过小学老师，摆过地摊，最后决定去广州投考黄埔军校。

在民国将帅中，陈诚算是个儿矮的，胡宗南还要矮，一米六零都不到，几乎相当于“特级残废”。报考黄埔军校时，就算他肩膀再往上抬，都还比其他人低不止一头。

考官一看，立即把他从队伍里拎出来，并且毫不客气地撂下一句：“你根本不是当军人的材料!”

这句话无疑等于宣判了考生死刑，想到在异地前路茫茫，举目无亲，胡宗南一阵心酸，不由得蹲在地上哭了起来。

男子汉大丈夫，不是大豆腐，光哭没有用。想了一会儿，胡宗南忽然把眼泪一擦，一跃而起，大声质问刚才那个教官：你凭什么不让我参加国

民革命？

革命是每个年轻人的义务，我是年轻人，你有什么权力这样剥夺我的义务！凭什么？你说！你说！

胡宗南越嚷越激动。

你不就是嫌我个子矮吗？个子矮怎么啦，拿破仑的个子也不高，不一样打遍欧洲无敌手，孙中山先生的个子也不到一米七嘛！

说到这里，他开始引经据典。

孔子曾经说过，以貌取人，失之子羽（孔子弟子澹台灭明的字）。子羽相貌一定也不咋样，所以孔子开始才会认为他不行，谁知这位弟子后来名满江湖，最后连孔子都不得不认错，承认自己看走了眼。

国民革命，多么神圣的一桩事业，你怎么还能够如此以貌取人？

考官没想到面前这个已被他宣布淘汰的小伙子会突然发飙，而且义正词严，雄辩滔滔，一时倒被弄得哑口无言了。

胡宗南个子小，喉咙却不小，哇啦哇啦的嗓门把周围的人都惊动了，其中就包括时任黄埔军校党代表的廖仲恺。

廖仲恺询问了事情经过，回到自己办公室给胡宗南写了张纸条。

字条上说：国民革命，急需大批人才，只要成绩好，并且身体健康，个子矮一点没关系。

拿着廖仲恺的纸条，胡宗南被特许参加考试。虽然其实他的考试成绩不错，但还是因为身高原因被列进了“备选生”。

备选生就还不是正式录取，看来即使有廖代表的关照，歧视还是无处不在。

所以你一定要努力，要用事实告诉那些世俗目光：其实我才是最棒的！

不要惧怕那些看不起我们的人，哪怕他们是所谓的教官、考官、权威……

就像当初的陈纳德，胡宗南也做到了这一点，貌不惊人的一小个子，却很早就当上了中央军主力师的师长，在黄埔生中处于领头羊位置，被封为“天子第一门生”。

因个矮而差点被黄埔军校拒之门外的胡宗南（右）却是“天子第一门生”

成功背后当然是无数的艰辛和付出。

民国记者范长江以一部《中国的西北角》闻名，他在西北进行采访时，曾专程登门拜访过当时已大名鼎鼎的胡宗南。

采访时节正逢大冬天，屋外寒风呼啸，气温冷到极致。范长江本以为这样一位名人，一定会锦衣大氅，风度翩翩地安坐于司令部内。

未料这个司令部连民房都不是，只是座山里的破庙。胡宗南就住在破庙里，而那座小庙确实破得可以，凛冽的西北风不断地从窗户缝中刮进来。

一走进去，屋子里别说火炉，连热炕都没有。

身为中央军高级将领的胡宗南，身上还穿着单衣单裤，从脸到手，浑身都是冻出来的疮。

范长江眼里的这位师长，不喜谈论什么是人生之类空泛的话题，津津乐道的始终是他的部队。让范记者感到格外惊异的是，他竟然对自己的部下了如指掌，乃至“某个中士如何，某个下士又如何”都能如数家珍。

此情此景，令见多识广的记者都感到有些吃惊。

之后，范长江又深入军营，采访了很多士兵，发现胡宗南并非虚夸。即使在普通士兵眼里，他的形象也接近完美：爱兵如子，艰苦朴素，有时对自己的要求苛刻近乎自虐。

在大西北时，胡宗南还只是师长，而且他性格沉静，不喜主动与人接近，因此了解他的人并不多，但他的第一师那时就已名震大江南北。

中原大战，如狼似虎的西北军最怕的就是第一师，只要听到对面来的是第一师，便马上躲开这个硬碴儿，转而去捏其他软柿子了。

在版权得不到应有保护的年月，这个著名商标很快就被冒用，连张治中和卫立煌在打仗时都嚷嚷自己是 第一师的。西北军还挺纳闷，怎么这个第一师会无处不在，真是见了鬼了。以后便形成一个规律，第一师现身在哪里，哪里便会立即成为中央军作战的主战场，第一师也因此被称为“天下第一师”。

胡宗南为人低调，他的第一师实际上早就具备升格为军的条件，军政部也通过了，但他迟迟都没有升。

军政部部长何应钦一个劲儿催促，说你要再不升编制，我就不发饷了，另外下面那些旅团长由于无法升迁，也有了情绪，胡宗南这才同意将师升为军。

但是胡宗南的第一军并非德械部队，装备也很一般，官兵使用的大多还是汉阳造或杂牌枪支。

所谓“第一”，说的是精神第一。

为了攻破胡宗南的防线，松井组织了重炮轰击，炮火最猛时，每秒钟就会有五六发炮弹在守军阵地上爆炸。

战事如此惨烈，第一军却始终一步不退，且一兵未逃。

其中有一个营已被日军三面围攻，快吃不消了，胡宗南赶紧再调一个营上去增援。

增援的那个营拔腿狂奔，却远远望见一队鬼子已举着旗出现在了守军阵地的前方。

营长心里一个咯噔，心想坏了，阵地要没了。

这时突然阵地上响起一阵枪声，日军撤了。

等到营长冲进阵地，发现战壕里到处都是尸体，一个营已全部打光，只剩下一个还能拿枪的山西兵。

刚才打枪的就是这个老兵，周围的同伴都已战死，但他从没想到过要逃跑或后退，那种决死的气势把本来笃定的对手都给吓跑了。

在杨行保卫战中，第一军的伤亡是惊人的，仅以主力第一师为例，旅长两个，伤了三个，团长四个，折了五个。

你可能会感到奇怪，怎么倒的人比实际职位还多呢，答案很简单：多出来的就是增补上来的，最后增补上来的也挂了。

在固守一个星期之后，第一军营以下官兵伤亡率已高达百分之八十，连长除位置不固定的通信连长外，整个都换掉了，中间补充兵员更达四次之多，也就是胡宗南带来上海的老兵所剩无几。

眼瞅着越打越少，胡宗南仍旧一声不吭，不诉一句苦，只咬牙独自硬挺。

反而是上级知道实情后，赶紧打电话通知胡宗南，让其换防休整。

胡宗南这才告诉对方，再不换防，明天我也要拿枪上火线顶缺去了。

第一军初到上海时，尚有四万之众，然而到淞沪会战临近结束时，仅剩区区一千两百人而已。报人张季鸾由此发出感叹，说第一军向为精锐之师，想不到牺牲如此之惨，直叫人潸然泪下。

战场之上，胡宗南看似心如钢铁，但当他启程返回西北时，看着身边硕果仅存的这一千多个官兵，也不禁悲从中来。

天下第一军，就这样永远消失在了上海。

孤家寡人

在胡宗南的舍命死守之下，松井击“腰”不成，“中央突破”战术也随之失败了。

这时，上海派遣军的两个师团已双双陷于苦战之中，自登陆之后，共伤亡四千零八十人，其中有些联队伤亡尤其惨重，如果没有后续兵员补充，有跟没有都差不多了。

除了战死战伤之外，生病的也有很多。

听听淞沪战场上的那些名字，什么江湾、蕴藻浜，都跟水有关系。江南水塘蚊虫又多，逢到天气热，蚊虫更多，这些蚊虫别的做不了，咬上鬼

子两口还是可以的，那些身体稍差一些的鬼子兵一旦受不了，就只能躺下歇工。

如果海军陆战大队登陆上海市区是第一次增援，那么两个常备师团登陆上海北郊则应该算是第二次增援，日本统帅部本以为此次增援可以一锤定音，然而举起的锤子却始终落不下来。

怪谁呢？怪上海派遣军司令官松井指挥无方？

松井一脸委屈状，他说他从东京出发时就跟送行的杉山元强调过，两个师团是不够的，五个还差不多。

行了，那就再派援兵。

当初为了向华北增兵的事，日本军政两界讨论来讨论去，口水满天飞，弄得陆相杉山元本人都差点没有脾气，但此一时彼一时，如今日本的气候，使得派兵出国已成惯性动作，没人拦了。

杉山元更是着急忙慌，恨不得手指头一点，第三批援兵就可以马上漂洋过海，飞到上海去。要知道，在开战以前，他可是在裕仁天皇面前信誓旦旦拍过胸脯的，说是一月之内就可结束战事。如今一月早过，淞沪会战连一点消停的迹象都没有，这让他如何能坐得住。

只有身为参谋本部作战部部长的石原仍坚持原有主张，即不能再向中国增兵，同时要停止作战，可是他的意见还有谁会听呢？

之前，参谋次长今井清一度支持过他，可是随着香月轻取平津，老头子便再不言语，直到因病退职。

继之而起的是多田骏。这位在担任"华北驻屯军"司令官时，也曾大力推行"华北自治"，要归类的话也算强硬派。

现在的石原，比以往任何时候都显得痛心疾首。

你们只看到一个中国"支那"，却完全忘记了我们的大敌——苏美。

在东北周围，苏军光步兵师就有十四个，关东军有多少师团呢？呵呵，四个！

现在的苏军已经突飞猛进，他们一个步兵师的实力就不比日本的师团差，十四打四，怎么跟他斗？

是啊，我们的机械化特种部队看上去很牛，在华北几无人可敌，可是在东北一带呢，关东军有两百架飞机，苏军有九百架；关东军有一百辆坦克，苏军有八百辆，只是人家的零头而已。

这是北方，在南方，据情报显示，美国已经在菲律宾和马尼拉大肆构筑地下工事，那分明也是冲着我们来的。

多田骏如今毕竟身份不同了，他不能老像做“华北驻屯军”司令官时那样，一味贪功，多少也得有点大局观。

听听石原所说，似乎颇有些道理，中国不可怕，可怕的还是北方的苏联，如果专盯着中国打，消耗了实力，怎么对苏备战？

于是他向稳健派跨了半步。

可是也仅半步而已，多田骏身上同样有日本人常有的那种侥幸和自大心理，他认为只要再用一下力，对华战争即可结束，到时再谈对苏备战不晚。

石原完全成了孤家寡人。

参谋总长载仁亲王眼看参谋本部和陆军省无法协调，只得亲自去皇宫晋见裕仁天皇。

裕仁如今已不记得杉山元的“一月为期”了，经过自己亲家的一番说道，马上点头同意，好，那就再增兵吧。

天皇既已批准，到石原这里无非是过一过程序。

9月7日，石原在增兵计划上签了字，随即他就辞去了作战部部长一职。

二十天后，他被任命为关东军副参谋长，自此离开了日本军界的权力中枢。

终于出局了！

在一般日本人眼里，这个曾经发动九一八的“民族英雄”确实廉颇老矣，不再能称其为英雄了。

即使重回关东军司令部，石原也很不愉快，他一直看不起那个被他称

昔日的“民族英雄”在日本人眼里已经廉颇老矣

为“上等兵东条”的上司——关东军参谋长东条英机。

石原认为东条纯属平庸之辈。

可是老天就是这么不公，平庸的上司一路春风得意，后来竟做到了首相。做了首相的东条毫不犹豫地给时任师团长一职的石原穿了小鞋，迫使这位天才属下退出现役，到一所大学教书去了。

教的课是国防学，可是真正的日本国防其时已摇摇欲坠，而“石原教授”仍旧无可奈何。

他再次引起人们的注意，是日本陷入中国泥潭不能自拔之时，这时候日本人才发现，石原讲的也许是对的。

然而一切都晚了，他只能和他的那些同胞们一样，眼睁睁地看着自己的国家一步步向失败的命运走去。

某种程度上，石原就像那个长了一对阴阳眼的占卜师，预知到了未来的灾祸，然而却没有人相信他。

这个恶果其实还是他自己亲手种下的，在若干年以前，在柳条湖，在九一八。只不过当初他以为栽下的是一棵参天大树，没想到却是差点给本民族带来灭顶之灾的毒苗。

虽然是敌国，但我还是不得不承认，石原是一个颇有些远见的谋略之士，一个有点头脑的人。

我看到过一张石原的照片，那是年轻时候的石原，那时的他称得上英姿勃发，充满朝气。

如果我们换一个视角，这也算是一个悲剧性的人物吧。

这样说来，他身后的那个民族同样很悲剧。它曾经吸收了我们传统文化中很多好的东西，直到现在，还能在这个国度找到一些汉文化的痕迹。可是学了那么多，唯独没有学好中国的一句古语。这就是先贤曾经反复说过的那句——己所不欲，勿施于人！

石原再聪明，也没有能超越这个局限，而这恐怕才是很多日本式悲剧的真正根源。

第三章

失落的钢盔

第三次增兵上海，日本除从国内动员三个师团外，还包括由日军驻台守备队组成的台湾旅团。

不是说上海派遣军损失严重，有的联队已经到了不补不行的程度了吗？赶紧再从华北抽调多达十个大队的补充兵，以帮助上海派遣军恢复元气。

跟在步兵后面的，是黑压压的特种配属部队：重炮部队、野炮部队、山炮部队、迫击炮部队、坦克战车部队、骑兵部队、工兵部队……

手里又有粮了，松井马上调遣部队向北战场发动了新一轮猛攻。

以老带新

陈诚也在不断地请援。

那段时间，在通往淞沪的各条道路上，随处可见“勤王之师”，其规模之大，人数之多，是抗战以来从未有过的。

这些军队全都来自四面八方，五湖四海。其中，不仅有中央军，还有地方军，主要是南方军，包括粤军、鄂军、湘军、川军、滇军，也有一部分北方军，像东北军。

这些所谓的地方军，跟原先的“诸侯武装”相比，已有明显不同，区别就在于它们都已按照政府的整军计划，实行了“中央化”。

即如川滇两省派到淞沪的军队，其实也并非刘湘、龙云所控制的嫡系军队，可以算做正规的国防军，不仅受中国统帅部直接指挥，而且由于经过“淘冗选精”，战斗力较之以往也有显著提高。

中国各路军队大量向淞沪地区集结

这些地方军在未“中央化”之前，都是从内战的你争我夺中走过来的，今天打，明天和，跟小孩子过家家一样，也没打出个子丑寅卯来，现在要变内战而为“国战”，立刻有了一种保家卫国的荣誉感，觉得这才像个真正的国防军人。

站在阅兵台上，陈诚可以看到并调遣任何一个战将：薛岳、胡琏、王耀武、张灵甫、孙立人……

既然这么多部队增援过来，将官们都提出来，能不能将原有的基干部队换下去歇一歇。

陈诚说，不能换！

老部队有经验能打仗啊，知道怎么跟鬼子说“不怕”，若是全换了新兵部队，“怕怕怕怕”，没准换防之时正是阵地失守之日。

不管伤亡多大，白天还是得挺住，到晚上，等日军炮火减弱时，再从调拨来的部队中抽调兵员补充。

当时很多新上来的部队，特别是地方军，在战斗力和作战经验上很难马上达到一线中央军的水准，如果贸贸然独当一面，确实难堪重任。

在罗店血战中，陈诚之所以一直能撑住，主要就是通过这种以老带新的方式不断“输血”，才维持住了部队的元气。

在战斗进入白热化阶段时，连身为前敌总指挥的陈诚自己都差一点倒在罗店。

陈诚个子不高，但胆子挺大，空袭时从不肯进防空壕，再劝也没用。但是有一次敌机来袭时，随从副官们眼一不对劲，还是一齐上去把他给拉出了指挥所。

一颗炸弹下来，房屋整个塌了。假如陈诚再晚一秒出去，则性命休矣。

这一轮苦战，松井又没能从正面打开任何缺口，而截至9月29日，日军在上海的死伤人数已突破一万大关！

此时在北方，保定会战已经结束，阎锡山策划中的“大同会战”也夭折了，几个侵华将帅一比较，还就是松井的成绩单最拿不出手，满眼都是红叉叉，太伤人自尊了。

以前可以说是人不够，现在五个师团也到位了，甚至还多出来不少，这个理由当然就再也不能拿出来做挡箭牌了。

松井到底是华中的“中国通”，他比较来比较去，终于发现自己输在哪个环节了。

一·二八会战时，刚刚登陆上海的植田谦吉曾在江湾一筹莫展，他们如今撞上的其实是同一堵墙。

淞沪北战场就是扩大了的江湾。白天，你可以用大炮轰开守军的工事，可以用坦克开路，但是因地理环境所限，坦克和步骑兵行动起来都很慢，有时一天仅能向前推进几里，第二天爬起来一看，那几里区域，守军一个晚上就全部收复了过去，结果当然是竹篮打水一场空。

看来还是得另选一处理想战场。

植田当初从江湾换到庙行，虽然吃的还是一个败仗，但毫无疑问，起码对特种部队的使用更顺畅一些了。

松井决定进入南战场，到庙行一带去作战。

前仆后继

要进入南战场，就必须强渡蕴藻浜。

多么神奇的一条河。一·二八会战时，双方就两次强渡，到松井这一次，已经是第三次了。

10月5日，日军强渡蕴藻浜。

在张治中辞职后，陈诚已实际担负起指挥淞沪整个战场的责任。他察觉到松井的意图后，立刻调集大军，双方在蕴藻浜南岸展开了一场新的浴血厮杀。

风云动，战鼓擂，人人的眼睛都在睁大，瞳孔都在紧缩。

八年抗战中唯一的一次大规模阵地战至此进入高潮。历史学者黄仁宇指出，自淞沪会战后，整个抗战期间再无类似大兵团扎堆在一个小区域厮杀的例子。

来上海打仗的部队，都是以“抗战”为旗号从各地调来的，打个不太恰当的比方，犹如八国联军，他们的装备训练都大不一样，战法和素质亦千差万别。

以前都是各据山头的好汉，现在却要听一人之将令，你不集中于一个狭窄地区，别说指挥调动，没准点个名连人头都拢不齐。

站在纯军事的角度，陈诚最好是这样打：

用杂牌部队吸引日军火力，以嫡系部队为精锐机动，等到敌人进攻受挫，或进入我一线防御阵地时，再从侧翼包抄。

好计，不过很容易被别人看成是阴谋诡计的“计”。

你这不是借刀杀人吗？又想牺牲我们杂牌，保存你的嫡系？

难做人啊。没准还没打到一半，人就先散了一半。

所以对于陈诚来说，只能大家排成队，一批批地上，这批打残了，再换另一批，如此循环，才能确保阵地不失。

被陈诚一度寄予厚望的是税警总团。

这是一支颇具传奇色彩的部队，成名于一·二八会战。

税警总团在一·二八会战中表现不俗

税警总团本来属于缉察大队的性质，职权也仅限于抓私盐贩子和保护盐场。可是在归入宋子文的财政部之后，它却几乎发展到了与黄埔军校教导总队一个档次的水平。

宋子文在税警总团内实行高薪制，按美国陆军操典来练兵，因此又有美式军团之称。

在一·二八会战中，这支美式军团加入第五军编制，曾创造过杀伤日军数超过己方损失人数的惊人纪录。

老话说得好，人怕出名猪怕壮。税警总团能打仗，连蒋介石都知道，也因此就被牢牢惦记上了。

长城会战后，因为军费支出的问题，税警总团的后台老板宋子文和蒋介石拍了桌子，一怒之下，辞去财政部部长职务走人了。大舅子一走，蒋介石马上让黄杰去接任税警总团团长。

黄杰是黄埔一期生，他去了之后就对税警总团进行了黄埔式改造，不仅训练方法改了过来，两个支队司令官也都由黄埔系军官充任。

说税警总团是蒋介石的秘密武器，并不为过。

可是正所谓希望越大，失望越大，陈诚把税警总团的两个团拉上去后，只一两天就垮了。

开始大家都还认为，头阵不算什么，刚刚上场，可能还是不太适应的缘故。

等税警总团的六个团都聚齐了，再上。

没想到这次还是不灵，几天之后，税警总团最前面的三个团已伤亡一半以上，基本失去战斗力。

先后上阵的六个团中，只有一个第四团打得最好，加上其他部队轮番接力，陈诚虽然未能将松井挤下蕴藻浜，但仍然成功地将其阻击于庙行之外。

渡过河之后，日军伤亡已接近两万之数，有时一天死伤个两三千人都不在话下。

最糟糕的是弹药快用完了。

在第三次增兵中，金泽第九师团是三个师团里面唯一的常备师团，加上它还参加过一·二八会战，在一众小弟中堪称带头大哥。

本来松井特地把野战重炮兵联队配给它，希望能助一臂之力，未料金泽师团立功心切，闭着眼睛哗啦啦一打，忽然大炮没声了，低头一看，原来炮弹全给打光了。

金泽师团旁边，就是名古屋师团。

喂，没弹了，能不能借点过来？

名古屋师团却早就锅底朝上了，它登陆的时间比金泽师团还早，哪有多少炮弹可用。

同病相怜的两个师团都发起愁来。步炮协同的战术使惯了，一时间没了炮弹，都不知道怎么走路了。当然，炮弹还可以依赖后方补充，但是补充需要时间啊，再不往前攻，松井司令官就要拿着打人的棒子上来了。

日本人果然是很有些搞发明的潜质，不是没弹药了吗？好办，拿竹子削一下，做成弓箭，然后浸点汽油，往守军阵地上射！

这招大概是从《三国演义》上学来的，作战双方经常这样用火箭对射，可见吾国名著在东瀛小岛上也很流行呢。

趁着这一间隙，陈诚请来了著名的广西桂军。

一方水土养一方人，广西自古民风剽悍，大明朝时即有“广西狼兵雄于天下”之说，那时候听到东南出了倭寇，连皇帝老儿都知道要征召广西人：朕的狼兵呢？快让他们去砍杀一阵。

西南诸省中能与广西人媲美的，只有湖南人，二者打起仗来都是嗷嗷叫，到清末的太平天国起义时，几乎就是两省人在打仗——湘军主要由湖南子弟组成，而太平军的基础来自于广西老兄弟。

到了北伐，桂军像坐着火箭一样，一举超越了湘军，他们不再与北面的湖南人比，而是与东面的广东人比了。当年的北伐军里面，有“钢铁二军”之说，“铁军”是指广东的第四军，“钢军”即指广西的第七军。

广西桂军实力很强，曾是北伐军中有名的“钢军”

本来说要像税警总团那样守，但时任副参谋总长的白崇禧坚持要通过主动进攻，打一场漂漂亮亮的闪击战。

10月21日，桂军第四十八军向日军发起进攻。

闪击要出敌不意，可惜这一目的实际并未能达到。经过重新补充，已经弹药充足的日军各师团竟然提前“闪击”了桂军——整整提前了十二个小时，也就是说快了半天。

日本人在破译电报方面的能力极强，闪击战的失败，很有可能就是行动计划泄密的结果。

桂军在这一战中损失很大。

广西官兵作战英勇，战场之上，他们个个端着刺刀冲在最前面，人人唯恐落后，没有一个肯弯着腰或匍匐前进的。

这在内战中也是一种战术，而且很有效。因为彼时大家火力都不强，最怕的就是这样面无表情地径直冲过来，胆小的准得被吓得尿裤子。

可是外战不是内战，日军的枪炮太猛了，结果打到最后，就变成了类似于《火烧圆明园》里的场面，桂军一排排地往上冲，再一排排地被打倒，直至场上剩下最后一个旗手在血泊中挣扎。

白崇禧在后方听到战报后，痛苦万分，乃至于一连好几天都不肯吃一点东西。

攻是不可能了，只能再收回来守。

经过顽强固守，金泽师团投入一线的进攻部队被桂军打到了不堪境地，原先一个步兵中队有一百八十人，相当于中方的一个加强连，现在只剩下了二十人不到，连编一个班都困难。整个师团伤亡总计达到六千多人，也就是说主力的一半没了，要知道，这可都是经过多年训练的老兵。

其他师团更是惨重，第一零一师团伤亡已接近九千人，基干部队所剩无几，到了欲哭无泪的程度。

自发起新的攻势以后，日军伤亡率再次刷新纪录，向三万人进军，总计伤亡数已接近六万人!

日本师团的规模通常介于我们的师和军之间，基干部队大致在一万两千人左右，加上七七八八的特种配属部队，可以达到两万多，也就是说，若无补充兵源不断接济的话，此时可以直接取消番号的师团至少是四到五个。

上海太难打了。

这点不光松井没有预料到，来沪参战的日本兵，包括他们身后的国民也大多没有心理准备。

20 世纪 80 年代，很多日本老人对中国的江苏和上海都非常熟悉，甚至能叫得出宝山、罗店、月浦、蕴藻浜、大场的名字。

我说的，还不是侵华老兵。

事实上，当时非常多的军人家属都收到了一份来自中国的通知单。那是一份死亡通知单，上面战死一栏，无一例外都填写着以上那些地名。

这种刻骨铭心的印象，大概在很长一段时间里都是难以自行消失的吧。

与此同时，则是华北战场“连战连捷”的消息不断传来。

华北方面军第一军占领了河北石家庄，第二军打到了山东德州，蒙疆兵团攻克了绥远的包头。

不相信！不相信！不相信！

我们累死累活，几乎拿鲜血和尸体在铺路，却还是步履维艰，占领每一座阵地，都要死伤无数人，北方那帮家伙怎么如此轻松就能得手呢？难道我们面对的不是同样的中国军队？

松井实在想不通，但想不通也得硬着头皮上，因为实在是骑虎难下了。

他一边向统帅部告急，请求派出更多援兵，一边继续督师前进。

金泽师团又是首当其冲。

幸存者们，大家来集合吧，举行最后的誓师，向裕仁天皇亲授的军旗表决心，勇往直前，定夺阵地。

可是，看到前方战况如此之惨，官兵们都已心知肚明，此一去，必难生还，于是原本应该“壮怀激烈”的誓师会竟然变成了哀哀切切的告别会。

10 月 23 日，南战场达到沸点。

经三日血战，桂军基本把精华都打光了，能拼能杀的老兵十不存一。

此前，其他各军军官伤亡至多到团营级，旅级很少，但桂军光旅长就战死了六七个，有一个师的军官甚至全都伤亡了。

陈诚被迫将桂军撤下休整，防线也退至大场。

在陈诚撤军之前，上海派遣军发动的进攻几乎已陷于停顿，打不动了，特别是像第一零一师团这样的新兵部队，面对如此惨重的伤亡，一些官兵在日记中甚至有了悲观厌战的情绪。

可是守军一撤到大场，松井马上像打了一针强心剂一样，精神重又振作起来。

他可以腾出场地，利用南面相对开阔平坦的地形，去着手建立一个陆上机场了。

其实从善通寺师团登陆川沙口开始，上海的天空已经很少能看到中国的战机了，日军拥有完全的制空权，因此松井的出发点，不是要进行空战，而是要发挥空中特种部队的独有优势，去打击陈诚的地面部队。

灭顶之灾

空中的此消彼长，缘于日军飞行战术的改变。

整整六周的相对沉寂，日本海军航空队并没有在家睡觉，而是关起门进行了激烈的争吵，他们迫不及待地想弄清楚，为什么看起来无论数量还是质量都要远超对手的航空队，会较量不过相对孱弱的中国空军。

最终他们得出了结论，也纠正了自己的错误，而这将给中国空军带来灭顶之灾。

当再次卷土重来，轰炸机周围已经布满了护航的单翼战斗机，它的名字叫 96 式。

96 式是当时日本最好，也可能是全世界最好的战斗机，它的速度比美国鹰式战斗机还要快得多。96 式其实早就研制出来了，只是受“战斗机无用论”的影响，一直没派大用场而已。

九架轰炸机，配合着二十七架 96 式，中国空军出动了十六架鹰式，结果十一架被击落，而96式毫发无损！

日本海军96式舰载战斗机，这是当时日本最好的战斗机

陈纳德大为震惊，但是他很快发现这一切都是无可奈何的事，因为96式不仅在性能上要略胜于鹰式，其飞行员的技战术水平在整体上也要超过中国飞行员——哪怕是其中最优秀的部分。

与轰炸机飞行员不同，日军战斗机飞行员受到过严格的空中格斗训练，不仅配合默契，而且善于在空中制造各种各样的圈套。

比如诱饵战术。与陈纳德的“空中马戏团”一样，它也是由三架战斗机组成的，其中一架故意露出破绽，如果你分辨不出，被它诱进伏击圈，另外两架就会紧紧咬住你的机尾，直至将你击落在地。

又比如囚笼战术，实际上也是一种诱饵战术。

假如你忽然看到一组96式战斗机集体在空中翻滚，样子像松鼠在旋转的笼子里打转一样时，你千万不要试图去接近或攻击它们，因为那是一个可怕的陷阱。

一旦你上当，被骗进这座“囚笼”，就会有一架日机悄悄地离开队伍，然后从你背后忽然出现，直至杀人于无形。

这些战术都需要有极高的飞行技术来配合，即使是顶尖的中国空军飞行员也很少有人能够完全做到。

陈纳德曾亲自驾驶一架鹰式战斗机临近观察，不料连他自己都差点被困在“囚笼”里出不去。幸亏美国人飞行技术高超，采取了同96式一道

翻滚的办法，才使背后的杀手未能找到可乘之机。

一流的飞机性能，一流的飞行技术，再加上一流的飞行战术，当96式护卫着轰炸机冲过来时，迎战的中国战斗机就像纷飞的雪花一样被击落下去，只有一些技术最好的才能做到驾机全速逃离。

当然还有死也不肯服输的男子汉，比如陈纳德的中国高徒刘粹刚。

看到日机天天在南京上空肆虐，而且如入无人之境，他气得哇呀呀大叫——大丈夫可杀不可辱，誓斩尔等鼠辈！

就像《三国演义》中关云长那样的猛将，一捋颌下长须，大喝一声："取我宝刀过来。"

在登上战机之前，刘粹刚把身上的钱包取出来，交给机场上的一位东北老乡：钱包里的钱不多，如果我战死当场，将来捐给抗战者，聊表一点心意。

刘粹刚单机杀向敌群。

刚闯进去就落入埋伏，后面突然杀出的一架96式，一口将刘粹刚死死咬住。

刘粹刚拼命摆脱，但鹰式仍然受了伤。受伤之后，战斗机开始失去平衡，只能左转，不能右拐，甚至有坠毁的危险，而日机仍然不依不饶，紧追其后。

你高飞，他就高飞，你低掠，他就抵掠，凭借高出一筹的爬升和速度，牢牢地压着你一头。

两机之间的距离越来越短，96式已经贴近鹰式的尾部，日军飞行员兴奋莫名，在他看来，猎物已经插翅难逃。

处于这种情况下，既使你是王牌飞行员，百分之一百也得缴枪或者完蛋。

然而就在日机要瞄准射击的一刹那，令人惊诧的一幕出现了，中国飞机忽然来了一个"巧妙的急转弯"，这一动作从轨迹上看，像一个直"8"字。

立刻，鹰式脱离了96式的射程和火力范围。

百分之一百要完蛋了，可刘粹刚却属于那百分之一百零一。

日军飞行员自然不肯善罢甘休，在他看来，对手已经是个身上插了箭的兔子，纵使垂死前还能来几个救命动作，相信也蹦跶不了几下。

你来直“8”，我也会，不过依葫芦画瓢而已。

一次，两次，两个空中格斗的高手都用上了全部力量，汗水涔涔而下。

两次直“8”字的单臂大回旋之后，刘粹刚仍然没有能够摆脱追杀，每一分，每一秒，都有被其一口吞噬的可能。

这场空中追逐赛，已进入了最紧张的时刻，死神不断鱼跃俯冲，它张开血盆大口，逼视着决斗的双方。

耳边，似乎已经听到牙齿咬啮肉块的声音。

地面上响起了一阵阵惊呼声，那些躲避空袭的人们提前从防空洞里走出来，做了“空中大肉搏”的现场观众，在极度惊险的一刻，有的人忍不住用手捂住了自己的眼睛，他们实在不愿再看到自己的英雄自空而落。

直“8”第三次。

一升一降，一擦一过之间，日军飞行员忽然意识到，原来自己在后，现在却变成了在前。

这只是一个非常短暂的瞬间，电光火石，几乎让人难以察觉。

但已经足够了。

身后的刘粹刚反客为主，一串长射后，96式应声落地。

地面上的人们惊呆了，很多人根本不知道这个微妙的变化出现在什么时候，只看到日机冒着白烟，撞到地面，然后粉身碎骨。

前后，仅几分钟而已。

一摸案上杯盏，热酒尚温。

本来已经成为别人的猎物，却临时可以自己再造一个伏击圈，反过来将对手装进笼子，这种胆略和技术连日军王牌飞行员也惊羡不已。

可是这样击落96式的场面毕竟少之又少，刘粹刚当时也是冒着九死一生的危险升空作战的。

陈纳德看到，许多飞行员战死沙场，优秀者越来越少。

为了留下种子，他不得不采取措施，把他认为最优秀的飞行员都尽可能暂时“雪藏”起来，可是他也知道，这些幸存者就像是室内靶场中不断移动着的靶子，也许这次躲过了死亡的追逐，下一次未必会那么幸运。

在暴风雪中，花朵的凋零，只是早晚而已。

1937年10月27日，刘粹刚在一次迫降时，由于缺乏夜航设备，意外地与地面一座小楼相撞，机毁人亡。

11月21日，高志航在河南周家口机场遭到日军航空队突袭，被炸身亡。

高志航在兰州试飞苏联飞机时，曾让人捎信给空军司令部的同乡：苏联战机速度够快，战胜96式有望，日必败，我必胜，我们不久就可以回东北老家了。

唐人有诗曰：“洛阳亲友如相问，一片冰心在玉壶。”

可是终究，这些东北籍飞行员大多数都没能活着回去，世间之不幸，真非人所能逆转。

悲情还在继续。

12月3日，有“江南大地之钢盔”之称的四川籍飞行员乐以琴升空作战。当时他的鹰式座驾已经破损不堪，只能临时驾驶机场内的最后一架意大利战斗机。

意大利飞机性能很差，转身慢，爬高慢，什么都慢，乐以琴驾着这架破机，犹如戴着枷锁在跳舞。

很快飞机就中了弹，由于打开降落伞较晚，乐以琴坠地牺牲。

至此，中国空军“四大天王”没了三席，站在前沿的优秀飞行员伤亡殆尽。

有一天，宋美龄让陈纳德陪着她一道去迎接归航的飞机。

一共十一架，当它们降落时，一架冲出跑道，栽入稻田，一架翻着筋斗，起了大火，一架撞上了来救火的汽车……

十一架有五架失事，四名飞行员丧生。

这都是意大利教官培训出来的飞行员，没有优秀者，只有让他们上了，而上去之后就是这个结果。

宋美龄目瞪口呆，她哭着问陈纳德，我们该怎么办，该怎么办呢?

陈纳德无言以对，连一句安慰的话都说不出来。

上帝，事到如今，还能够怎么办。

进入10月，中国空军参加淞沪会战的八十架飞机，只剩下了不到十二架，确实是连神仙都没有办法了。

定点打击

松井建立陆上机场，却并不是为海军航空队准备的。

与他原先的预料相反，自强渡蕴藻浜以来，上海派遣军的推进速度仍然十分缓慢，其中有一个很重要的原因，就是不知道守军究竟有多少，抵抗阵地又有多广。

只是看到前面不断有新的部队和阵地冒出来，打掉一个又来一个，打掉一双再来一双，生命指数不跌反涨，好像总也打不完，打到最后连自己都差不多要泄气了。

在建立陆上机场以前，松井只能调用海军航空队的飞机，但问题是，海军那帮人不知道陆军需要什么，瞎侦察，搞的情报全是鸡毛蒜皮。

松井拿着一堆情报看了半天，仍然是一头雾水。

此外，由于不懂陆上战术，海军航空队与地面陆军在动作配合、火力协同等方面也存在着很多问题，所以这次松井建完机场就把海军给甩掉了，他招来的是陆军航空队，后者研究的就是陆上战术，自然比海军航空队要对路多了。

陆军航空队进入淞沪战场后，拍摄了大量空中照片。这些照片都是有针对性的，不像海军那样毫无目的。

要知道中国往上海派了多少部队，配置在哪里，只要看了这些照片之

后就一清二楚。

松井笑了，通过飞机侦察，他还解开了另一个一直困扰着他的谜团。

自登陆作战之后，特种部队基本配属到了最高档次，不光各个师团配有山野炮联队，上海派遣军本身还有直辖的重炮兵旅团，但是拥有这么多大炮，轰击起来仍不够理想，甚至有时炮弹还不够用，这是为什么？

如果说有沟壑挡道，所以坦克发挥不出应有的作用，这些松井还能理解，可是火炮大部分时间并不受此限制啊。

研究完情报之后，松井明白了。

原因是地面炮兵和步兵一样，目标定位不准确，开炮的时候，只能闭着眼睛狂轰滥炸，效果当然要大打折扣。

知道了守军的阵地结构，那就大不相同了。

陆军航空队的地面侦察技术果然不是盖的，他们甚至向松井提交了一份研究报告。

报告上显示，由于江南一带地下水位较高，导致守军工事一般都不能挖得太深，如果动用重磅的大炸弹纯属浪费，大批小炸弹即可摧毁其工事。

看完情报和报告，松井心花怒放。

逐村前进，定点打击，飞机开道，大炮随后。

有了飞机引导，日军的大炮像长了眼睛一样，这边一打，那边炮弹顷刻之间就会像雨点一样飞过来。

陆军航空队自己也直接投入进攻，以前村庄往往都是日军最难攻克的，但有了飞机密集轰炸后，占领就变得相对容易多了。

置身于如此险恶的环境之中，陈诚所能做的，也只有咬着牙死战不退。中国军队一个师一个师开上来，随后又一个师一个师地消失在阵地上。

这时候你有再好的战术也没用，因为战场已不需要战术，需要的只是人，能够继续填进去用于消耗的人。

即使是蒋介石曾引以为傲的德械部队，此时也已损失了五分之三，基层军官死伤过万——曾经想拿来做种子用的，今后再也不可能了。

美籍历史学者费正清先生由此评论说，在淞沪会战以前，蒋介石的中央军内曾拥有上万名团营以下的军官，他们都经过军校和战场的双重训练，是撑起这支军队当时和未来战斗力的重要支柱。

但是经过淞沪战场火炉般的“烧烤”，这些军官基本全都战死在上海，以后再未能够得到弥补，从此造成了一种结构性的缺陷。

10月26日，松井终于突破了大场阵地，然而他同时也付出了更加惊人的代价。

仅金泽师团死伤就已超过一万两千，基干部队灰飞烟灭，扛着枪站在前面的几乎全是增补上来的新兵。

在所有部队里面，数第一零一师团最惨。这支部队来自于第一师团兵源地东京，出发之前未能进行集中训练，战斗力处于垫底位置，所以虽然是最晚上来的，人却死得最多，前前后后死伤了一万五千人以上，创下了侵华日军师团的伤亡数最高纪录。

补充新兵，人家补一次，它要补上好几次才能维持正常运转。

在大场主阵地的外围，几乎到处都是日军的尸体和躺在地上的伤兵，失去主人后的各式武器更是丢得满眼皆是。

按照日方统计，整个淞沪战役，日军总计死伤接近十万，等于在上海被打掉了八个野战师团。这一点是日本人之前无论如何想不到的，九一八时想不到，一·二八时想不到，长城抗战时想不到，甚至发动七七事变时也想不到。

士别三日，当刮目相看，中国正规军迅速崛起的作战能力，令日本朝野上下感到十分吃惊。

第四章

我爱你，中国

大场失守，不仅使得北郊的上海派遣军和市内的海军陆战队得以会合，而且使江湾和闸北皆处于数面受敌的困境，如不继续后撤，就要被人家包饺子了。

陈诚调整防线，向苏州河南岸转移。

这时第八十八师师长孙元良忽然接到第三战区副司令长官顾祝同的命令，后者要求第八十八师继续留下来，或者是在市郊打游击，或者化整为零，分守闸北各据点。

孙元良大吃一惊。

闸北的市郊不是现在，那时候可没这么多房子，而且地形平坦，连座隐蔽的小土丘都找不到，如何打游击？

分守也有困难。

经过三个多月的大战，德械师此时都已打到没了人形。孙元良师也经过了先后六次补充，老兵仅剩十之二三，刚刚上来的新兵未习战阵，有的先前甚至连枪都没怎么摸过。

孙元良对顾祝同打比方说，这就好像一杯茶，第一回沏时很浓，可你加过六次开水后再尝尝看，加一次淡一次，越加越淡，早就不是原来的味道了。

现在部队全赖老兵支撑，同时对新兵一边作战一边训练，慢慢地才能把他们都带出来。假如拆成一瓣瓣的，哪里还能保持什么战斗力，闸北也根本就守不住。

顾祝同认为孙元良言之有理，但他也是不得已而为之。因为这个决策

出自于兼任第三战区司令长官的蒋介石。

留下来就意味着死亡

当时，国际上即将召开“九国公约”签字国会议，美国总统罗斯福又刚刚发表“防疫隔离演说”，蒋介石很希望能在这次会议上，通过美国之力，把日本这个“瘟疫”给“隔离”出去，所以他需要一支部队继续留在闸北。

其实说白了，就是做给洋人，特别是美国人看的，表示上海尚在我手，以便在谈判桌上增加筹码。

顾祝同左右为难。

蒋介石的命令不能不遵守，可是孙元良说的似乎也有道理。如果没守得半日，一个师反而被人家给干没了，那脸就丢大了，而且还是在老外眼皮子底下丢的。

那你有什么更好的办法吗?

孙元良说我有。

咱们打开天窗说亮话，留在闸北，肯定是要牺牲的。兵力多是牺牲，兵力少也是牺牲，守很多点是守，守一个点也是守。与其把一个师都白白牺牲掉，不如选拔一支精锐部队，就守一个点，这样还更漂亮一些。

顾祝同点点头，那就照你说的办。

孙元良本来告诉顾祝同要留一个团，后来一想，“兵力多是牺牲，兵力少也是牺牲”，还是留一个营吧，对外声称八百人，即“八百壮士”，但实际上只有一半，四百人。

另外这四百人也并非像孙元良说的，是特地选拔出来的精兵（实际也没时间挑了），除了担任营连长的少数老兵外，大多数是后期由保安团补充来的新兵。

全师撤退以前，孙元良将留守之将叫到跟前，然后足足有二十多分钟没说出一句话。

留下来就意味着死亡，他很难向对方开口。

这个留守之将，就是谢晋元。

谢晋元，广东蕉岭人，毕业于黄埔军校第 4 期。

淞沪会战开始时，谢晋元的职务是旅参谋主任，但随着能打仗的老兵非死即伤，参谋人员也都被孙元良补充到了一线，所以他这时的身份是副团长（后被晋升为团长）。

谢晋元（前排就座者）临危受命

谢晋元留守的据点是苏州河北岸河畔的四行仓库，之所以叫四行仓库，是因为那是上海四家银行堆放货物共用的一个仓库，开战以来，一直被用做孙元良的师司令部。

当初张治中带着自己的黄埔弟子重点钻研的一个课题，就是如何守。那些秘密工事成为中国军队在上海市区由攻转守时所能依赖的重要屏障，四行仓库就是其中之一。这里存储了足够的粮弹和饮用水，加上建筑物十分坚固（银行仓库有多牢你也知道了），堪与日本海军陆战队司令部相

媲美。

10 月 27 日深夜，谢晋元率部从上海北站进驻四行仓库。

此时仓库的西边和北边已被日军占领，东边是公共租界，南边是苏州河，过河也是公共租界，与外部联络的唯一出口，只是仓库东南角的一个窗口，所以四行仓库事实上已成为孤岛。

如果没有四行仓库保卫战，作为副团长的谢晋元也许会默默无闻。要知道，像他这个级别的军官，光在淞沪战场上英勇战死的就不知凡几。

谢晋元得到了一个名扬中外的机会，但也绝对有资格得到这样的机会。

在进入四行仓库后，他立即在库内建筑工事，并把所有门窗全部封闭，堆满沙包麻袋，作好了死战的准备。

螺蛳壳里做道场

即使在小格局中，也往往会迸发出无穷的民族智慧。

我到过很多江南古镇，见识过不止一座古老的宅院。在那些极其普通的门槛后面，往往掩藏着令人眼花缭乱，却又为之拍案叫绝的建筑。它们是住宅，但又是花园，是戏楼，是重重叠叠，一环套着一环的景观，每一步都让你啧啧称奇，每一步都让你感慨前人的奇思妙想。

沿着这个线索，我还可以向诸位介绍一下明末清初的江阴保卫战。

小小一座江阴城，二十四万清军铁骑屯集于城外进行围攻。

城里守军有多少?

说出来你可能不相信，仅仅六万民兵。

率领这六万民兵的，只是一个江阴典吏，管仓库的官而已，他的名字，叫阎应元。

阎应元螺蛳壳里做道场，古今中外凡是能用的计几乎全都用上了，什么苦肉计、拖刀计、短促突击、偷营劫寨，甚至于《三国演义》中的草船借箭。

结果，二十四万正规军怎么都攻不进去，被阻于城外达八十一天，并且连折三王十八将，战死人马比六万民兵的总数还多，接近七万！

谢晋元如同当年的阎典吏，该用能用的计他都用上了。

如果说三十六计有什么共同特色的话，就一个字：诈。

先跟鬼子玩玩诈术。

大部队撤退后，四行仓库外围还留有一处钢筋混凝土掩体，知道日本人个个精打细算，一定会拿去再利用，所以谢晋元很通情达理地在掩体里藏了多枚手榴弹，外加一颗大号的迫击炮弹。

眼看着日军士兵果真钻了进去，守军从外面把连着手榴弹的绳索一拉，手榴弹引爆了迫击炮弹，一屋子的人都上了天。

等到日军正式围攻四行仓库，谢晋元更是频频设计，乃至用类似"草船借箭"的办法来巧赚对手。

日军火力猛烈，守军就用长竹竿挑着钢盔伸到窗外，看上去就好像一个小兵在左顾右盼。这样射人射马的好机会，日军狙击手自然不能放过，于是争先恐后地朝钢盔上乱打，闹了个不亦乐乎。

看准日军射手的所在位置后，谢晋元在楼顶上亲自端起枪，一枪一个过去，鬼子兵皆应声倒地。

见指挥官尽显一等神枪手的风采，守军顿时军心大振，连新兵们都备感鼓舞，完全不记得自己是身处日军包围之中了。

四行仓库顶楼由于设有高射机枪，所以日机也没办法进行低空俯射轰炸。唯一的缺点是高楼上没有窗户，钢筋水泥的墙壁上又很难凿出枪眼。

这个也得借日本人的"箭"。

见守军从楼顶上进行射击，日军就调来平射炮，朝楼上乱轰。

到底是银行造的楼，几颗炮弹对它来说，几乎是毛毛雨，不过，枪眼不用愁了，因为炮弹帮着"凿"出来了。

有了现成的枪眼，守军既可以向前射击，又能向下扔手榴弹和迫击炮

弹，十分爽。

在短短几天之内，日军接连向四行仓库发动七次进攻，均无功而返。

白天不行，就改用夜袭，却意外地遭遇到了谢晋元发起的“照明战”。

作为德械师，武器相对好些只是一方面，另一方面还在于官兵素质都很高，不光是军事素质，也包括文化和科技知识。

相对于一些地方军连电灯是啥样都没见过，谢晋元对电灯照明这一套玩得相当熟练。

从第一天开始，他就将四行仓库内的电灯全部予以熄灭，以避免晚间暴露。

当日军对仓库发动夜袭时，若尚在一定距离内，即用信号弹进行射击，那东西不管打不打到人，起码周围都被照亮了，一找到目标，轻重机枪马上跟着一道突突地打过去。

再靠近一点的，信号弹用不上了，就用手电筒。

把大号的手电筒绑在竹竿上，从枪眼里伸出去，往下一探，顿时把地面照得瓦亮瓦亮，连鬼子那惨白的脸都看得见了。

别废话，直接甩手榴弹和迫击炮弹就行了。

谢晋元后来还把仓库里的棉花翻出来，搓成捻子，浸上煤油，点着后往周围地面一扔，这叫火攻，即便你能侥幸逃过子弹，避过炮弹，总没胆子像哪吒一样，踏着风火轮前进吧。

“八百壮士”守四行仓库整整四天，如泰山般岿然不动。

孤军精神

在河对岸的公共租界内，无数人都在看着。在他们眼里，四行仓库保卫战，就像一部现实版的爱国史诗大片。

他们看到，一个中国士兵浑身裹满手榴弹，突然从仓库顶上一跃而下，跳入日军丛中，轰然一声，与敌同归于尽。

观众里面，很多都是被迫逃到租界避难的中国老百姓，战事失利，让人们几乎日日处于失望和忧伤之中。当亲眼目睹这一情景时，他们不由激动得热泪盈眶。

失利不可怕，只要有了这些勇士，中国一定不会亡！

10月28日夜，一名叫杨惠敏的女童子军，冒险进入四行仓库，把一面浸透着汗水的国旗送到了谢晋元面前。

谢晋元接过国旗，眼睛湿润了。

准备升旗！

仓库屋顶没有旗杆，谢晋元就让人找来两根竹竿，连在一起，做成临时旗杆。

左二为送国旗的女童子军杨慧敏

东方已现鱼肚白，在曙色微茫中，谢晋元带领部下庄重地举起手，向国旗敬礼。

虽为孤军，我们却绝不是孤独无助的，因为后面有你——祖国。

祖国，只要记得你的名字，哪怕是被死亡紧紧包围，我们也不会感到任何恐惧。

没有华丽的奏乐，没有隆重的仪式，只有日军从对面不时射来的冷枪，但是那神圣而肃穆的气氛，单纯而悲壮的场面，却让人一辈子都无法忘记。

这一刻在谢晋元心中牢牢扎下了根。

10月30日，租界工部局收到日军通牒，后者声称要调集重炮和重机枪，对四行仓库发动一次总攻。

在连续几天的仓库争夺战中，日军打得缩手缩脚，有重炮，不敢照直轰，有飞机，又不敢高空投弹，因为仓库附近就是公共租界，万一流弹误入租界，他们害怕引起国际争端。

这样打仗当然是要吃亏的，光仓库周围被打死的日军就有两百多，而“八百壮士”却只有三十多人伤亡。

时间一长，日本人受不了了，发通牒就是告诉西洋人：我要硬来了，才不管你什么租界不租界呢。

工部局拿着通牒十分害怕。

在四行仓库通往公共租界的河桥南端，有一个巨大的煤气桶。这个煤气桶距四行仓库不过几十米远，如果日军要不顾一切地大打，枪炮不长眼，万一打到煤气桶上，爆炸起来整个上海都要遭殃了。

于是，各国使节都拿着照会前来说情，要求中国政府尽快安排四行仓库的孤军撤离，连宋美龄都接到了很多类似请托。

蒋介石要的本来就是关注，现在差不多全世界都知道了四行仓库这个名字，当然再没必要让守军白白送命了。

谢晋元却不肯撤离。

才坚持了四天，弹药消耗不过十分之一，吃的喝的，守个三年也不怕。为了抗战，中国已经牺牲了这么多人，四百孤军不过其中的沧海一粟，何惜一死。

所以，我绝不会为了保命而逃去租界！

在日军发起总攻的时间即将到来之前，负责联络的宋子文打电话给谢晋元：你是军人，军人以服从命令为天职，你不应再执拗，赶快撤。

谢晋元只得同意撤退。

10月30日深夜，孤军撤出四行仓库，最后一个离开的是谢晋元本人。

撤退过程中，租界英军指挥官不顾日军抗议，亲自使用重机枪进行掩护。其实这不是他分内要做的事，只是每天耳濡目染，这位老外军人也被“八百壮士”深深感动了。

10月31日零时，孤军全部进入租界，但他们一进去就重新陷入了困境。

日军发现谢晋元撤走后，警告工部局：赶快把他们引渡给我们，如果敢放其归队，我们将不顾外交规则，同样冲进你们的租界进行追击。

工部局一看，只好来个两不得罪，既不引渡，也不释放，而是在收缴谢晋元等人的武器后，将他们羁留了起来。

不是俘虏，却无形中成了俘虏，作为军人，岂能离开手中武器，谢晋元悲愤莫名，恨不得拿着枪重回四行仓库继续战斗。

他虽然又饿又累，但流着眼泪，始终不肯吃工部局提供的任何点心。

从此，“八百壮士”失去自由，再次沦为孤军。他们被关在铁丝网内，不能出大门一步，铁的武器没有了，最后剩下来的只有精神。

起先他们有国旗，但是国旗很快就被收走了。在孤军营内，既无国旗，也无军号，连旗杆或者竹竿都找不到一根。

可是他们天天“升旗”。

每天早上，由谢晋元带头，向空中敬礼。敬礼完毕，大家肃立唱国歌。

不知道的，还以为这些人脑子出了什么毛病，因为他们始终目视前方，好像那里真的在升着一面国旗一样。

谢晋元不知道他们还要被关押多久，可他知道只有在国旗下，孤军才不会像离群的大雁那样失去方向，也才会在漫无边际的孤独和寒冷中感到

一丝温暖。

在孤军营中，谢晋元仍保持着军中所有程序，从站岗到训练到升旗，都毫不松懈，有人违纪，还要进行责罚。

这样一天可以，一月可以，甚至一年也可以，但如果是几年，就不一样了。

外界传来的消息基本都是坏消息，中国军队越退越远，已经退到重庆去了，胜利和反攻似乎已飘渺无期。

我们不过是一群俘虏，国家都要亡了，还有什么必要再神经兮兮地搞什么站岗、训练、升旗？

谢晋元遇到了他自奉命固守四行仓库以来最困难的时期。有人劝他，现在外面大气候这样不好，不能再对官兵太严了，太严恐怕生变。

谢晋元有时自己也很苦闷，可是他认为孤军不是俘虏，“八百壮士”仍是军人，军纪严明正是为了使大家不至于失去方向。

他手书一联：富贵不能淫，威武不能屈，贫贱不能移。

1941 年 4 月 24 日，四名士兵迟到，谢晋元上前责问。四人突然跳起，拾起地上的洋镐将其打倒在地。

在一些人眼里，谢晋元的做法，变成了一种固执和不可思议。

一个小时后，遇刺的团长停止呼吸，官兵闻讯失声痛哭。

谢晋元留下了宝贵的孤军精神

但是谢晋元的孤军精神保留了下来。

在租界，孤军营是如此，后来太平洋战争爆发，落到日军手里也一样。

因为受不了欺负特别是人格上的侮辱，他们曾多次拿起石头和木棒，跟日军守卫干架。

由于“八百壮士”声名赫赫，连日本人也不敢轻易加害，就换了个地点，将他们从上海解往南京监狱。

到了南京，说要挑大粪。

“八百壮士”大怒，什么，让我们干这个，你当我们是谁?

拿过挑粪的扁担，咔嚓一声，卸了一个日军守卫的胳膊。

这下，鬼子真的被弄毛了。

四周架起机枪，既然侍候不起，那就不如将你们全突突了。

代理团长说了句话，让日本人无言以对：“我们不是俘虏，你们却把我们当成俘虏对待，请问该不该打?”

怕了你们，日军将枪口放下，自此以后再也不敢将孤军集中关押。这在日军的俘虏营里几乎也是绝无仅有的奇闻逸事。

这就是团长谢晋元给他们指明的道路。

无论何时何地，“八百壮士”始终都没有撤出精神上的四行仓库，他们无愧壮士之名。

东方隆美尔

在退守苏州河南岸之后，陈诚又把一支劲旅顶到了第一线。

这支劲旅的名字叫税警总团。

提到税警总团，大家可能要笑了，不是说这支美式军团已经不行了吗?什么时候又坚挺起来，变成“劲旅”了。

的确，税警总团在前面打得实在不算好，一边是不错的武器装备，另一边却是战斗力薄弱，到最后，不仅旁边的中央军，连地方军都看他们不起了。

在淞沪南战场，税警总团的部分阵地还是增援上来的湘军帮他们收复的。

移交阵地时，湘军连带着也把收容到的溃兵和部分“美式步机枪”(其实应是德造或捷克造枪械)移交给对方。

这幅情景，自然是再滑稽不过了，“假洋鬼子们”竟然还得靠土老帽来保护了。

湘军团长便把税警总团的营长叫过去，未讲之前，先拿眼睛往“美式步机枪”上一瞄：“拿去吧，好好打，别再‘溃’了。”

如果当时地上有道缝，我想那位营长肯定马上钻地缝里去了，丢人啊。

底下官兵灰心丧气，后面老板的脸色也很难看。

过去的老东家宋子文又回来了，并吵吵着想要回税警总团。

按照蒋介石的本意，他是要用黄埔式改造，将税警总团变成手中类似于德械师那样的利器的，未料想这美式的水土不服，眼睁睁地就由橘树变成了枳树，咬在嘴里再也不甜了。

行了，还给你吧。

哈佛财神爷接在手里，却看得手脚冰凉：这还是那支熟悉的美式军团吗？

他把自己姐夫喊过来，老孔，你给瞧瞧，是不是我看错了。

孔祥熙说，没错，我也看见了，烂部队一个。

宋子文怒发冲冠。

现在的总团长是谁，给我过来。

黄杰战战兢兢地跑过去，见这位皇亲国戚发了火，还想解释两句，宋子文立刻让他闭了嘴。

兵熊熊一个，将熊熊一窝，不是我的税警总团不好，关键还是带兵将官太孬，非得撸几个不行。

黄杰是蒋介石派过来的总团长，不看僧面看佛面，宋子文也不能做得太绝，自然不会直接把黄杰给撸了，只能退而求其次，让黄杰把两个支队的司令官全部给撤掉。

两个支队的司令官，都是黄埔一期的，其中一个还是军政部部长何应钦的侄子，可仗打成这样，确实也无话可说，不下何待。

宋子文说，别以为我不懂军事，不会掌勺，我还不会尝吗？前面六个团也有个别打得好的，第四团就不错，把这个团的团长提升上来做第二支队司令官吧。

他没有看走眼，第四团进入淞沪战场以来一直打得不错，而第四团的团长也的确很了不得，其人就是后来被美国人称为“东方隆美尔”的孙立人。

孙立人，安徽舒城人，毕业于美国弗吉尼亚军校1927级。

一提美国军校，大家最耳熟能详的就是西点。但实际上在美利坚，弗吉尼亚与西点是并列的，二者一南一北，称得上是美国陆军军校的双子星。

西点有艾森豪威尔，弗吉尼亚则有马歇尔和巴顿，都是二战中的五星或四星上将，谁也不见得比谁差到哪里去。

这些军校都是外面听着好听，对很多学生来说，里面的生活是不堪回忆的。

就说西点吧，宿舍里既无自来水也没暖气，连个洗澡的地方都没有，厕所也是最老式的那种。至于伙食，则根本就不像给人吃的，面包硬得跟鞋底一样，一不小心可以崩掉你半颗牙。

弗吉尼亚则更恐怖，这里还有一个类似于三百杀威棒的不成文制度，即新生一定要挨老生揍，而这跟你犯没犯错一点关系都没有。

当年马歇尔就曾被老生打成重伤，但当校方问他是谁打了他时，马歇尔一声不吭，这就是所谓的“硬气”，几乎就相当于地狱式死亡训练。

孙立人当然也不能例外。有一次在跑步时曾被打昏在地，但即使昏倒在地，你也不能装熊，因为没有人会送你去医院，醒过来以后得接着再跑，而且跑慢了还得挨揍。

孙立人是弗吉尼亚军校教育出来的美式军人

就是在这种残酷的学校生活中，孙立人磨炼出了坚强意志，成为一个纯正的美式军人。

不过英美背景的军校生，在当时以黄埔、保定、陆士为主流的国内军界其实很尴尬，税警总团两任总团长王赓和温应星都是西点军校毕业的，王赓在同一期毕业的同学中，还曾名列第十二名，但就这样，两位后来也没能泛起什么大浪来。

好在仗打起来就不一样了，归根结底，最适合军人的还是到战场上去历练，因为那场合是要靠真本事吃饭的，而且淘汰率极高，如果你有真本事，即使是小荷花，也迟早能露出尖尖角。

·

孙立人的第四团在税警总团的六个团里面打得最好，不是运气而是实力使然。一·二八会战后，这个团在江西参加射击比赛，个人前十，他们占了七席，团体则是拿了第一。

这可都是练出来的。

蒋介石想用黄埔的模式来改造税警总团，最后却以失败而告终，并不是说黄埔有多么落后，而是二者差别实在太大，黄埔在整体风格上更接近日苏德体系，与英美根本不在一个路子上。这就相当于，你让我们的国足今天学跳桑巴，明天模仿日耳曼战车，一块面团搓来捏去，最后搓捏出来的，有可能既不是巴西队，也不是德国队，而是四不像。

在黄杰入主税警总团后，只有孙立人带的第四团维持了老样子，该怎么练还怎么练，其他人早就忙着赶潮流，换行头，去套黄埔的模式了。

在淞沪南战场，第四团表现出色，不光官兵训练有素，孙立人在指挥上也有其独到之处。

他靠前指挥，跟士兵们趴在一个战壕里。

当然了，放大了来看，到淞沪会战的时候，团营长甚至师旅长在第一线的比比皆是，并不稀奇。与别人稍有不同的是，孙立人不光是跟着一道开枪扔手榴弹，或是喊两句励志的口号，而是真能看出东西来，然后根据战场态势作出应变。

等到战斗越来越激烈，别的团都把阵地给丢了，唯有第四团的阵地始终确保无虞，原因是孙立人手里牢牢地掌握着一支预备队，这也是他作战的一个原则，即如果阵地上有十个人能打的话，一定要拨起码三个人到后面去。

第四团的阵地也被日军突破过，但就在口子还没被完全切开的时候，孙立人马上就会带着预备队杀上来，于是阵地又得而复失。

接着他再抽预备队，反正就一直保持着这样一个循环，从而使得自己在任何情况下，心里始终都有一个底。

在人事调整后的税警总团，第一支队仍由黄杰直管，但孙立人已实际掌控了整个总队。

六个团，大多数已被打得变成了营，只能缩编取消番号，不过人不在多，有将则灵，由善战之人统领，队伍马上就活了。

看到自己的美式军团重新回归，宋老板的热情也重新高涨起来。

缺工事材料吗？财政部给运去，什么钢板、三角铁、沙袋麻袋，大卡车一辆一辆装着送过来，有了这些玩意儿，日本人的飞机大炮一时都无计可施。

白天没法吃饭，财政部运，日机二十四小时在天空盘旋着，就等下面升起炊烟好扔炸弹，没想到税警总团如今不烧饭了，啃的都是洋面包，你奈我何。

宋子文像以往一样，对自己的子弟兵关照到了细致入微的程度。他甚至想到了，苏州河岸边会不会有蚊子（其实已是秋季），兄弟们平时会不会因为不卫生而闹肚子（参照财政部标准），得了，快把蚊香和消毒药片给一并捎过去吧。

对于指挥作战的将领，简直不知道怎么心疼好了，抬头一瞧，柜子上不是有白兰地吗？全给拿去，秋季多雨，喝点洋酒可以预防风寒。

不仅孙立人，连他手下的一众参谋，每天一瓶，雷打不动。

领导这么把你当人看，再不好好干就太不够意思了。

“东方隆美尔”要大展拳脚了。

靠脑子打仗

在苏州河北岸，日军托着腮帮子在想，怎么渡过去呢?

河面上原来有桥，但中国军队一过去，马上就轰隆隆地全给炸了。

再看看对岸的工事，修得很见水平，连材料都是由钢板和三角铁这样的铁家伙组成的，特别是从缝隙里伸出来的枪口，一看就知道是捷克造，火力不差，如果直挺挺地在水面上架浮桥，就等于给守军当靶子用了。

日军前敌指挥官颇有头脑，经过琢磨，他发现了一个规律。

苏州河会受到潮涨潮落的影响，天黑时涨潮，河水向西倒流，到天亮时落潮，又会按照正常顺序“一弯河水向东流”。

这样的话，就不用傻乎乎地直接从北岸向南岸搭桥了，只需先利用晚上在北岸搭一个与河宽相等的浮桥，等到天亮，利用水的流向和浮力，浮桥就会自动漂向南岸，如此岂不就成了。

如果在搭桥时，能再施放大量烟幕弹，简直是天衣无缝。

打仗有时候是要凭脑子的，很多日军官兵都有一定的文化水平，在这方面就跟我们拉开差距了。不过，这说的只是整体，缩小到苏州河之战，小鬼子的脑子就不好使了。

因为他们遇到了一个更有文化和头脑的人。

在孙立人的指挥下，税警总团用厚钢板在岸边搭了很多临时隐蔽所，日军的炮弹打不着，但他们可以躲在里面守株待兔。

10 月 28 日，日军自认等来了机会。

那天早上起大雾，面对面都看不清人，别说隔着一条河了，快过。

可是偷渡者并不知道岸边早就藏着许多猎手，后者看到浮桥便猛投手榴弹，浮桥当即被炸断。

由于人多，还是有一批鬼子兵上了岸，并一头扎进了附近纱厂的储煤窖。这个储煤窖在一个三米高的陡坡下面，枪炮都够不着，手榴弹也没用。

不过孙立人首先关心的不是储煤窑里的鬼子，而是还漂在水面上三三两两的橡皮舟。

以钢板做成护墙，继续投手榴弹，直至把残余的橡皮舟全部炸沉为止。

一顿“榴弹雨”下去，别说橡皮舟，连一块橡皮都看不到了。

北岸的日军急得跳脚，南岸的日军也近乎抓狂，可是他们谁也没有办法，想开枪都找不着目标。

好了，后路没了，你们就在储煤窑里等死吧。

附近不是有纱厂吗？孙立人让人到纱厂去搬棉花。

众人都不知道要派什么用场，但长官这么要求，必有用意，那就去搬吧。

十几捆棉花包被搬到陡坡之上，浇上煤油，然后轰的一声点着了，往陡坡下面推。

燃烧着的棉花包封住了储煤窑口，有的直接滚了进去，里面的日军开始大概还感觉不错，挺热乎嘛，但是很快就像蜂窝里的野蜂一样炸了起来——烤白薯不就是这么来的吗！

连续几天，日军再也不敢过苏州河了。

11 月 3 日，上海派遣军主力齐集北岸，正好又是一个大雾天，他们才利用橡皮舟浮桥再次实施强渡。

与上一次相比，这次用兵多，规模大，相当数量的日军得以登岸。孙立人不得不组织敢死队，与之进行逐屋逐室争夺，终于把大部分阵地都给夺了回来。

战斗结束后，税警总团因损失较大，奉命换防休整，但孙立人忽然改变了主意。

事情是这样的，有一个叫小红楼的据点，也钻进去了二十多个鬼子，由于是两层楼房，易守难攻，税警总团还没来得及拿下来，换防命令就

到了。

孙立人既有名将潜质，性格上也十分好强，与他的上司黄杰那样阿弥陀佛式的人更是判若两端。他觉得还是应该先把小红楼里的鬼子解决了再说，免得给人留下话柄，说是我孙立人自己搞不定，想将这烫手的山芋扔给他人。

作为一个靠脑子打仗的人，一般情况下，孙立人从不主张靠牺牲士兵的生命去一味蛮干，他决定采用地雷爆破。

地雷第二天凌晨运到，孙立人喜不自胜，由于天色尚黑，他便从指挥所里走出来，打着手电筒亲自查看。

不料这时正逢日军炮击，由于他的指挥所离河岸很近，一颗炮弹当空爆炸，孙立人被炸伤十几处，光嵌入体内的弹片就有八九块之多。

浑身是血的孙立人躺在地上，差点让人以为他没气了。

全面抗战才刚刚开始，“东方隆美尔”还没怎么亮相就完蛋了，那后面这部书还怎么说？所以我们在炮弹爆炸的一瞬间，特意给孙立人戴了顶钢盔，又让他蹲着身子，这样其他地方尽管惨不忍睹，但脑袋没事，吃饭的家伙还在，大家不用过分担心。

宋子文听到消息后，赶紧派来救护车，但是孙立人只接受伤口包扎，却拒绝上车。

那谁，你代替我进行指挥，务必用地雷把小红楼给炸掉。

听到整座小楼都被炸塌，孙立人这才坐上救护车。

上海完全沦陷之后，日军在苏州河岸立了一块石碑，碑文曰：遭遇华军最激烈的抵抗于此。

受了重伤的孙立人与战场只能暂时说拜拜了，对于他来说，淞沪战场给他的空间还是太小，连小试身手都算不上。不过当时他或许不会想到，若干年后，自己将在异国战场上腾空而起，取得令孙元良这些人都为之咋舌的辉煌战绩。

第五章

蜀中三将

在苏州河相持不下的同时，日本政府一面拒绝出席“九国公约”签字国会议，一面以德国驻华大使陶德曼为中介人，试图与中国进行“秘密和谈”。

中日的各自要价相去甚远，蒋介石看了心里自然很是不爽。何况朝也盼暮也想的国际会议已经召开，胜负未分，如果这时候就答应了你那些过分要求，我怎么向国民交代?

在召见陶德曼时，他让德国人转告近卫内阁，要谈可以，但必须到会议上大家三堂六面地公开谈，这样偷偷摸摸地肯定不行，而如果日本始终不愿恢复战前状态，那也是没啥可谈的，要打，我们奉陪。

一方要“秘密和谈”，一方要“公开谈判”，说不拢，作为中介人的陶德曼只得怏怏而退。

当天，日本派出的第四批援军——第十军悄悄抵达金山卫附近海面。

分崩离析

第十军由从北方抽调的熊本第六师团等三师一旅团组成。组织第十军进攻上海，说明日本已准备在上海投下最大的赌注。

这一天是 11 月 5 日。

拂晓，海上正好起了大雾，视线不清，监视哨无法观察日本军舰的运动情况。

早已虎视眈眈的第十军突然组织滩头强攻。

在金山卫防守的仅一个炮兵连和一个步兵营。炮兵发现敌情后，立即

日本第十一军登陆金山卫，彻底改变淞沪战局

进行炮火阻击，无奈第十军登陆的远不止一个点，轰了这里，就打不了那里，陷于顾此失彼的境地。

等日军接近时，炮兵连甚至不惜动用出膛即炸的零线子母弹拦击，可是潮水般涌来的鬼子兵，岂是几门炮就能挡得住的，金山卫阵地遂告失陷。

看到这里，你可能会大叫起来，日本人最擅长迂回抄击，难道就不会防着一手，多置些人马，五年前一·二八会战的亏还没吃够吗？

说得没错，中方将领也并非不知道。本来在阵地两侧，从浏河至南京，从浦东至杭州湾，都摆满了警戒兵团，以防备日军迂回，但是很快这个格局就被逐渐打破了。

原因其实还是出在力不能支上面。

在淞沪战场如火如荼之时，中央阵地常常入不敷出，后面又无兵可调，救急如救火，只好临时从两侧抽调兵力。

此举意味着什么，从蒋介石到陈诚都很清楚，那就是巨大的风险，但是你不从那里抽人救急又怎么办，不管北战场还是南战场，若无援兵不断接力，防线也许立马就垮了，两侧就算全是人，还不一样会输得很惨。

一开始还想得挺好，抽出来多少人，等后方来了部队后，马上再补进去，这样就没事了。可没想到的是，凡是从后方来的，管他多少人，有没有战斗力，前线都能一个不剩地照单全收，否则阵地就会丢失或出现空隙。

你要说这是在饮鸩止渴也没什么不对，可倘不如此，淞沪会战早就可以宣告败局收场了。

同时，中方对金山卫的防守也确实松懈了一点。战前，中国统帅部曾多次组织对金山卫一带的地形进行考察，但都认为这个地方水浅涂深，船只靠岸很困难，绝对不是一个理想的登陆地点。

等到上海派遣军从川沙口、吴淞登陆，并将守军逼至苏州河南岸后，大家又本能地认为，日军由北向南打得顺风顺水，就算要再次登陆，也一定会选择长江南岸。

出其不意，攻其不备，看上去最难攻的地方往往却是最薄弱之处，第十军登陆金山卫，为中国守军败走上海一锤定音。

这再一次证明，日军在进攻战尤其是迂回包抄方面确有其独到之处。

今天，当我们遍查所有的回忆录和资料，虽然时见怪你怪他之辞，但一个不容回避的事实是，谁都没能准确地预见到对手会登陆金山卫，甚至连德国顾问团团长法肯豪森，都出现了判断上的错误，他认为日军企图在江浙各处再次登陆，只是佯动性质，其目的在转移视线，分散中方在上海的作战兵力。

这个世界，总有那么多意外。

惊悉日军登陆金山卫后，陈诚连抽两个师前去堵截，然而都挡不住第十军的凌厉冲击。

这时蒋介石打电话给陈诚，问他：怎么办？

陈诚那么一个从不肯服输的人，也看到了大势已去，只得回答：为今之计，只有赶快撤出上海，退守国防线。

陈诚所说的国防线，重点是指吴福线（苏州到常熟福山），当时号称“东方马其诺防线”。

蒋介石整整思考了半个小时，同意了陈诚的意见。可是考虑到“九国公约”签字国会议才刚刚开了没两天，如果此时就退出上海，中国可能会在会议上颜面扫地且无功而返，于是让陈诚再坚持三天，三天后再撤到国防线上去。

显然，这又是一个以外交牺牲军事的例子。三天，黄花菜都凉了。

11 月 9 日，陈诚下令全军总撤退，向吴福线转移，可是已经太迟了。

蒋介石在淞沪前线观察战况

趁你病，要你命，这是一切坏人的必然思路。

第十军指挥官柳川平助见江南道路狭窄，全军掩杀尚有困难，便以熊本师团为先锋，一头朝京沪铁路上的昆山直插过去，从而切断了上海守军与后方的联系，撤退部队因此一下子陷入混乱之中。

由于无法完全堵住各条道路，柳川又遣出多支小规模挺进队，轻装前进，绕前袭击，更是加剧了这种混乱。

有如四年前长城抗战后期的“滦东大溃退”，本来有秩序的撤退也开始演变成无秩序的“溃退”，只是规模更大，场面更惨。

溃退，几乎已成为中国正规军队的一种难改痼疾。白崇禧曾经拿他在北伐时期的经历作比，说那时候的南方部队就是如此，典型特点是宜攻不宜守，攻则气盛，大家哇呀呀叫，不顾性命地往上冲，可是守则气馁，都挤在一条道上争相跑路，每个人都不管他人，只求自己能早一点逃出被围歼的厄运。

不可否认的是，淞沪一战，前期确实过于惨烈，尤其是退到苏州河南岸的，大部分都被打残了，可以说已达到消耗的极限，再相互一裹乱，皆失再战之心。

在溃退中，各级指挥官都相继失去了对自己部队的有效掌握，将找不到兵，兵找不到将，纷乱的模样令人瞠目结舌，甚至连一干大将们都出了糗。

胡宗南在苏州河畔的司令部，首先遭到日军的偷渡袭击，司令部参谋人员及警卫连死伤殆尽，才保得胡宗南一人只身逃走。

另一位倒霉的是薛岳。他那时正发高烧，乘着小汽车往吴福线撤，路上却遭到日军挺进队的机枪扫射，司机和卫士当即中弹身亡。

薛岳是给先总理当过卫队长的大内高手，即使是生病当中，也保持着一种职业性的敏感。见情况不妙，他一脚踢开车门，然后纵身跃入路旁的水田，又仗着水性不错，连游五道河沟脱险。如果这位那时就战死上海，以后长沙会战的绝活我们也就别想看到了。

在整个淞沪会战中，牺牲将官职务最高的是东北军第六十七军军长吴克仁中将，而吴克仁就是在大溃退中遇难的。

淞沪战场是各支军队争取荣誉之地。吴克仁在上战场前就对部属说，不管别人怎样，我们东北军绝不能再被人家戳着脊梁骨，骂我们只会叫嚷抗日，实际打起仗来却是草包一个。

可是吴克仁也没有想到仗真会打到如此惨烈。看着旅团长在眼前一个个倒下，他虽然嘴里说“马革裹尸，乃军人最光荣的归宿”，然而却一边说一边流泪，内心伤痛至极。

更想不到的是出现大溃退。

从一线撤下来时，身边仅剩了几个随从。吴克仁不由得摇头苦笑：想当年曹操败走华容道，曾是何等狼狈，不意吾辈竟还多有不如。

江南沟壑纵横，北方人又有很多不会游泳，在遇到一条深水河流时无计可施，侥幸的是随从在附近找到了一块门板，这无疑是一块救命的木板。

正要倚板而渡的时候，一个当地政府的文官也凄凄惶惶地跑到了岸边，比之于军人，他更为无助。

吴克仁在问明他的身份后，不由得长叹一声：“我们军人打了败仗，已有愧于大家，若再只顾自己逃命，那就更是惭愧万分了。”

这块木板，你先拿去用吧。

文官怀着感激的心情渡过了河，却再也没有看到将军现身。

有人说，吴克仁是在过河时被日军机枪扫射而死的，还有的说他是在中弹后伤势过重淹死的。

包括吴克仁在内，东北军在淞沪战场上共阵亡将级军官五人，重伤三人，团长伤亡超过一半，五万编制的一个军，到最后突出来时，只能勉强缩编成一个师。

11月12日，上海完全失守。

哼哈二将

在第十军登陆金山卫后，日本统帅部决定成立华中方面军，由松井石根兼任司令官，以统一指挥上海派遣军和第十军。

按照其原有计划，是“在上海打，在南京谈”，但无论松井石根还是柳川平助，作战区域都已大大超出上海及其近郊范围。

柳川平助，毕业于陆大二十四期“军刀组”，与土肥原、香月清司、谷寿夫是陆大同一期。

他最擅长的其实不是步兵，而是骑兵，由于一直指挥骑兵作战，所以对长途奔袭这一套特别来电。不过柳川的命不好，本来官当得好好的，却因为卷入帮派争夺而曾遭遇厄运。

当年日本陆军内部有两大对立派别，一为皇道派，一为统制派，两派经常争得你死我活。柳川和松井都属于皇道派，或被认为是皇道派，结果统制派得势后，就双双得到了被中途扫地出门，编入预备役的下场。

靠边站的日子不好过啊，柳川在以泪洗面的同时，天天幻想着有出头的一天。

淞沪会战打响，前线高级将领稀缺，柳川被重召上阵，他一蹦老高，杀人立功的心情比松井都来得迫切。

松井从太湖北岸进行正面追击，奔袭专家柳川就沿太湖南岸进行迂回绕击，中国军队撤退时的极度混乱很大程度上都是由第十军造成的。

在太湖北岸，尚有“东方马其诺”可以据守，太湖南岸则几乎无险可守，只有不惜代价地派援兵进行堵击。

在指挥进攻上海的日军指挥官中，柳川平助（右一）以长途奔袭见长

11 月 11 日，陈诚紧急调用百余辆卡车，将第二批广西桂军——第七军送至太湖南岸的吴兴战场。

第七军有“钢军”之称，他们以伤亡一半的代价，顽强阻击作为第十军主力的熊本师团，并坚持到 11 月 24 日，才因伤亡过重而不得不撤出吴兴，转而以川军接替。

如果说桂军第七军算一流选手，在陈诚走马换将之后，柳川也将熊本师团暂时撤下休整补充，以应付后面的更重要战事，替换上来的同样是二流选手——第十八师团。

第十八师团是新编师团，若论战斗力和凶悍程度，远不及熊本师团，可说句实在话，川军跟桂军也不在同一个档次——哪怕是川军中的佼佼者。

与第十八师团对阵的川军是唐式遵集团军。

刘湘出川抗战的两大集团军，北上参加娘子关战役的是邓锡侯，东调

救急的则为唐式遵。

唐式遵是刘湘的嫡系，虽然所属人马也是单衣草鞋，但比之于邓锡侯部，不管武器装备还是实际战斗力，都要强上很多。

随着陈诚颁下军令，郭勋祺、刘兆藜双双杀出。

在川将之中，郭勋祺最为耀目，有川中第一名将之誉，成名之作为内战时期的土城战役。

那还是长征时期，毛泽东自遵义会议后再次执掌军权，第一件事就是想在土城打一场漂亮仗，以重振久败之后的红军士气。但是这一仗没能旗开得胜，原因之一就是遇到了郭勋祺这个猛张飞。

土城战役，中央红军主力尽出，却仍被郭勋祺突破阵地，直逼军委指挥部前沿。千钧一发之际，若不是我们的主席把干部团都拿出来拼，指挥部几乎不保。

是役，红军伤亡多达三千之众，而郭勋祺作战之猛，也使人们彻底改变了川军战斗力低下的印象。

在前往吴兴的路上，郭勋祺一直琢磨着怎样才能把出川以来的首仗给打好，他开始对陆续向南京转移的后撤部队感起了兴趣。

当然，这个兴趣点是有聚焦的，焦点所在，就是其中的一个炮兵团。

川军一门重炮都没有，想想看，要是咱手里也有大炮，该是怎样一种情形。

一打听，炮团的团长是四川人，跟郭勋祺手下的一个旅参谋长不仅是同乡同族，还是黄埔的同期同学，两人关系铁得很。

听说还有这么一层关系，郭勋祺赶紧拉炮团团长吃饭（自然只能是便餐了），并让这个旅参谋长在一旁猛敲边鼓，意思就是希望对方能留下来帮忙。

但是人家听后直摇头：我这个炮团奉令退保南京，军令如山，如果因留下耽误了布防时间，那是要吃不了兜着走的。

眼见对方起身要走，郭勋祺又歪嘴又挤眼，刘兆藜带着他的一干旅长们及时冒了出来，这些人里面，有的还跟炮团营长是结拜兄弟。见面之后，一把鼻涕一把泪，兄弟这就要有难了，你能见死不救，拍拍屁股扬长而去吗？

炮团营长坐着不动弹，眼睛一眨不眨地看着他的团长。

里应外合，内外夹攻，这么多人情扑上来，团长也招架不住了。

川人最重乡情，一跺脚，也罢，就让营长留下吧。

这里说的留下，可不是一直留下，那是要违反军纪的，只能留四天。至于为什么耽搁了四天，可以对上面解释为该营是后卫，反正只要炮团有人先到南京去报到就可以了。

经过联袂围攻，终于有一个炮营可以留下来了，大家喜不自胜，可是接下来却差点吵起了架。

那就是如何分蛋糕的问题。

刘兆藜说，要不是我拿兄弟感情去争取，事情差点就黄了，所以这个炮营应该归我。

刘兆藜一脸憧憬状，那样子，仿佛炮营的大炮已经在他的阵地上一字排开，咣咣地将日军炸飞了。

然而在郭勋祺看来，这场戏，他才是总导演，刘兆藜充其量不过是他请来的一个“托”，怎么到头来，好事还全归了“托”。

不行不行，你看看我的防守阵地，南面要防，东面要守，既要注意正面，又要留心湖上，能缺了炮兵吗？这个炮营还是归我比较妥当。

争来争去，刘兆藜始终不肯相让，哪怕三七开也不行，最后双方按五五分成儿才得以成交，也就是把炮营拆开来，一边配两个炮连。

三国重现

郭勋祺防守的阵地靠于太湖岸边，此地称为夹浦。

我曾经去过夹浦，那是一个典型的江南水乡。浙江人很会做生意，愣是把当地改造成了一个度假村，以至于每户人家几乎都成了一个小型的饭店兼旅馆。

在那么多漂亮的小洋楼中间，独有一间土屋，仍是泥墙青瓦，炊烟袅

袅升起，一位老妪在门前搬凳闲坐。

这样的土屋，当年一定随处可见。

善良的人们本不奢望太多，只求可以宁静地生活下去即可，但战争无情地毁掉了这一切。

夹浦之战异常激烈，第十八师团的步兵主要会集于这一路。

在步兵推进的同时，日军大炮进行掩护，炮弹呼呼地从头顶掠过，但郭勋祺一再不让机枪和大炮开火，仅用手步枪御敌。

隐藏在树林里的野炮不到关键时候不能轻用

最有力的武器，必须到最有把握、最有效的时候才能使用。在此之前，就得熬着。

郭勋祺是名将，他的部队里也不乏牛人，比如一个连长，他的脑袋被鬼子的三八大盖给打中了，子弹从耳边进去，脸上穿出，这位兄弟竟然还能自己稳稳当当地走着，而且言语自若，跟常人无异。

随着作战过程的不断推进，郭勋祺在估算距离。

等第十八师团到达守军阵地千米以内后，他下令轻重机枪齐射，以打乱其前锋阵脚。

见日军队伍开始出现松动，郭勋祺才要求炮兵连开火，并按一千五百米的距离进行连续轰击。

前后两个火力覆盖面一出，日军的攻击阵容陷入一片混乱。

与此同时，太湖方向也出现了险情。

除第十八师团外，柳川又另外组织了一支由海军陆战队为基干的混合支队，驾着汽艇和小木船，准备从东面横渡太湖，以便对川军形成夹击之势。

如果事先没有考虑，沿岸守卫部队本能的反应就是朝船上的人瞄准儿。郭勋祺说你们不要急着打，让他过来，靠近岸边再打，而且不要零零散散地打，得用排子枪。

注意，不要打人，得打船！

船目标大，比人好打，一旦洞穿，进水即沉。

指挥当兵的打仗，就得这么细致，别光来那些虚的口号，这一点，也很能看出郭勋祺身上的名将本色。

见无机可乘，第十八师团只得在日暮时分悄悄撤退。

郭勋祺认为他这一仗打得不错，可是强中更有强中手，另一位打得比他还要精彩。

郭勋祺的难处是要两头兼顾，而刘兆藜的困难则是承压最重，他的阵地横守京杭大道，最适宜于第十八师团的坦克快速部队行进。

不过刘兆藜对此早已成竹在胸。

四川蜀地，那是“五虎上将”发布榜单的地方，诸葛孔明运筹帷幄的场所，之前，川军钻在窝里面自己玩玩儿，大小仗少说打过四五百场，有点灵性的都能上路。

刘兆藜是一个有灵性的人。论名气，他不及郭勋祺，但那是没给机会，给了机会一样能闪光。

看《三国演义》，我们会发现，孔明用兵，最擅长两项，即诱敌伏击和夹路火攻，出山后的第一仗“火烧博望”便是二者的最佳结合体。

在与郭勋祺争炮兵时，刘兆藜曾当众夸口，说他早在阵地前沿布置了陷阱，敌不来则罢，若是来了，必叫他陷入我天罗地网之中而不得逃生。

刘兆藜不是吹牛，因为他确实找到了一处可与博望坡地形相像的地方。

当天的情形宛如三国重现。

一开始，两个回合不到，刘兆藜即佯装撤退。第十八师团的快速部队本来以为要在阵地前鏖战一番，见此情景，连怀疑都不怀疑就蜂拥着上来了。

为什么不疑，因为前面中国军队的溃退见多了，打两枪就跑的亦不鲜见，属于正常现象，这么正常你都怀疑，那不等于脑子进水了。

如同当初曹军看到刘备一样，部队的指挥官也是大笑：“川军要与吾对敌，正如驱犬羊与虎豹斗耳。”

日本“虎豹”们一路猛追，渐渐地就追到了窄狭处。

在“火烧博望”这一节里，对博望坡的描述是“南道路狭，山川相逼”，刘兆藜诱敌深入的这个地形与此类似，有三里路长，是一个呈波状起伏的狭隘地段。

曹军对博望坡开始起疑，倒不是路狭，而是说此地树木丛杂，且两边都是芦苇，倘彼用火攻，可怎生了得。

刘兆藜预设的伏击区域没有这么多的树木和芦苇，所以日军坦克就放心大胆地进去了。

与“火烧博望”唯一不同的是，刘兆藜没有贸然采用火攻，他用的是炮攻，这点颇有时代特色。

在刘兆藜身边，就是那位炮团的营长，后者一直在用望远镜进行观测。

眼看数十辆坦克已经进入隘区，大喊一声：放！

德造山炮齐轰，这一轮轰击方向是截尾，日军队尾的数辆坦克立刻被击中，并堵住了自家退路。

随后大炮转移方向，再斩首。

一头一尾下来，最后的程序才是击腹。

除山炮外，川军自带的迫击炮、步机枪、手榴弹也一起朝隘区中央倾斜，一时间，弹如雨点，震耳欲聋。

日军被围在中央的大多是坦克、装甲车和山野炮，移动不灵，见两边皆被堵住，只能依傍路边的山岩死角进行躲避。

可是这时刘兆藜却暴露出了一个漏洞，有一个倾斜的小道，竟然无兵扼守。

百密却有一疏，这次第，正应了三国上的一句话：“敌军如此，虽十面埋伏，吾何惧哉！”

川军指挥官中不乏藏龙卧虎之辈

日军遂向小道突破。

行得二三里地，到一陡坡，上面铺满了谷草。

假如这些谷草出现在隘区，鬼子们即使没看过《三国演义》，也一定会予以提防，可这是什么时候，这是夺路而逃的时候，谁还有那份闲心低头去看看地面上究竟铺了多少草。

既然是“火攻博望”，但火一直都没出现过，这显然是不正常的。

炮战之后要上演火攻。

事实证明，刘兆藜没有漏过任何一个细节，他“漏”，只是因为这段戏需要他“漏”，观众强烈要求看火攻，敬业的都必须返场加演。

返场的这段戏，在《三国演义》里也很有名，叫做“火烧上方谷”。

陡坡两旁，埋伏着川军的迫击炮和机关枪，此时忽然向谷草进行猛烈射击。

你不射坦克，射谷草干什么，能射出火来?

这可不是一般的谷草，事前都喷了煤油，一射之后，立刻燃起大火，顿时火势熊熊，烟雾弥空。

炮攻加火攻，第十八师团的特种部队损失惨重，仅坦克就被击毁十三辆，山野炮四门被缴，四门被毁，仅少数坦克和炮车拼死冲过火海逃脱。

刘兆藜凭此一战立下声名，外战业绩在川军众将中独占鳌头。

二士争功

一天下来，唐式遵神采飞扬，两员战将，郭勋祺持平，刘兆藜大胜，在刘湘那里交代得过去了。

不爽的却是郭勋祺：怎么会让刘兆藜盖过风头呢?

我不是持平，应该是打胜!

他让各团报歼敌数字，准备写个报告给唐式遵，结果没有一个团报得上来，都是极其笼统的“敌伤亡惨重”。至于什么日军番号，敌将姓名，一概不知。

日军作战，除非是完全地被你包围歼灭，所有死尸都是要拖回去的，伤兵更是不会留在战场之上，所以我们对他们的统计皆为“估计”“大约”，很少能精确得起来。

川人实在，大多不善作假，郭勋祺这边没法自圆其说，刘兆藜那边却早已是铁板钉钉：炸毁缴获的东西一目了然，死尸一目了然，甚至还俘虏了六个日军官兵。

郭勋祺很生气，气死了。

晚上连觉都睡不好，爬起来给各团团长一人挂一电话，告诉他们：活捉日本官兵，予以重赏。

你们多少给我抓一个活的回来，老爷我自己掏钱赏你们。

抓活鬼子，成了郭勋祺始终难解的心结。

第二天吃完早饭，他又把手下一干团营长叫过来训话。

你们昨天打的那叫什么仗，竟然没有俘虏，连日军番号和主将都不知道，这是打的混仗！

团营长们都是一愣，表情十分困惑。

这要求也太高了吧，谁不知道，鬼子很难俘虏，难道打退日军，守住阵地还不行？

成天混在一起，郭勋祺对他这些部下心里在想些什么，自然也一清二楚，于是下了断论："打仗，光打退敌人是不能算数的。"

大家都傻呆呆地盯着他："那你说，怎么才能算数呢。"

郭勋祺大手一挥——俘虏敌人，夺得武器，算数！

可是这个难度越来越大，对郭勋祺是这样，对刘兆藜也是如此。

那一天仗之所以能打得那么漂亮，细究起来原因很多，包括第十八师团是个新编师团，包括这个师团轻敌冒进，包括川军首战士气高昂，但这一切的一切，都离不开炮兵营的帮忙。

大炮就是个活宝贝，谁都离不开。

可让人不爽的是，那个炮兵营长却死活要撤走。

白天立了功，但功劳都是人家的，自己只能做无名英雄，更重要的是，在亲眼目睹战斗的激烈状况之后，心里就打开鼓了。

看起来，这可不是帮忙的问题啊，弄不好一个炮营都得栽里面，到时候如何向上面交代？

忙，我帮了，兄弟之情，也算有了，明天我就得奉命开拔南京。

郭、刘都是一愣，不是说好四天吗？难道再多留一天也不行？

别说一天，半天都不行。尽管川军百般挽留，就差磕头作揖了，但炮营还是开走了。

炮兵一走，仗就不那么好打了。

如果说俘虏日军是理想，眼下郭勋祺却得面对现实，缺了炮兵，要是日军再用坦克来冲击，可如何是好？

在这方面，哼哈二将都不约而同地使出了诸葛孔明的空城计，即把中间的公路让开，摆出一副请君入瓮的架势。

二位的空城计都成功了，因为吃了昨天的亏以后，第十八师团根本就不敢再走正面，而宁愿从两翼展开进攻。

两翼也很难对付，但郭勋祺不管这些，他想的还是要抓鬼子。好消息来了，在打了两三个小时后，部队终于将两三百日军包围于夹沟之内。

这真的是瓮中捉鳖，郭勋祺高兴得手舞足蹈。

今天我非得亲自到沟里去捞两个日本兵出来，然后带回来仔细研究一下。

此时炊事兵已经把饭端了上来，郭勋祺却乐得连饭也不想吃，带着两个卫士喜滋滋地就往夹沟赶去，那样子跟急着去网兜里收鱼的老渔夫差不多。

一个人太兴奋，就难免大意。

太湖边上，一直隐伏着海军陆战队的狙击手，看到兴冲冲跑出来的这几个人，立刻端起枪瞄准射击。

三八式步枪，系日本明治三十八年（1905 年）定型生产，俗称“三八大盖”

三八大盖的优点之一，就是射击的准确率很高，但或许是郭勋祺一开心，动作幅度比较大，子弹只击中了郭勋祺的大腿，不过这也够他受的了。

郭勋祺是由卫士背着回去的，而等他转移到后方时，仍然没有听到抓获鬼子的消息，这真是一件憾事。

第十八师团在吴兴碰了壁后，开始将进攻重点转向另一方向——安徽广德。

生死之间

我去广德，只是路过。因为要去皖南的话，就必经广德。

一行人是冲着李太白的桃花潭去的，但是车子在经过广德县城中央的时候，几个人都不由自主地停了下来。

显见得那是一座颇有些年代的古代城楼，下了车后，我们钻进城楼，东望望，西瞧瞧，一抬头，赫然看到城楼上嵌着三个字：鼓角楼。

让我惊异的是，题款作者竟是曾巩！

有一段时间，我对《唐宋八大家文钞》特别感兴趣。编者对曾巩十分推崇，几乎尊其为八大家之首，一本文钞，他的文章占了最大篇幅，也充分表明了曾文学家在文坛政坛上曾经拥有过的地位。

回家后我特地翻查了资料，才知道鼓角楼实际上是广德县衙所在地，而曾巩不仅为它题名，还专门写了一篇记。

作为北宋的大名人，能如此破格，似乎早早就预示了这座城楼的不同凡响。

果不其然，到了南宋，一个此前尚默默无闻的年轻将领登临此楼，指挥与金国女真作战，六战六捷，举国为之轰动，他的名字叫岳飞。

再看下去，就跟我将要写的人物联系上了。

饶国华，四川资阳人，时为川军中将师长。

11 月 27 日，第十八师团对饶国华镇守的广德发动全力猛攻。那几天气温骤降，尚穿着夏装的川军官兵冻得浑身哆嗦，只能靠嚼食随身携带的干辣椒来抵御寒冷，而广德前沿又为一片平原，基本无险可守，经三昼夜

拼杀，饶国华师伤亡惨重。

11 月 29 日，饶国华担心自己守不住广德，遂连夜乘车到集团军总部谒见唐式遵，请求增加援兵。

唐式遵却正在焦头烂额之中，认为各个点都要守，哪有多余的兵给你，不仅没派援兵，还冲饶国华发了顿火。

回到军营，饶国华深感情况严重，广德已至危急存亡关头，他发出通令：人谁不死，死有重于泰山，我已作好报国准备，阵地在我在，阵地亡我亡。

11 月 30 日，饶国华亲自到前线督战，但当天战斗异常激烈，川军终于支撑不住了。

眼前日军像潮水般涌来，而自己的部队却像潮水般在溃退，乃至不听从指挥的程度。

饶国华长叹一声，他骑着自行车回到了广德城的后方师部。

这位中将师长没有选择逃命，而是给刘湘、唐式遵各写了一封遗书。

诸君还记否，出川时，我们曾共同表达过誓言，失地不复，誓不返川，胜则生，败必死。现在败了，广德即将失陷，但是我会记得当时的誓言，绝不会在敌人面前屈膝示弱，给中国人丢脸！

失败，并不都是耻辱的象征，只在于你失败之后如何抉择。

饶国华带着卫兵赶到广德机场。

这是华东两大机场之一，除了杭州笕桥机场，就是此处，中国空军曾多次从这里出发，与日军进行空战并创造过辉煌。

绝不能让它完好地落入日人之手。

饶国华下令，将机场点火焚烧，予以彻底毁坏。

做完这一切，饶国华来到了城门外。

虽然日军已经迫近眼前，但他丝毫不感到害怕。人活世上，不过聚散而已，只是出川时的心愿未了，漫长的冬天却已将来临。

背后就是鼓角楼，是素重气节为人师表的曾巩，是怒发冲冠仰头长啸的岳飞，对不起，我给你们蒙羞了。

饶国华最后看了看这座即将陷入苦难的城池，他没有流泪。

春天不会远了，黑夜也终究无法吞没黎明的曙光。

他盘腿坐下，忽然朝日军即将进入的方向怒目而视，并奋力疾呼："德国威廉二世曾那么强大，一战后仍要灭亡，何况你小小的日本了，看着吧，将来一定会自食其果!"

随着一声枪响，将军随即倒下，手里握着自杀用的手枪。

他实践了自己的誓言：城陷，将必同亡。

第六章
风过耳

在太湖北岸，陈诚率部边打边退。

他在撤到苏州后，本可依托吴福线布防，但是日军的又一次突然迂回，使这一意图化为泡影。

11 月 13 日，京都第十六师团在长江南岸的白茆口登陆。

白茆口离福山港非常之近，而京都师团的用兵方向也十分明显，就是冲着其侧背而去的。

11 月 16 日，福山失守，陈诚连停顿一下的时间都没有，只得继续撤往江阴。

他还有最后一道国防线可守——锡澄线（无锡至江阴）。

可是这时人心已渐渐难以收拢，所以依托锡澄线固守的计划只能再次落空。

国防线

后来对于国防线未起到作用，一般都归咎于其本身的问题，议论最多的就是无人守备以及找不到工事钥匙。

其实原先这里都有守备部队。

可是由于淞沪战场的需要，他们也像上海两侧的警戒兵团一样，早早就被作为补充兵员，全给吸纳到主战场上去了。比如守卫四行仓库的“八百壮士”，其组成就是原来两道国防线上的地方保安团。

这些守备部队被调走后，国防线工事的钥匙就临时交给了当地的保长。然而保长不是军人，人家也是老百姓，又没受过军训，听到前线风声

鹤唳，那是非赶紧逃命不可的。

结果部队撤到这里后找不到保长，拿不到钥匙。

不过这些实际上也并不是最主要的。

找不到钥匙，可以砸，可以撬嘛，那锁也不是金刚所铸，事实上，陈诚嫡系的部分中央军，就选择了直接撬门而入，只不过因为对这些工事不熟悉，运用起来较为困难一些，但毕竟也紧紧巴巴地守了那么几天。

因遭到沿途中国军队阻击，日军车辆被迫停下

大多数部队在通过时，却是连停下来看一眼的时间都没有，只是一路夺命狂奔。有的即使停下来了，也说找不到钥匙，所以没法固守，很快就撤走了。黄仁宇就此分析说，这可能是一些部队急于溃退才找出来的借口。

一个“钥匙问题”，多少反映出参加淞沪会战的部队过于庞杂，很多地方军在上阵作战时可以勇不可当，但退时却缺乏严格的作战纪律。

不管怎样，两条国防线毕竟都没能起到预期效果，当年苦心打造的“东方马其诺”竟多半已成摆设。

其实，军事史上的无数例子都说明了一个事实，那就是如果没有适当的战术和人力与之相匹配，再坚固的堡垒都作用有限。

不要说我们这个实际上建造水平很低的“东方马其诺”了，就算真正的马其诺又怎么样。三年以后，德军直接绕过这道防线发动攻击，法军因此土崩瓦解，号称世界上构筑最完善、设施最齐全的国防线从此沦为二战时期最大的笑柄。

11月26日，陈诚放弃锡澄线，退至南京城下。

蒋介石在南京紧急召见陈诚，垂询防守南京之策。

陈诚第一句话就是问：“是不是需要我来守南京城?”

蒋介石明确回答：“不是，我已另有人选。”

陈诚说，如果你要我守南京，我遵命，但如果不要我守，我有意见，因为我认为不应该死守南京！

在下以为，日军在战术上虽取得了胜利，但在战略上已经失败，必将陷入持久战的泥潭，所以我们应该赶紧撤往皖南，南京只能作为前卫阵地。

蒋介石仍犹豫不决，他命令何应钦、白崇禧和德国顾问法肯豪森进行集体商讨，看究竟怎么办。

中国统帅部一连会商六次，结论都是南京孤立，又没有要塞设备，不易坚守，乃非战之地。

蒋介石同意了会商结果，他命令陈诚赶紧去皖南进行布置，并将主力逐步撤至浙皖赣。

内外交困

在上海陷落之后，“九国公约”也没戏了。

这次国际会议表面上是宣告暂停，实际上是无限期停止，而在此之前，它仅仅像国联一样，发布了一个谴责日本的宣言。

当初扩大淞沪会战，付出如此大的牺牲，一大动因就是希望引起老外特别是美国的注意乃至干涉。

老外们的确是注意了，而且还肃然起敬。

特别是“八百壮士”守四行仓库，简直是一个绝妙的公关宣传，让你到了不打开电台，不翻开报纸，不每天追听追看都不行的地步。

淞沪战役由此被国际舆论认为是自一战后，全世界经历到的“最易目见，最经过宣扬，而且最为重要”的一场战斗。

在美国人眼里，中国被视为是为民主和自由而战，参加抗战的中国人意志坚定，众志成城，这一印象成了日本偷袭珍珠港之前美国民众对中国的普遍印象。

当时美国搞民意调查，同情中国的占到百分之七十四，而同情日本的只有百分之二，这在以前是没有过的，也为美国政府和民间后来越来越倾向于中国奠定了基础。

由于美国政府有中立法，所以暂时无法对中国进行直接军事援助，但它还是给予了财政上的支持。

自七七事变开始，一直到后来的武汉会战，在这整整一年时间里，美国以略高于世界市场的价格，大量向中国收购白银，总计达到一亿多美元。利用美元这一硬通货，中国政府购买了价值近五千万美元的军需物资。

可是，这都还不等于他们会马上起而干涉，因为那可能要流血，流的还可能是他们美国大兵的血。

参加会议的美国代表是戴维斯，中国代表顾维钧向戴维斯提出，美国为什么不制裁一下这个无法无天的日本，你们不是说要“防疫隔离”的吗?

戴维斯很为难，想了一会儿，说我们别的也做不了，要不，来个不买日本货吧，算是意思一下。

让顾维钧和戴维斯都没想到的是，连这个请示电文也遭到了美国国务卿赫尔的否决。消息被媒体披露后，国会都炸开了锅，议员们纷纷跳着脚骂戴维斯愚蠢，报纸上更是把戴维斯列为“不合格代表”，认为这哥们儿光想着别人，不顾自己国家利益，因而发出了召回戴维斯的呼声。

中国跟日本打架，与我们有何相干，凭什么要大家不买日本货，若是真的把日本惹恼了，反过来跟我们打怎么办？

归根结底，美国人是同情中国的，甚至也佩服你，愿意帮助你，可如果要他们现在就为此承担战争的风险，那你未免想得太多了。

英国代表艾登自己当局外人，还“好心”地劝告戴维斯，说你们美国要是没胆的话，就别管这类闲事了。

知道吗，这个世上，制裁有两种，一种有效的，一种无效的。无效的，只会惹怒对方而没有任何用处（比如不买日本货），而有效的呢？就必须冒战争的风险（例如爆发美日战争）。

你有没有胆？

戴维斯承认自己无胆，于是无可奈何地答复顾维钧，算了，国联都制裁不了日本，你也别奢望“九国公约”能制裁了。

绝望之中的顾维钧看到了苏联代表，忽然灵机一动，赶快俯耳上去：你们苏联为什么不在外蒙或东北边境搞搞军事演习呢？这样也可以给小日本添加一点心理压力呀。

那时苏联已向中国提供军事援助，但苏联代表大概都经过了肃反的考验，一个个训练得像他们的老大斯大林一样狡黠。这位苏联代表转而对顾维钧说，军事演习不是不可以，不过一定要有其他大国作为保证，即在苏联受到日本攻击时进行援助。否则的话，我们是不会冒这种惹毛日本的风险的。

这话说了等于没说。苏联代表指的这个大国，无疑是美国，可美国连不买日本货都不愿意，他怎么肯做此保证呢？

当然，也不能说中国从国联大会和“九国公约”会议上什么都没得到。最起码两个会议都谴责了日本，说明中日问题已经进入了国际化阶段，中国从此占据了道德的制高点。

可是所有这一切都是今后有用，也只会在以后的漫长日子里才会显示

出积极影响，对于彼时的中国来说，属于远水解不了近渴，一点忙都帮不上。

外国干涉失败了，暂时只能靠自己。

就在这时，德国驻华大使陶德曼再次居中调停。

与上一次对德国人态度冷淡不同，这次蒋介石不得不认真考虑一下中日是否要进行直接谈判。

“九国公约”永远地“暂停”了下去，没有一个国家愿意为此惹上麻烦，关键问题是中国手上没了筹码，近阶段的战争毫无疑问是打输了，无论北方还是南方。

在这种情况下，直接谈判纵为下策，却并不是绝对不能接受。

虽然蒋介石已紧急发布迁都令，把政府迁至重庆，准备继续与日本人打下去，但周围气氛发生的显著变化，仍让他备感伤心和失望。

同是一个朝廷之上，几个月前，众人无不慷慨陈词，撸袖子的撸袖子，伸拳头的伸拳头，都嚷嚷着要好好地教训一下小日本，所谓“低调俱乐部”，不是公开场合随大溜，就是私底下成为被大伙讥笑的对象。

可是仅仅几个月之后，随着前方军事一再失利，高调已几乎完全被低调所湮没。那个“俱乐部”就不用说了，文臣之中，从行政院副院长孔祥熙，到国民党元老于右任、居正，都极度动摇，力主求和。

要说这些老派与文人组成的文官会胆小怯懦，倒也不是不可以预知的，问题是，现在就连武将也皆多“落魄望和”，甚至还有想投机取巧的。

获悉陶德曼有意调停，孔祥熙一下蹦起来，认为这是天赐良机，绝不可失，建议蒋介石赶快趁势“乘风转舵”。

蒋介石是船老大，眼看大副、二副乃至水手们都是这样一种情绪，心里也很不得劲儿。在了解到日方的“议和条件”与之前没有什么不同后，他表示谈是可以的，但日方条件绝不能作为最后通牒，而中方也不承认自己是战败者。

隐含的意思就是，你的条件我是否接受，还得具体看谈判结果。

他特地强调，不管怎么谈，华北主权绝对不容丧失，也就是必须取消“塘沽协定”。

在写给自己看的日记中，蒋介石记录下了其真实用意：“为缓兵计，亦不得不如此耳！”

无奈对方并不中计，说是要谈，然而日军进逼南京的步伐未有丝毫减慢，而对日本人习性逐渐了如指掌的蒋介石同样不敢有丝毫懈怠，虽然南京政府和大多数朝中要员早已迁至陪都重庆，但他本人一直亲自在南京部署防守。

临危受命

蒋介石在中山陵园官邸内召集了紧急会议。

会上，他说，南京还是要守一下的，这里是国都，为“总理陵墓所在”，国际上都在看，不能一枪不放丢了就走。

军委会执行部主任唐生智第一个表示赞同：南京应该守，即使不是出于国际观瞻的考虑，仅就军事角度而言，也是绝对有必要的。

其一，可以掩护前方部队的休整和后方部队的集中；其二，可以阻止和延缓日军的进攻。

当时华中方面军步步紧逼，从上海撤出来的部队连喘息的时间都得不到，若能够在南京据险守一下，可以通过拖住和吸引日军，为部队调整赢得时间。

蒋介石点点头：那就定下来，守南京！

可是守卫南京，谁堪为将，或者说清楚一些，谁肯为将呢？

当蒋介石提出哪个高级将领愿担当此任时，座上鸦雀无声，连平时最能高谈阔论的此刻也噤声了。

蒋介石非常无奈地看着他的部下。

本来我是愿意自己留下来守的，但我是三军统帅，很多事需要我亲自筹划，责任逼着我离开。如果实在没有人守，那还是我来吧。

这么多将领，当然不能让统帅独担其任，然而没人敢接这个招。

唐生智虽主张守南京，可他也不敢随便应承，而是提议从前方战将中临时挑选主将。

孙元良、王敬久这些人，反正是要参加守城的，让他们挂一个南京卫戍司令的头衔岂不是一样?

蒋介石不语。

可是这些答案显然都不是蒋介石想要的。

要是他们可以，我找你们干什么，他们不是资历太浅，就是力不能当。

见会议上谈不出什么结果，蒋介石宣布散会，会后解决，但他心里其实已有合适人选，这个人就是唐生智本人。

唐生智见状又提了一个人：再不行，谷正伦也可以，他是南京警备司令，防守南京责无旁贷。

唐生智，字孟潇，湖南东安人，毕业于保定军校第一期。

他是早期湘军第八军军长，担任过北伐军前敌总指挥。唐生智有一个绰号，叫做“唐僧”——就是经常把观音姐姐放在嘴边，身后老是跟一个猴子保镖的那位唐朝和尚。

当年的北伐军里面有两个古里古怪的人，一个是“基督将军”冯玉祥，另一个就是这位唐和尚。冯玉祥让他的兵都信我主基督，唐和尚就号召部下都剃度当和尚。

绰号“唐僧”的唐生智是北伐时代有名的湘军将帅

唐生智的湘军由此被称为“佛教军”，该部所有官兵都摩顶受戒当了佛家弟子，胸前专门佩戴“大慈大悲救世”徽章。部队训话时，长官第一句问的不是军事口令，而是和少林寺和尚一样的佛家戒律：禁行受、不偷盗、不妄语、不乱杀、不邪淫、不饮酒，汝今能持否？

一众佛兵双手合十，答曰：能持……

佛法有云，小乘度己，大乘度人。

湘军的“远大理想”，便是实现大乘佛教的“度人”目标，即所谓“大慈大悲，救人救世，人不成佛，我不成佛”。换言之，他们和你打仗不是要杀你，而是要度你，是为你好，是件要让你成佛的大善举。

依靠“佛教军”，唐生智开始混得还挺顺，一度曾主政湖南，但后来就不行了，不知道是不是佛祖他老人家出差了，老是不保佑他。先是南京政府由新桂系当家，李、白讨唐，“佛教军”被新桂系改编。之后，他复出重拉旧部，但在中原大战中又被蒋介石打趴在地，第八军再次被蒋介石改编过去，而这一改编，从此就再也还不回来了，唐和尚变成了光杆儿和尚。

九一八后，蒋介石改弦更张，把他过去的一众政敌都召到麾下效命，唐生智也名列其中。

人的命看来都是注定的，你不承认都不行，争王不成，只能做臣。

内部会议召开的第二天，蒋介石带着唐生智去视察自己的“铁卫队”，也就是教导总队。

所谓视察，其实醉翁之意不在酒，就是暗示唐生智，同时好好地给他打一打气，希望后者能增强守城信心。

教导总队就是参加一·二八会战的“两师一总队”里面的总队。它担负着“御林军”和种子部队的双重角色，此时已扩编为九个团，再加上重机枪、迫击炮、通信、输送等特种兵直属部队，总计超过三万人。

教导总队的军官，大部分来自于黄埔军校，士兵则经过层层选拔，一半以上拥有大中专学历。与税警总团一样，这支部队的薪水也很高。九一八之后，部队薪水大减，连德械师发的都是“国难薪”，但教导总队在这方面从未打过折。

即使其他部队都不行，至少教导总队是行的。

再看教导总队沿紫金山构筑的阵地，多年经营，蔚成规模，不说固若金汤，说铜墙铁壁总没多大问题。

蒋介石指着紫金山阵地，对自己，也是对唐生智说："借助这个地势和这支军队，我们守南京应该是有办法的。"

唐生智已经明白了蒋介石话中之意。

他主张守南京是不假，但这副担子的分量有多重，一本账也清清楚楚。

从上海撤下来的部队不仅减员很大而且相当疲惫，里面新兵太多，几乎没有多少是老兵，而且京沪的整个部署和布局都已被打乱，根本没有充足的时间进行重新布置。

难道就靠一个教导总队来守南京?

唐生智说了一句：任务太艰巨了……

两人都陷入了沉默。

视察完毕，蒋介石让唐生智拿一个城防计划和南京卫戍司令的名单出来，后者很快把东西送了过来，但卫戍司令一栏依旧没有蒋介石想要的那个名字。

事到如今，不得不打开天窗说亮话了。

下午，蒋介石再次把唐生智找去：防守南京，不是我就是你，选一个吧。

话说到这个份儿上，唐生智已没有退路：你是三军统帅，怎么能够留下来呢，与其你留，不如我留！

蒋介石喜不自胜，立即说：很好，不过你跟我说实话，守卫南京究竟有多大把握?

唐生智心里其实并无把握，因此他回答，我只能做到八个字——临危不乱，临难不苟。

在过去的内战时期，唐生智曾是一个变化不定的人，行动上不定，思想上也不定，不仅组织"佛教军"，就连打个仗都得请教旁门术士。

但如果站远了看，民国时代，并不是他一个人如此，冯玉祥不还拿着水龙头给士兵做过“洗礼”吗？只能说，这就是时代特征之一。

和内战时摇摆不定不同，唐生智在抗战策略上一直是很坚决的主战派。他曾与自己的老师蒋百里一起编制国防计划，并督修过国防工事，于国防建设可以说功不可没，而这也是蒋介石执意要把守城之责交给他的原因之一。

当时唐生智还患有严重的胃病，身体非常差，只能走走平路，连高地都不能爬，乃至于巡视南京城防都得让别人代劳。

然而他不能不担负守城之责，因为没有其他人愿意去做。

事后有人说他蠢，唐生智没有反驳，但他说，世界上有些事也是要蠢人才肯去办的。

又有人质疑他在逞英雄，说他是湖南骡子，一根筋。

唐生智的回答是：战事演变至此，我们如果还不肯挺身出来干一下，那就太对不起国家了。骡子，那也是人所需要的，你离得开它吗？

兵临城下

11 月 20 日，唐生智就任南京卫戍司令一职，正式接过守城任务。

本来蒋介石的所谓“守”，也并没有到要死守不走的程度。他是准备按照陈诚的建议，将浙皖赣作为主阵地，而南京只作为前卫阵地，二者相互策应的。

但是 11 月 30 日晚的广德失守，使局面骤变，柳川的第十军通过广德，从皖南北上，与上海派遣军一东一西，一左一右，对南京形成了包夹之势。陈诚所设想的前后阵地相互脱节，南京一下子由前卫阵地变成了主阵地。

12 月 1 日，日本统帅部作出了一个重大决定：进攻南京！

在此之前，对于要不要攻占南京，参谋次长多田骏犹豫过，外务省犹豫过，甚至首相近卫本人也犹豫过。

他们曾经主张与中国在上海进行谈判，曾经希望适可而止，曾经口口声声要把南京作为停战议和之所而不是交战之地。

但当华中方面军即将对南京形成完全包围之时，一切顾虑都被抛开了。由于一路“凯旋”，那些横得没边的师团长和参谋们对朝中高官也开始不屑一顾，以至于连一份简单的战报都懒得传给他们，近卫竟然只能和普通国民一样，在公开出版的报纸上翻找前线日军的行踪。

可是近卫仍然无比亢奋。

我们既然已经兵临城下，攻到了中国首府，对方除了升起白旗，与我签署城下之盟，还能有其他更好的选择吗？

出乎近卫的预料，蒋介石和唐生智都不愿意跟他签什么城下之盟。

南京城外的标语：拿热血换取民族的独立自由

唐生智在就职后，将自己的执行部改成了南京卫戍司令部，所有运筹帷幄的活也由他和执行部的高级幕僚们一肩挑起。

执行部本来只是督修国防工事的机构，却突然要负起全部守城之责，而且这时幕僚们又听说，南京警备司令谷正伦竟然以患胃病需要诊治为由，先行撤到湖南去了。

姓谷的有胃病，我们唐长官也有胃病，而且比他还严重，凭什么他一溜烟跑了，却把这么重的担子扔给我们，难道守南京原来不是他的责任，还是以为我们都是傻子，不会找借口溜之大吉？

唐生智看出部下们不仅有情绪，而且情绪还很大，便主动对他们说：谷司令有病需要到后方休养，你们不要对此有想法，他走了，防守南京的任务，自然只好由我们来承担了。

底下还是有人认为南京不应该守。

唐生智说，得守，不仅守，如今还只能死守。因为形势起了变化，战争将降临到家门口，南京是首都，我们绝不能够轻易地把它奉送给敌人。

我们平常总说抗战抗战，难道抗战只是为了让别人去牺牲吗？难道你们谁愿意让日本人随随便便把首都从我们手里夺走吗？

当然不能！

说着说着，唐生智的声音开始低沉下来，语气也越来越沉重。

我是负责任的主官，已决定与南京共存亡，南京失守，我也不活了，但你们是幕僚，跟我所处的地位不一样，所以我不要求你们和我一道牺牲，万一城破，你们就想办法赶紧突围。

我只要求你们一样，在我活着的时候，坚持工作到底！

如果说前一番话是大道理，后面一段掏心掏肺的体己话立刻打动了在场的所有人。

论职务，唐生智现在是南京最高军政长官，一级上将，当然最有理由不死，如果他都有了死在南京的决心和打算，当部下的还能弃之不顾，乃至拔脚先溜吗？

稳定住指挥班子后，唐生智随即部署守城，从前线撤下来的部队加起来总共达到十多万，但正如他先前所预计，这十多万里面能打的真的不多。

现在的唐生智，身边没有一支亲兵部队，国内情况又非常特殊，不是像东瀛军界，即使退休被重新起用后，各路人马也能对你做到服服帖帖，好像自己的老领导一样。

蒋介石虽新授其南京卫戍司令一职，说到底，也只不过是一个赤手空拳的司令罢了。

唐生智能够依靠的，还是教导总队。

此前，为了教导总队留存与否，唐生智曾与军政部部长何应钦吵得不可开交。

何应钦想把教导总队调到四川去，扩编成三个军。唐生智急了，说你要这样的话，南京根本没法守，这个卫戍司令我也没法干。

最后蒋介石拍板，留下六个主力团，三个特务团以及炮兵、骑兵等特种部队则撤至后方。

唐生智专门赶到教导总队，在对军官们训话之前，他先举了一个反证。

“汪副总裁”（汪精卫）说过，我们与日本人打仗，是要打败仗的。中日实力悬殊，谁不知道呢，可是我们越败越要战，这样终究会打败日本人的。

敌人来犯，则远战；远战失利，则近战；近战失利，则守城；守城不力，则巷战；巷战再不力，则短接；短接再不力，则自杀。

唐生智接下来说，“委员长”答应过我，只要在南京守三个月，一定会组织兵力进行反攻。

三个月太短了，我们要守六个月，无命令绝不退出南京！

一番慷慨的铁血演说，立即使场内气氛开始热烈起来。

唐生智最后问大家，是坚守南京要紧，还是保命要紧？

众人热血沸腾，皆高呼：“守城要紧。”

鼓动完了，唐生智来实际的。

在南京的教导总队官兵，先给诸位发三个月薪水，有家眷的发一个月安家费。12月1日之前，均想办法把家眷送回家或送到后方。

要做到后面这一点承诺已渐显困难。从水面走，由于中央海军几乎全军覆灭，日本海军开始冲破江面封锁线，逐渐深入长江江面。从陆地走，包围圈又正在合拢，危险亦无处不在。

但是再困难也得做，因为多年带兵的经验告诉唐生智，这是收拢军心的起码保证。

唐生智告诉官兵，有不愿留下来的，三天内请假，可以自行离去，但多发的薪水就没有了，还得落一个怕死的名声。

何去何从，诸位想清楚。

都想清楚了，没看到有多少人提出要请假离开。

薪水发了，家眷送了，唐生智又命人大量采购烟酒，要吃要喝可以随便拿。

所有这一切做完，他开始板起脸，拿起蒋介石亲授的尚方宝剑。

各部凡擅自撤退者，一律按连坐法惩处，我将调宋希濂作为预备队，在江边专门负责维持军纪。

若不借助教导总队，并来个恩威并施，以上海溃退后的士气，南京恐怕半天都难守。

“黄莺”和“燕子”

12月1日，苏联空军率先拉开南京保卫战的序幕。

早在三个多月前，中苏双方就签订了互不侵犯条约，从这时候起，苏联开始成为主要对华军援国。从新疆到兰州，为运送军援物资而专门建立起一条长达三千六百里的交通运输线，它是当时维系中国继续抗战的最重要的一条国际生命补给线。

不仅援助物资，苏联也直接派部队进行支援，这就是苏联志愿空军。

这里的“志愿”，当然并不一定代表个人志愿，其背后实际是政府意志的结果，就像十几年后中国派出的抗美援朝志愿军一样。老美起初傻乎

乎的，还真以为跨过鸭绿江的是中国民间人士，在异域大搞个人英雄主义呢。

所谓的苏联志愿空军，其实是苏联应中国政府要求，将分布在中亚和西伯利亚的空军各师团组织起来，以志愿的名义，轮流派来中国的正规参战部队。

同是战斗机飞行员，苏联飞行员跟美国飞行员的习惯又不一样。如果是在休假中，苏联人其实是很放纵的，几乎什么粗鲁来什么，相比之下，美国人倒并不像传说中那么胡作非为，大多数人还算是比较守规矩的。

但到工作阶段则又不同。很多美国飞行员看上去是一副吊儿郎当的样子，有人上岗了还会偷个空子去警卫室玩玩牌。苏联飞行员却有着铁一般的纪律，打起仗来甚至比日本人还机械和玩儿命。

简单来说，他们是这样一种人：既能够通宵达旦彻底狂欢，也同样能够二十四小时不眠不休地疯狂作战。

苏联空军使用的战斗机是“黄莺”和“燕子”。

在西方人当中，苏联人是很懂美学的。20 世纪 50 年代，中苏关系最好的时候，苏联歌曲曾一次次让我们的父辈为之迷醉，这恐怕不是偶然的。

就像他们把火箭炮命名为“喀秋莎”一样，那完全是一个美丽姑娘的形象，它充分验证了，战场除了血腥还有诗意。

“黄莺”的学名是伊－15，这是一种双翼机，它的特点是功率大，差不多是平常飞机的两倍，因此在空中停留时间长，适于空中角斗。“燕子”，即伊－16，是单翼机，看起来粗糙，但是速度快，适于追击。这两种飞机的性能谈不上一定盖过日本的 96 式，但双方的性能已经大致接近了。

“黄莺”和“燕子”实在是一对好搭档，这两只轻盈的小鸟一高一低，交替翻飞，常常能弄花对手的双眼。

12 月 1 日这一天，日本政府作出了攻占南京的决定。于是有九架 96 式奉命飞到南京上空来撒劝降传单。

伊－15型战斗机，即“黄莺”

伊－16型战斗机，即“燕子”

中苏空军加大油门，呼的一声冲了出去。一共六架“黄莺”，分别由五个苏联飞行员和一个中国飞行员驾驶。

96式果然了得，马上摆开陈纳德所说的那种诱饵阵形，两个回合一过，一架苏联“黄莺”中弹起火摔了下去，中国飞行员练习“黄莺”时间不长，驾驶飞机连熟练都谈不上，所以也只好赶紧撤离。

六去二，四对九。

剩下来的四架苏联“黄莺”没有选择逃走，而是继续缠斗。其中，一架“黄莺”被96式紧紧咬住，怎么甩也甩不掉。日机越追越近，开始第一次射击，就在这千钧一发之际，“黄莺”突然向下一个俯冲，把全部子弹都闪在了身后。日机见状，也跟着全速俯冲下去，然而“黄莺”又是一个令人惊艳的横翻，闪到一边后，反过来向96式开火。

虽然它们谁都没有打着谁，却已经把地面上的一个人完全给看呆了。

此人就是陈纳德。他经历过的空中格斗太多了，见过的空战高手也数不胜数，但眼前的苏联飞行员仍让他叹为观止。

那么多复杂的空中技巧，可以一口气做完，你是我所知道的第一人！

一般来说，空战的时间都很短，几秒或最多几分钟内便能决出胜负，但那一天的南京空战特别长，总计达半个小时。结果是，日本战斗机败逃，双方都没有人员伤亡。

行家伸伸手，便知有没有，陈纳德在看到这一幕后，立即断言，在中国空军实际处于瘫痪的情况下，苏联空军与日本航空队绝对有得一拼。

果然，在接下来的时间里，就有了一架“黄莺”击落三架96式的好消息，而“燕子”出击五次，也一口气揍下了六架96式轰炸机。

与此同时，江面上毫无防备的日舰也遭到苏联轰炸机的打击。虽然轰炸机数量有限，没能鼓捣出像后来偷袭珍珠港那样的效果，但仍击沉一艘巡洋舰和两艘运输舰，另有六艘日舰中弹后燃起大火。

这是南京保卫战的序幕战，也是极少的几个精彩瞬间之一。很快，这一切都将结束，因为三天后，苏联空军连起飞基地也没有了。

第七章

破碎的歌谣

12月4日，南京郊外开始传来隆隆炮声。

苏联空军已经被迫放弃南京机场，南京上空满天飞着的都是日机，而蒋介石也被迫搬离南京陵园官邸。

离开之前，他再次用一天的时间，检查了紫金山防御阵地。

在“励志演讲”中，唐生智告诉大家，蒋介石要他在南京守三个月，其实是自行拔高了。

蒋介石从没奢望过南京能守这么长时间。他对唐生智说的是：“如果能支持两周是最好的。”

可是当这位“委员长”一次次视察阵地，环视眼前起伏的山峦时，又不住喟叹：“首都锦带江山，实天然要塞，守一两个月应该可以吧。”

离歌

如果说有奇迹，这时候的蒋介石应该是真心期盼奇迹能够发生的。一两个月，得到喘息的中国军队定然可以东山再起，卷土重来，南京或许可保无虞。

虽然朝中文武百官都已陆续撤离南京，但他还迟迟不愿离去。

到12月6日，想不走也不行了，因为日军已逼近南京外围的第一道防御线，远战开始。

在确定必须离开后，蒋介石一大早就驱车晋谒中山陵，作最后一次告别。

中山陵是国民党的圣地，也称得上是蒋介石个人的福地。

他曾经在这里发起二次北伐，曾经在这里完成“奉安大典”，也曾经在这里削平一座又一座山头，从而登上事业和权力的顶峰。

可是如今只能挥手自兹去——连他自己都不知道，这将意味着暂时，还是永远。

一边“四十年来家国，三千里地山河”，另一边却“最是仓皇辞庙日，教坊犹奏别离歌”。

岁月披离，人与人之间可以作为不同，可以性格迥异，然而到了那一刻，境遇和心情却多有相似之处。

正值秋冬之交，梧桐落叶铺满过道，一座紫金山显得那么凄清，面对此情此景，他已无法完全掩饰自己的心情，开始神情怅惘，满面郁悒。

一级级台阶走上去，又一级级台阶走下来，回过头去，所有的景物都那么熟悉，可即使是一草一木，如今也都在深深刺痛人的心灵。

岁月如同梦境，成功恰似虚幻，而不管你愿不愿意承认，比人更强悍的始终是命运。

除了南京，除了中山陵，蒋介石需要郑重告别的还有一个人，那就是过去的死敌，如今的臣子——唐生智。

没有这个人慷慨赴任，最后恐怕真的要由自己这个统帅来守城了。

患难见真情，你必须感谢他，不是以“主公”的名义。

蒋介石带着宋美龄来到唐生智公馆，当着面对他说：“孟潇兄，我知道你的身体还没有完全恢复过来，却要有劳你来守南京，我心里很难过。”

这句话颇令唐生智感动。

我是军人，守卫城池本来就是军人分内之责。现在，我还是要重复曾对你说过的那句话，就是“临危不乱，临难不苟”。

没有你的命令，我绝不撤退！

临别时，蒋介石告诉唐生智，云南龙云已答应出动滇军抗日，那是一支很强的地方部队，眼下已沿浙赣铁路东进浙江。如果南京能多支撑一段时间，等滇军到达后，必能先行缓解南京外围的压力。

我走了，你千万保重身体。

12 月 7 日凌晨，蒋氏夫妇驾机飞离南京。

从远战到短接

12 月 8 日，南京外围的第一道防御线被击破，远战失利，唐生智转而组织第二道防御，展开近战。

由于完全失去制空权，日机得以对南京实施密集轰炸，被作为指挥所的唐生智公馆也屡屡挨炸，玻璃被震得粉碎，桌上物品在空中乱飞。

幕僚们十分担心，都要求转移地点，唐生智却摇了摇头。

大敌当前，我要在这里进行指挥，不能为几颗炸弹就搬走，你们走吧，我和两位副长官留在这里就可以了。

最后，其他人都搬到了地下室，唐生智则仍在地面进行指挥。

近代历史上，南京迭遭兵燹。离得最近的两次，一次是太平军攻城，一次是湘军攻城，但两次都有一个共同点，即先行占领紫金山。

紫金山是南京的最高点，占领这里，就等于把握了主动。

无论是太平军还是湘军，都是凭紫金山之高，用火力压制住对方，然后再顺势炸塌城墙，从太平门攻进城去的。

紫金山一旦有失，太平门则危，而南京两次被攻陷的历史将原地复制。

对紫金山发起冲击的日军主力，为京都第十六师团。这个师团既是老师团，登陆以来又未受到什么损失，因此特别张狂。

然而他们碰到的是一支同样训练有素、斗志顽强的钢铁部队——教导总队。

战前，湘军某师指名要调教导总队的一名排长去湖南就职，这回不是当排长，而是直接升任连长。

“铁卫队”的嘛，谁还信不过。连长只是起步，以后还会升营长、团长，甚至可能是旅长、师长。

上级都点了头，同意这名排长可以立即起程，然而他本人却说，不打

教导总队成为南京保卫战的主力

完这一仗绝不会走。

没等仗打完，英勇的军官就牺牲在了紫金山上。

以强对强，以猛对猛，防守紫金山的“铁卫队”层层设防，在南京保卫战中发挥出了中流砥柱的作用，直到南京即将失陷，京都师团都未能从他们身上敲开缺口。

如果唐生智指挥的全是这样的部队，那就好办了，守三个月乃至六个月都绝对没有问题。

然而不是。

东面的紫金山和太平门虽然无恙，南面的雨花台防线却被突破了。

12 月 9 日，华中方面军司令官松井石根遣使给唐生智送来了一份劝降书。

说的是南京，我却突然想到了一江之隔的扬州。

三百年前明朝治下的扬州，其规模堪比如今的南京，但同样陷入敌兵重重围困之中。

洋洋得意的多尔衮给城内的兵部尚书史可法下了最后通牒，后者奉还他的，是历史上著名的《复多尔衮书》。

对要不要献城以降，史可法说了一句话，那就是“竭股肱之力，继之以忠贞”——我虽然力量有限，却一定会以死报国。

三百年后，唐生智面对同样的威胁口吻和语气，也采用了跟“史阁部”差不多的方式，即断然予以拒绝。

近战失利，则守城！

我去过的地方不多，但有两座城市的古城墙曾给我留下较深印象，一个是西安，另一个就是南京。

据说光华门如今已不复存在，不过只要看看尚留存于世的那些城墙就知道了，它们曾是多么巍峨坚固，如果不占据着紫金山那样的高地，要想立马攻陷确实是比较困难的。

光华门前还有护城河，听评书弹词里面，古代那么多英勇的武将，想攻个城也千难万难，现代其实也一样。

可是再坚固的城也必有它的“阿喀琉斯之踵”，那个脆弱的脚后跟就是城门。

日军以坦克战车为掩护，组织敢死队对光华门进行猛冲。城上迫击炮和机枪齐发，但仍有许多敢死队队员钻进了门洞。

一进门洞，便进入了射击死角，守军枪弹再密也拿他们没有办法。

这些鬼子可不是来跟你藏猫猫的，这次窜进来一批，下次蹿进来一批，城门无论多厚，不过是两块门板而已，长此以往，难保不被攻破。

守军先用火攻，在半夜里将汽油桶一桶一桶地丢在城门口，然后点火，利用火墙将护城河外和城门洞里的日军完全隔开，让里面的出不来，外面的进不去。

之后突然打开门，机枪扫过，门洞内的日军敢死队队员被立毙当场。

门砸不开，日军开始集中平射炮，朝城墙进行高密度连续轰击。

12月10日，光华门城墙终于被炸开多个口子，金泽第九师团在飞机的掩护下，用竹梯爬城，从缺口处蜂拥而入。

百余日军冲进城内，并突入城门纵深达两百米。他们以沿街房屋为据点，企图掩护后续大部队继续开进。

闻知城破，唐生智严令附近部队以两侧围堵的方式发动反攻，终于将其全部歼灭，但在松井石根的指挥下，金泽师团随后又用山野炮将城门轰塌。

城门一破，日军像潮水一样涌进来。

守军赶紧堵门，随堵随破，随破随堵，花了九牛二虎之力才将城门堵住，然而这次进来的日军却十分凶猛，怎么都无法将之完全消灭。

一转眼的工夫，守城已变成了巷战。

城中进入了极其紧张的时期，遍布火药和硫黄的味道，唐生智派参谋长到光华门现场，规定每十分钟双方通话一次，以报告那里的战况。

长官部的空气压抑到要使人爆炸，因为谁都知道，要是电话打不通，就什么都完了。

即使情势如此险恶，唐生智并未表现得惊慌失措，颇有守城大将的风范。

因为身体不好，又日夜不得休息，他在发号施令时，必须每隔几分钟就用热毛巾擦一下脸，喝一口茶，以保持清醒状态。

除此之外，他的样子真的跟他的绰号“唐和尚”一样镇定平和，无论前线情况多么吓人，从不失态，只是一支接一支地抽香烟。到了傍晚，趁日机停止轰炸，他甚至还会捧着小茶壶，在院子里散散步。

并不是每个人都能如此，太原保卫战时，以善于守城著称的傅作义都急到了两眼通红，可想而知，如果唐生智这时候就红了眼，长官部的其他人会作何感想。要知道，傅作义毕竟还有自己一手带出来的绥军可作依靠，唐生智却无湘军为保证，他指挥调遣的，全是跟他没丁点儿历史关系的各路部队。

这个时候唐生智确实已经准备与城同殉了，他甚至没有给自己留下一条救命的船。

众人都屏住呼吸盯住电话机。

电话铃响了，参谋们扑过去拿起一听，终于长长地吐了一口气。

巷战结束，城内日军被全部歼灭。

当天唐生智收到了一大堆礼物。

有歪把子轻机枪，有左轮手枪、有战刀、有三八式步枪，还有钢盔和呢大衣，都是从日军身上缴获的。

最新鲜的礼物，是粤军送来的，那是用菜篮子挑来的十几个鬼子脑袋！

虽然侥幸涉险，但长年作战的直觉仍然告诉唐生智，迟早还会有下一座城门被攻破，而这一次倘若再被日军冲进来，恐怕就不会那么幸运了。

除了紫金山上的教导总队外，他所能调动的其他部队，字面上看看是一个师或者一个军，其实兵员基本只剩下了一个营，而且全为新兵，部队没有大炮，连步枪都不整齐。

今天能堵住城门，靠的不是实力，而是士兵们的血肉之躯。

与唐生智感觉相同的还有蒋介石。

离京之后，虽然他已经想尽了一切办法，但在短时间内根本无法征调到强力援军，即如离得最近的云南滇军，此时也还刚刚到达浙江，对于缓解南京之围而言仍然是鞭长莫及。

蒋介石一直通过无线电台与唐生智保持着联系，对南京保卫战的每一步状况都很了解。在获悉最新情况并研判形势后，他直接给唐生智发来电报：如果南京实在不能守，则相机撤退！

12 月 11 日，唐生智又接到了顾祝同打来的电话，后者转来蒋介石要唐生智个人撤退的命令：渡江北撤。

顾祝同对唐生智说，你赶快过江来浦口，我让胡宗南到浦口接应。

唐生智倒是已经作好了不走的准备，要不然他也不会那么气定神闲，乃至于连条救命船都不给自己留。

前线如此危急，我不能走！

顾祝同急了，你今晚一定要走，这是上面的命令。

唐生智说，我有许多事情还没有向各部队交代清楚，这么一走，以后责任由谁来负？

顾祝同缓和了一下口气，这个容易，你留参谋长交代一下不就行了。

唐生智仍然不同意，一个参谋长如何能够主持大局，况且是在这样垂危的关头。

他断然说，我就是走，最早也要明天晚上才能走，我不能只顾自己一个人的死活，扔下军队不管。

事实上，顾祝同如此急迫，是有原因的。因为华中方面军的二线部队——第十三师团已从镇江北渡，下一步就是要封锁住长江北岸。

顾祝同说要派胡宗南来浦口接应唐生智，也是出于这一顾虑。

虽然明知如果照直说出这一情况，必然会对唐生智的心理产生影响，但事到如今，顾祝同也只好实话实说：日军占领了江北的六合，随时可以再攻下浦口，到那时即使想要北撤也来不及了。

唐生智愣了愣，但他仍然坚持，今晚要我过江是绝对不行的。

当晚，唐生智没有去找船渡江，而是沉下心来制订了突围计划。

巨大险情果然再次袭来。

12 月 12 日，凌晨，熊本第六师团从中华门附近入城，双方从巷战很快进入短接，守军再也无力将敌击退，城中局势眼看无法挽救。

但在这之前，唐生智还要作最后一次努力。

下午四点，他将师以上将领全部召至公馆开会，只问了一句："南京现已十分危急，各位尚有把握再守卫否?"

众人面面相觑，房间内的空气冰冷到能使人的血液凝固。

唐生智再也不用问了，撤退显然已不可避免。

对于如何突围，唐生智已进行过仔细研究，各支部队什么时候撤，谁先撤谁后撤，从哪里突围，到哪里集结，乃至于联络信号，都有明确

熊本师团从南京中华门形成突破

规定。

他把已油印好的突围计划发给在场的每一个人，并且强调：战争不是在今天结束，而是在明天继续，我们以后还要再打下去。

突围

唐生智规划的突围路线，是除下关的宋希濂师以及少数部队外，大部分往南京城外冲，然后向浙皖赣转移。这是一个相对比较明智的决定，因为如果全军过长江北渡，一者长江北岸已面临着可能被封锁的危险，二者也缺乏足够的船只，而当时城外虽布满日军，但是空隙仍然非常大，只要有勇气，是一定能冲得出去的。

唐生智究竟有没有对撤退和突围作过明确部署，这点相当重要。

南京沦陷并且发生屠杀惨剧后，突围出来的人几乎都把怨气一股脑儿撒到了唐生智头上，认为军队损失这么大，作为最高指挥官应该上军事

法庭。

但唐生智确实对突围作出过明确的部署，只是他没有想到，此时此刻，已经没有多少人愿意认认真真按照他的要求去做了。大家本能地认为，城外到处是鬼子，出城岂不是自投罗网，甚至有很多人在开完会后，连部队都不回，更不通知，就自顾自地一个人往江边跑了。

结果是，大部分部队都不执行唐生智的出城突围命令，而是随着老百姓一齐往江边涌。

南京保卫战之前，为了防止各部队不遵军令，擅自渡江后撤，唐生智曾让宋希濂负责把全部船只都收集起来，但实际上真正有船的部队都不肯交上来，导致宋希濂手中掌握的船只并不多，再加上这么多人涌上来，哪里够用。

悲剧就这样发生了。

过江部队，以徐源泉第二军团损失最少，原因是他们当初没有将船只交出来。其他各守城部队，从“铁卫队”到参加“十日围攻”的三个德械师，个个损失惨重，到浦口时都仅剩下千余人。

严格说来，只有两支粤军基本执行了唐生智向城外突围的命令，军长分别是邓龙光和叶肇。

大厦将倾之际，也许什么都不需要，需要的就是信任、服从和胆色，哪怕有那么一点点怀疑和怯懦都不敢整军往城外冲。

江南大地上，开始响彻着陌生的广东方言。

第一句：几大就几大，唔好做衰仔！

它的意思大致是说，豁出去了，死就死，但绝不能做软蛋。

第二句：丢那妈，萝卜头！

前面不解释了，后面是指小鬼子，不知道是说小鬼子像萝卜头，还是说萝卜头像小鬼子。

带头喊这些口号的是邓龙光手下的师长罗策群，他冲锋在前，率队几次向日军阵地猛扑，但直至战死也未能冲过封锁线。

南京城外的日军封锁线

师长都倒了下去，可知这条突围之路有多么艰险，邓龙光检点随身的直属队，仅剩百人不到。

此时已至深夜，日军阵地仍然张着血盆大口，狰狞地逼视着这群挣扎中的广东人。

随邓龙光冲杀的参谋长曾有龙精虎猛之誉，杀到这里，也已精疲力竭，心胆俱寒，甚至连牙齿打战的声音都清晰可闻。

百人不到，如何还能冲得过去，几乎所有人都失去了信心，都主张再等一等，等后面的部队上来再突。

这个时候大家都看着军长。

邓龙光与薛岳同为保定六期生，当然也是懂点战略战术的。

前面这么猛力撞击，虽然还没撞开，但肯定有所松动，也许只差一步，门就开了。

不能等，万一后面部队没等来，日军大部队倒来了，岂不惨兮。

所以还得继续“几大”。

邓龙光调集火力最强的特务连向日军阵地发动急袭，但这只是一个虚招，其他人在特务连的掩护下，利用地形逐次跃进。

之前的正面猛冲，已使日军形成了一个印象，即下一轮进攻又必如此，所以邓龙光的声东击西之术终于收到奇效，大家冲过了封锁线。

冲过封锁线，特务连已去一半，举头前望，却仍是路程漫漫，黑夜茫茫。

如果再碰到日军，可以肯定是既打不了，也冲不过。

眼看上天无路，入地无门，真的快到了绝望时刻，然而邓龙光渐渐发现，一切并不如想象中那么糟。

咱们的人怕“萝卜头”阻击，其实“萝卜头”也怕你们乘夜袭击，因此在封锁线之后，只要有宿营的地方，一定会点起篝火。

这就好办了，想不踩到鬼子，大家都相安无事，只需绕过篝火就行。

再往前面走，听到了一句无比熟悉的声音：“丢那妈，萝卜头!”

冲锋时，它激励士气，相逢时，它令人落泪。

原来是另一股失散的粤军，邓龙光顿时一块石头落了地。在他身后，此时只有十来个人了。

另一个粤军军长叶肇的遭遇则更为离奇。

与邓龙光一样，他也是保定六期生，可是他比邓龙光还要惨，后者直到山穷水尽时身边还有百来个兵，他却在与大部队失去联系后成了一个连卫士都没有的光杆司令，什么战略战术，骑马打仗，统统失效。

无奈之下，叶肇和他的参谋长只好化装成难民，一路奔逃，可是在鬼子眼里，并无难民和军人的区别，被他们看到，一律不放过。

叶肇无法，只得躲进山里。由于随身未带食物，他们饿到头昏眼花，实在撑不住了，不得不冒险下山。

路旁，有一堆地瓜皮。

不是地瓜，只是剥下的皮。倘在平日，谁也不会正眼去看，但这时叶肇却激动万分，如获至宝。

两人立即蹲下身去，抢着把地瓜皮送进自己嘴里。吃完一抹嘴，发现还剩了点，又小心翼翼地装入口袋，以便作为下一次的口粮。

在周星驰版的《武状元苏乞儿》中，由贵族沦为乞丐的苏乞儿父子会一起争抢狗食，甚至为从破碗中捡到一根肉丝而击掌相庆。假如叶肇能穿越时空，提前看到这个镜头，没准儿会认为是在演自己。

昨天，他们还是威风八面的将军，转眼间却连小兵都不如了。

活下去，成了唯一的信念。

吃完地瓜皮，不料却遇到了一队日本兵。

这队日本兵是辎重兵，缺人挑担，便将二人抓去做了挑夫。

参谋长先挑，走了六七里地后，他装成脚疼（也可能是真的很疼），实在走不了，就停了下来。日本兵见状，上去就是狠狠几脚，他便索性躺在地上“死”了过去。

参加京沪作战的日军，以冲在前面的熊本师团、京都师团等野战部队最为野蛮，自登陆后，到了无房不烧，无人不杀的程度，这一度让后续及辎重部队叫苦不迭，因为日军的后勤补给也很成问题，都杀了烧了，别说就地抢粮，连替他们挑担的人都没有了。

假如叶肇两人遇到的是日军战斗兵，就不是踢几脚的问题，而是至少会给一枪或者一刀，那“装死”的参谋长就惨了。

参谋长“死”了，他的担子移到了叶肇肩上。

可怜堂堂中将，哪里干过挑夫的活，肩上乍压重担，没多大一会儿就走不动道了。

鬼子打量他也不是个干重活的料，正好又抓到了其他壮丁，才放了他一马。

包括邓叶在内，每个从南京城往外冲的粤军都称得上英勇，当然也都很狼狈。广东话成了他们抱团的精神支柱，或聚或散，或合或离，只要听到“几大”，听到“丢那妈”，就知道在求生路上，自己并不孤独。

前期收拢整理的粤军即有一千多人，实际在江南地区还有很多未得到及时收容的散兵。

我曾听这里的老人们说起，江南敌后抗战初起时，抗日武装里面，别说打仗，知道怎么开枪的人都挺少，只有一些操广东话的老兵是例外。想来，他们极可能是流落当地的粤军官兵。

如果粤军不向城外突围，他们的命运会是怎样，谁也不敢去想。

邓龙光有感于此，当得知唐生智遭到群起围攻，甚至有可能要上军事法庭时，他主动拿出一直藏在身上的油印命令，替唐生智解了围。

哭墙

1937 年 12 月 13 日二十三点十五分，裕仁天皇从侍从武官府那里拿到了一份奏报，奏报是参谋本部送上来的。

启奏吾皇：南京已被完全攻陷。

日军自占领南京后，为报复淞沪战役伤亡接近十万人的损失，开始成批杀害被俘人员和南京市民，这一中世纪式的屠城前后长达六周之久。战后，经远东国际军事法庭调查，证实被杀害人数约三十五万。

南京，多么美丽的一座城市。

从《长干行》中栩栩如生的邻船对话，到《石头城》里潮打空城的浅回低唱，我敢说，没有一个地方，能像这里一样把汉文化中的南方元素表现得如此感人至深。

你可以在秦淮河打捞旧时月色，可以在夫子庙领略前朝飘逸，甚至可以在明孝陵感受到那种将历史文化与山川美景熔于一炉的震撼。

宛如釉色渲染的青花瓷，当它摔破在地，那是真正令人心碎的声音。

三百年前清军对扬州的那次屠城才不过十日，南京却经历了长达六周深不见底的黑暗。

在那些天里，也许连南京上空的月光都是惨白的，从这里侥幸逃出的每一个人，都会在回忆里增添一层血泪以及刻骨铭心的仇恨。

南京大屠杀，使国际社会感到了巨大震惊。迫于国际舆论的压力，日本政府在第二年被迫将松井石根及部下将佐八十余人从中国召回。

二战胜利后，大屠杀直接责任者分别受到远东国际军事法庭的追究。除原第十军司令官柳川平助已病死外，原华中方面军司令官松井石根被判绞刑，在屠城中欠下血债最多的是熊本第六师团，原师团长谷寿夫被枪决于南京雨花台。

十里秦淮，万千冤魂，终能得一告慰矣。

然而有些事，我们还是不能忘记。

地产大王王石曾在“捐款门”事件中饱受诟病，不过我在听过他的一次访谈后却改变了看法。

他说，我去过耶路撒冷的犹太人大屠杀纪念馆，也去过柏林的欧洲被害犹太人纪念馆，可我从来没有去过自己国家的南京大屠杀纪念馆。

我也没去过，十分惭愧，而且我也承认，潜意识下不愿面对，是我至今未去的一个重要原因。

毫无疑问，那是民族的一道伤口。伤口总不会让人愉快，就像中国戏曲，不管开头和过程多么悲伤，最后都会处理成一个大团圆的结局。

王石接下来的一句话，却让我心有所动。

他问，这是否也和我们民族的整体意识已被忽略有关。

当一个民族面对它的伤口时，会作出什么样的举动和反应？

不说犹太人纪念馆，说哭墙。

一面巨大的石墙，每年都有成千上万的犹太人来到那里，或面壁肃立，或默默祈祷，或长跪悲戚，或泪如雨下。

我曾经在一篇小文中说过，这种群体性情感的深沉积淀和爆发，足以使整个民族更加团结和坚强，而这正是哭墙的价值所在。

南京大屠杀纪念馆也就是我们的哭墙。

除了仇恨和悲痛，它还应该负载更多，比如民族的自我体认和反思，以及对每一个遇难者的追思和怀念。

梅花岭

唐生智本来极可能会像他所誓言过的那样，与南京同殉。

他没有给自己预留一条过江的船，但是他说过，身边的幕僚可以走，其他人都可以走，因此长官部的参谋长就自己做主，把从江阴要塞撤回的一条船要了过来，而正是这条船，成了长官部上下三四百人的“诺亚方舟”。

最初大家都上了船，却不见唐生智，听到岸上传来枪声，很多人都主张不要等，赶快开。

参谋长很有良心，他极力劝阻众人，说一定要等唐长官来了，船才能开。

一个小时后，唐生智才在一名副官的陪同下来到江边。上船后，他还希望尽量多载些人走，因此在岸边又多等了一个多小时，直到其他人纷纷催促，才不得不下令开船。

过江后，没想到北岸真的出现了日军，只得继续亡命，前往扬州去投奔顾祝同。

此时唐生智身体非常虚弱，走路都需有人搀扶。随从副官在路边找到一辆板车，可是车上到处都是牛粪。

唐生智身为上将，虽落魄如斯，但起码的体面还是要的，哪里肯坐，只得继续由卫士们搀扶着走。

走了几里，实在走不动了，又问副官：“有没有车可坐?”

副官回答：“有。”

一喜：“哪里?”

副官说，喏，这辆板车我一直拉着呢，知道您迟早还是要坐。

唐生智悲从中来，不由得长叹一声：“想我唐某带兵二十年，大小百余战，何曾有过今日之败?”

“我真是既对不起国人，又对不起自己。”

板车很臭，但还是坐吧。

唐生智坐在板车上，一路问左右，长官部的人员有没有全部过江，谁谁谁有没有跟上来，表情异常沉痛。

我到扬州，曾去过梅花岭。

梅花岭者，以史可法衣冠冢而得名。那里现在已经围成了一座小院，本来想进去，但天色已晚，只得作罢。

按照全祖望在《梅花岭记》中的记述，扬州城破之际，史可法本想自杀，但刀被诸将夺下，并为之“所拥而行”。也就是说，如果当时能够突围，史可法也是不会死的。

无奈扬州已经被四面围困，退到城门口的时候，“大兵如林而至”，清军杀进来了，其他人大多战死，唯史可法被捕。

《梅花岭记》到这一段是最气壮山河的：

围攻扬州的多铎对史可法很客气，称他是先生，劝他投降，但他大骂而死，死之前留下遗言，“当葬梅花岭上”。

事后看来，这多铎充其量也就是个披发左衽的鸟人，他并没有厚葬史先生，梅花岭上只是其部将收集的史可法旧时衣冠而已。

要想你的敌人尊重你，唯一一个办法就是打疼他，多铎没到疼的地步，所以他不会打心眼里真正尊重你。

史可法殉难扬州，英名永垂后世

史可法千秋盛名，梅花岭上梅花如雪，芳香不染，但是需要指出的是，这一切并没有能够阻止扬州的浩劫。

据史籍记载，史可法就义前，

曾对多铎说，自己即使碎尸万段，亦甘之如饴，唯一的请求是“扬城百万生灵不可杀戮”。

然而明末笔记《扬州十日记》表明，清军对扬州的屠城曾是何等残酷，以至于两个多世纪后，它仍然能够吹响汉民族发动反清起义并缔造民国的号角。

在前往扬州的路上，不知唐生智有没有想到过，其实他只欠一死。

假如没有那条船，假如他没能逃出生天，即使不像史可法那样当着日本人的面“大骂而死”，就像万千军民那样死在混战或混乱之中，亦能名垂青史矣。

人生无常，幸与不幸间，真不能以道理计。

当然，还有另外一种办法。

我看到过的一部清代笔记对史可法殉难有完全不同的记述。

有一个读书人流放黑龙江宁古塔，在即将释放回到中原前，宁古塔将军曾告诉他一段轶闻：

以前破扬州时，我也在军中，曾亲眼目睹史可法一个人骑着小驴来到大营。我们多铎亲王劝他投降，并拿洪承畴作比方。但史可法只是一个劲儿摇头，他说他本来是要自杀的，但就怕死得不明不白，来这里不为其他，只求一死。

多铎百方劝谕都没用，只好把他杀了。

对这段记述，我总觉疑惑，在那样的非常情境之下，史可法如何还能骑着小毛驴，优哉游哉地去见多铎？要知道，路上随便哪个清军小兵，都能一刀把他给解决了。

满人统治中原，很多过去的血迹都想抹去，以便把自己打扮成秋毫无犯的王者之师，这个宁古塔将军大概也是如此的出发点，不过他回忆史可法只求一死的表态，倒具有一定的可信度。

唐生智在南京城该怎么做呢？

也许，他应该像川将饶国华那样，盘腿坐在地上自尽而死。城陷，将必同亡，这才是最佳的选择。

从远战到近战，从近战到守城，从守城到巷战，直至短接，这些他都做了，只缺最后一个环节，那就是“短接再不力，则自杀”。他没有自杀，也没有被杀，因此唐生智的道德品质及操守才饱受指责，也因此最终没能成为一个英雄。

然而不管怎样，我们应该知道，扬州被屠，不是史可法的错，同样，南京被屠，也不能归咎于唐生智的抵抗。这一点，不能本末倒置。

唐生智辗转到达武汉后，“低调俱乐部”的老大汪精卫把他请去吃饭，席间一再哀叹，说不能再打仗了，得另想法子。

唐生智这时虽因南京之败而备受指责，却仍不改初衷。席间他悲愤地对汪精卫说，我们已经死了这么多人，他们都是为抗日而死的，如果这时还要“另想法子”，何以对祖先，何以对死者？

汪精卫低头不语，家宴遂不欢而散。

见到蒋介石时，他表示自己愿意承担一切责任，并请求处分。虽然蒋介石并没有处分他，但他仍然以照料重病的老父为名，避居乡里。

这之后，唐生智终日沉浸于佛学和哲学之中，而对于失守南京的沉痛和内疚，也几乎伴随了他半辈子。

现实常常会让人变得更加脆弱，很多年前的那个绰号，似乎也早早就为结局作了准备，青灯，古佛，意义，以及一生的反反复复，沉沉浮浮。

第八章

逆风而行

南京的失陷和屠城，对中日两国来说都是一个重大事件。

日本从上到下，从天皇到内阁，再到参谋本部和军令部，几乎人人都沉浸在狂喜和兴奋当中。

从淞沪会战，到南京失守，一共是四个月。

当初陆相杉山元夸口，一个月即可结束中日战事，那时候淞沪会战还没打起来。以后时间就越拖越长，不是一个月，变成了三个月，三个月不行，又拖到了如今的四个月。

但是终于结束了，一切都结束了。

裕仁天皇极为满意。他满意，是基于这么一个判断，即南京之战是淞沪战后的决定性战役，打赢了这一场，胜负立判，中日战争至此可以以全胜而告终了。

他错了，完全错了。

其实有一个人已经作出了预言，只不过他的话似乎已少有人注意。

他说，战争不是在今天结束，而是在明天继续。

唐生智与他的老师蒋百里一起，曾为国防战略忙了很多年，即使在南京弃守的最危急时刻，对于这一点，他仍然头脑清醒。

事实上，在南京保卫战前后，日军除又消耗了一部分兵力外，五个师团的主力暂时都被牵制在了南京。

利用这一间隙，多达五六十个师的中国军队得以从京沪线安然撤出，他们不仅得到了喘息的时间，而且初步组织起了二线布防。

为此付出代价的，正是南京，而代价的高昂，则令一个人痛苦不堪。

这个人就是下达撤退令的蒋介石。

治病良药

南京失守，蒋介石没有把唐生智推出来做替罪羊，而是将责任揽到了自个儿身上，说自己作为全军统帅，第一个有罪过，对不起国家，尤其对不起自己的良心。

直到一年之后，在南岳军事会议上，他仍然就南京失守的战术问题作出了检讨，表示国家受到了巨大损失，实在对不起国家。

内心里，蒋介石甚至对发起并扩大淞沪战役都产生了怀疑，时常一个人喃喃自语：我的智能学识还是太欠缺了，我的忍耐力还是不足，所以才会遭此困厄。

假如我更明智一点，或者再忍耐一下，不扩大战役规模，可能不致有今日之败，也不会损失如此之惨吧。

陷身这样的危局之中，谁能助我，又有谁能真正为我筹策补过？

当被孤独和无助深深困扰的时候，蒋介石不由自主地想起了那些故人，其中，有帮他跳火坑维持华北前线的义兄黄郛，有帮他打造国防工事整训德械部队的朱培德，有帮他削藩并经营西南后方的杨永泰。

可是，在七七事变以前，这些人就都早早离去，再也不能帮他了。

可悲啊。

焦虑忧闷之下，蒋介石生病躺倒在床。

蒋哭，近卫就笑了。

他的笑，是那种放肆的笑，狂傲的笑，小人得志的笑。

当日军兵临南京城下时，他曾通过陶德曼要求与中国“调停议和”，蒋介石答应可以谈，但并未明确同意日方条件，相反，还另外提了一个中方条件，那就是要取消“塘沽协定”。

近卫一看，气坏了。他认为即将签署的，应该是一份城下之盟，可蒋介石的架势却好像是日本被打败了一样。

南京一沦陷，近卫便立即按照伪满的模式，在北平拼凑了一个“临时政府”，这就等于招呼都不打一声，直接为蒋介石的南京政府准备了一个替代品。

仿冒总是仿冒，做工再好，还是没法跟正宗的相比，近卫也并没天真到以为“临时政府”能完全代替南京政府，他只是在给对手施加压力罢了。

作为中国的四大城市，北方的北平、天津，南方的上海、南京，都已被我攻陷，你南京政府现在连实体的存在都成了问题，不降何待？

近卫现在对一个国家颇不满意。这个国家就是德国。

其实从淞沪战役到南京保卫战，德国已经中断了武器输送，那些德国顾问也并未起到想象中那么大的作用。但日本人并不这样看，或者说，他们不愿意这样看。在他们眼里，中国本来就不经打，应该一触即溃才是，之所以能撑这么长时间，让他们损失这么多兵将，都是德国顾问在暗中帮忙的结果。

德械是没有了，但德国顾问还在中国，还在帮助中国人打仗，你们想这样骑墙骑到哪一天？

要不帮我们日本，要不帮他们中国，你自己选一个吧。

这个题目可把希特勒给难坏了。眼看着中国必败（或者说已败），他那么势利的一个法西斯，怎么可能帮中国呢？

他再派陶德曼去探日本人的口气。

这样吧，我再去帮你劝一劝，中国不是已经答应可以举行直接谈判了吗？

一说起这个事，近卫嘿嘿冷笑数声，谈判行，但条件不一样了。

原来的条件是一个月前的行情，那时候我们还未打下南京，如今打下了，倘若还是一个价码，你说现实不现实？

当初蒋介石说要取消“塘沽协定”，这在近卫看来，完全是“战败者无礼之言辞”，你都败了，还敢跟胜利者讨价还价，是不是脑子缺氧了。

他随手拎过一把算盘，三七二十一，四四一十六，拨拉出了新的“靖和条件”。

除原先要求外，又加了三条：

其一，正式承认伪满。

其二，凡日军所到地区均属非武装带。

其三，中国对日赔款。

这些条件，蒋介石能答应吗，一条都不可能答应！

别忘了，蒋介石也是一个革命者，国民党当初就是以革命政党的面目出现，才推翻清朝，打倒北洋的。

清朝崩溃，不光内政腐败，更重要的还缘于其对外屡战屡败，不断地签订不平等条约，不断地赔偿大笔银子，北洋倒台，同样与屈辱地接受“二十一条”有不可分割的联系。

如果蒋介石答应日方条件，那他还不如满清和北洋呢。

近卫不了解这些吗，作为一国首相，他岂有不晓之理，只是他认为南京既已攻下，名不副实的南京政府自然成了鱼肉，他想割哪一块就割哪一块，想怎么爽就怎么爽，根本就不用去考虑对方的感受如何了。

12 月 26 日，陶德曼给蒋介石带来了日方条件。

对这些条件，近卫要求给予限期答复：1938 年 1 月 15 日以前。在这以后，即使全部答应，也算作废，让你后悔都来不及。

《三国演义》中说，袁绍给生病的曹操发了一封讨伐书，文章写得很给力，曹操听完之后，“出了一身冷汗，不觉头风顿愈，从床上一跃而起”。

陶德曼来的时候，蒋介石正在生病，连站都站不起来，接待德国人的是他老婆宋美龄。

在病床前听宋美龄读完“靖和条件”后，他虽然不一定会立刻一跃而起，但可以肯定情绪异常激动。

这是赤裸裸的讹诈和羞辱，日方所提条件如此苛刻，绝无接受余地！

事实证明，近卫并不真正懂蒋介石，后者往往到最艰难的时候却反而能迸发出惊人的意志力。

先前，他或许有过悲伤、失望、彷徨、怀疑，到这时却只有愤怒和绝不妥协。

近卫的“靖和条件”，让他更深刻地认识到，今日除投降之外无和平，舍抗战之外无生存，日本不是真正想停战谈判，而是要借机征服与灭亡中国。

近卫以为南京失陷和屠城就可以使蒋介石精神崩溃，却不料反而激怒了对方。

当然，每个人的承受能力都不一样，日本人选择在南京屠城，并不仅仅是泄愤，恐吓也是目的之一。

经历过那个时代的老人对我说，那时候南京城里人头滚滚，南京城外也是尸骨遍地，曾经的江南富饶之乡，成了“白骨露于野，千里无鸡鸣”的人间地狱。

面对这种无边无际的恐怖，老百姓怕，已迁居武汉的各方人士，甚至军政要员们也在发抖。

仅仅半年时间，中国的陆海空军精华已近乎丧失殆尽。残存下来的中国军队虽组织了二线防御，但兵力已严重不足，试想，全盛时期犹不能制敌，这时候还能再抵御强大的对手吗？

战略这个东西，都要经过很长时间才看得出来，当时当地，几乎没有多少人认为中国还有胜利或成功的可能，均以为在军事失败的情况下，非赶快求和不可，几乎众口一词，放眼望去，更是举国惶惶，凄惨景况难以言状。

据说当时除蒋介石之外，在国民党和政府内部，对战事比较乐观的只有两个人，一个是冯玉祥，另一个呢，并不是国民党员，甚至还不是中国人，是德国顾问法肯豪森，但他们俩也不过相信中国仍然能和日本再打上六个月而已。

在陶德曼送来了“靖和条件”并做了“内部工作”后，连法肯豪森也不再坚持他的六个月了。

12月27日，中国统帅部召开最高国防会议，对陶德曼的此次调停进行内部讨论。会上，多数人主张接受“靖和条件”，抱病与会的蒋介石说了声不可以，话犹未了，连平时蔫蔫呼呼，不大出声的于右任都站起来插嘴，言语之中，颇有讥诮蒋氏不自量力的意思。

连法肯豪森这样的“绝对军事权威”都断言了，中国打不过日本，那何必再继续无谓地耗下去呢？

可想而知，这个时候主战，与淞沪战前，甚至南京失陷以前都大不一样，需要真正有点逆风而行的精神。

像曹操读完书信的状态一样，蒋介石的病也很快好了，并且坚决主战。

此时求和，对国民党和政府而言，无异于自取灭亡，不仅外侮难堪，要蒙受莫大耻辱，而且会导致内乱益甚，国内将因此再度失去凝聚力，重新进入一盘散沙、四分五裂的局面。

你们这些人只看到如今时局之危，却不晓求和之害，真是愚不可及，何能撑此大难也？

蒋介石把主和的官员，包括汪精卫、孔祥熙、于右任、居正等一个个找来，逐一进行面谈，反复说两句话，一句是“当此国家危迫之时，若无坚忍不拔之志，从何立足”，另一句是“与其屈服而亡，不如战败而亡”。

在屋内漆黑一片，似乎看不到一点光亮的艰难时刻，蒋介石把窗帘布一拉，说你们看看外面，世界大得很，我就不信没人帮我们一道整治日本人，关键是我们自己得苦撑待变才行（“不患国际形势不生变化，而患我国无持久抗战之决心”）！

由于蒋介石的力排众议，中国统帅部内部终于达成一致，决定对于近卫所提条件，一概不予理会。

尽管如此，外交部在答复陶德曼时，却并没有一口拒绝，而是说需要时间研究商量，等敲定后再正式答复。

距离最后答复，还有将近一个月，这一个月可以做多少事啊，对于蒋介石和他的军事部署来说，现在最重要的就是抢时间。

1938 年 1 月 1 日，蒋介石正式辞去行政院院长一职，专任军委会委员长，以便能够腾出全部精力来部署军事。

蒋介石检阅军队

近卫内阁和军方当然也不傻不笨，不可能呆呆地等你在那里“研究商量”而迟迟不动，他们在递交“靖和条件”时就说得非常明确：在你点头答应条件之前，绝不影响日本的军事行动。

然而事情说来也怪，南京失守之后，日军并没有马上沿长江直取武汉，显然，这与日本人开战以来兵贵神速的作风是不符的。

国外有观察家曾经指出，当时只要日军立即向内地进兵，他们可能遇到的最大障碍，恐怕也只是丛山与丘陵。

毫无疑问，日本人在占领南京之后不继续穷追其敌，是在关键时候下了一个大漏着。

之所以会“漏”，一方面是经过淞沪会战和南京保卫战，日军本身也

人困马乏，需要休整；另一方面，他们在攻陷南京后所产生的乐观麻痹心理无疑也起了作用，人一骄，动作和步伐自然就慢了下来。

在短时间内，日本统帅部的战略部署开始转向保守，大踏步前进也变成了细嚼慢咽。

不过归根结底，时间是不能等人的，近卫对此犹有感触。

自从让陶德曼给中国政府带去“靖和条件”之后，他一直在痴痴地等着回音。可是等啊等，转眼半个月过去了，中方仍然毫无声息，好像完全忘记了有这么一码子事儿。

最后两天，近卫真有度日如年之感，他甚至疑心对方是不是日历表出了问题。

事到如今，也不要管什么矜持不矜持了。近卫把陶德曼请来，让后者给中方再送一份拟好的最后通牒，其实就是提醒一下：喂，还有两天啦！

无人作答。

直到1月15日下午四点，中国外交部才由陶德曼转来了答复。

一看这份答复，近卫气昏了头。

在答复上，中方并没有明确拒绝“靖和条件”，而是说这些条件的内容“过于广泛”，我们都看得云里雾里，能不能弄个更详细和具体的解释。

这样还不具体，我一二三四五，已经列得清清楚楚，明明白白，难道你们连“承认伪满”、“对日赔款”这几个字都看不懂？

近卫就是再傻，也知道对方在使拖延战术了。

好哇，死到临头，还跟我玩儿这招。

近卫咬牙切齿，你不仁，我不义，既然你们没有任何诚意，就不要怪我不客气了。

立即停止谈判，不谈了！

不过在当天政府与军方召开的联络会议上，近卫的主张还是遭到了反对，而反对者不是别人，正是参谋次长多田骏。

多田骏顾虑的，自然还是对苏美备战那档子“经国大业”。

虽然蒋介石的表现很调皮，但你不跟他谈，又跟谁谈，现在投入中国的兵力这么多，实在够危险，所以还是得抓住时机继续谈，早谈早超生。

近卫没有出现在联络会议上，代表他意见的是外相广田弘毅与陆相杉山元。这二位属于“停止谈判派”，而多田骏则是“继续谈判派”，两派你来我往，各不相让。

众人的喉咙大小，声量高低，历来都是要以军队的脸色为唯一标准的，前线军队就是日本的火车头，“火车跑得快，全靠车头带”。本来参谋本部是陆军的娘家，可是多田骏次长如此表现，哪还有一点娘家人的样子。

现在能够代表陆军强硬立场的是杉山元，他才是强势的一方，而多田骏则变成了理屈词穷的弱者一方。

吵到脸红耳赤之时，杉山元劲头上来了，拍着桌子威胁说要内阁总辞职，大家都不干了。

多田骏脸色煞白。

别别，顺了你们还不行吗？意见我保留，声明你们可以照发。

1月16日，即在收到中方答复的第二天，近卫召集御前会议，并根据会议决定发表了一份声明。

在声明中，近卫气呼呼的神情跃然纸上：即使攻陷南京之后，我们依然给了中国政府最后考虑的机会，可是这个政府居然不领情，还要策动抗战，太可恶了。

所以，从今天起，我们将“不以国民政府作为对手”！

这句话的意思，就是以后再不承认你是代表中国的政府了，当然也不会再和你搞什么正式谈判。

1月18日，日本召回驻华大使，中国也依例召回驻日大使，两国外交关系自此完结。

哗啦一声，近卫把大门给紧紧关上了。这是一个让他自己，包括日本军政各界都后悔了很多年的决定，不过当时他们的那股劲头和神情，就跟过去松冈洋右宣布退出国联一样。

也许还不能这样打比方，松冈宣布退出国联时，心里多少还有些后怕和无奈，同时日本国内也有争议之声，但近卫发布的这篇声明，你却完全可以认为是一曲他们提前为自己奏响的胜利凯歌。

日本关上和谈大门，让国民党内的很多人都惊慌失措，特别是以汪精卫为首的“低调俱乐部”，可是蒋介石却并不这么认为。

在日记中，他曾用不小的篇幅笑话自己的对手：打不过早点撤嘛，为什么要不好意思，故意藏着掖着，那样不难受吗（“盍不早日觉悟，明言撤兵为计也”）？

如果你不看一下日期，一定以为是1945年抗战快胜利时候的事。

我告诉你，此时是1938年1月，日军占有压倒性绝对优势，而中国处境艰难，在国际上也几乎孤立无援的时候。

在1938年，和既不能，战又很难的，是中国。

在最难熬的日子里，蒋介石也用上了鲁迅先生提及过的一个国粹，那就是阿Q精神胜利法。

在他看来，日本否认国民政府，日军一路推进，都属外强中干之举。这些不过是倭夷想向我求和，遭到我的拒绝后作出的进退维谷之丑态。

信不信随你，反正我自己信就行了。

昙花一现的战区

在近卫关上谈判大门后，日本统帅部的下一个目标仍然不是西进武汉，而是南北合击，打通津浦线。

津浦线战场以徐州为中心，但中国军队在这个战场上的战绩，却一直属于最糟糕之列，在北方诸战场中，甚至都不及阎锡山主持的山西战场和程潜主持的平汉战场。

中国统帅部曾专门在津浦线建立了一个战区，即第六战区，司令长官为冯玉祥。

冯玉祥，字焕章，河北保定人，老西北军始创者。

在来第六战区之前，冯玉祥出任的是第三战区司令长官，第三战区管的就是淞沪战场这一片，可他实际上没管什么事。

要论打小鬼子的热情，没有谁比他更高涨，在当时的国民党内，老冯号称“最坚决的主战派”，别说汪精卫这些“低调俱乐部”的人，就连蒋介石有时也自愧不如。

冯玉祥因坚决主战而在国内积累了较高声望

民间盛传，在一次中央会议上，蒋介石不主战，而冯玉祥坚决主战，二人争执不下，老冯郁愤之下，甚至欲拔枪自杀。

后来冯玉祥亲自出来辟谣，说根本没这一回事，但显然，这样的热点新闻，已使他在国内积累了很高的人气。

另外，老冯还有一个好处，他会宣传，就是嘴皮子特能讲。

汪精卫也善于演说，不过汪氏讲的那一套主要是阳春白雪，是给上层小圈子里面的人听的。老冯则不同，他是下里巴人，嬉笑怒骂，随口道来，连一般老百姓都听得津津有味，激动不已。

据说，当年在张家口组织抗日同盟军时，曾有一个日本记者慕名去采访老冯。

你采访就采访吧，话说得还很不好听，你听听他都说些什么。

说是他到张家口后，爬上一座山，四周一看，呵，景色跟高丽差不多嘛。

何谓“高丽”，当然指的就是被日本人吞并的朝鲜。

老冯一听就不乐意了，这孙子话中有话啊。他脱口而出，我想，你妈一定是个窑姐儿！

什么叫“窑姐儿”，那就是娼妓。旁边的翻译一时没回过神来，以为自己听错了。

没错。老冯说，我就是这么说的，这记者他母亲是个娼妓，你给我照直译。

翻译没有办法，只好跟日本记者“实话实说”。

对面的日本人一听，立刻跳了起来，冯将军，你这不是在骂人吗？哪有你这么说话的。

老冯理直气壮，我就骂你了，怎么的吧。原因嘛，是你先骂我的。

日本记者丈二和尚摸不着头脑。

老冯说，你刚才把我们中国比做朝鲜，不是在骂我是亡国奴吗？那我骂你妈是妓女，以一骂还一骂，公平合理，两不相欠。

那记者方知失言，只得匆匆结束采访，狼狈而去。

显然，这样的段子，虽然上不得大台面，但老百姓最爱听，那是比多少遍抗日口号和理论都更带劲儿的。

可是蒋介石既然让冯玉祥去当最重要战区的一把手，当然不是只希望他去讲段子，而是要他多多指教前方将领，概因蒋介石很清楚，此时以黄埔为主的将领普遍太年轻，勇敢有余而经验不足。

这时候大家想象当中的老冯应该很会打仗，别的不说，一个中原大战，麾下的西北军不是也曾经把中央军都打得连连后退吗？

然而问题并没这么简单。

德国顾问法肯豪森慕名来访，提到了在淞沪战场上实施的多种打法，其中就包括闪击战术。

可是老冯却一摆手，要那么多花招干吗？中国自有中国国情，我们老西北军就是靠大刀砍出来的，就是到几年前的长城喜峰口，二十九军的大刀还不同样奏效。

敌有坦克，我有宝刀，何惧他乎？

和法肯豪森一样，身为中国统帅部一员的白崇禧也去拜访过老冯。可是在三战区长官部，他却没看到冯玉祥，起初“小诸葛”还以为老冯去视察前线了。

第二次他又去，这次还没见到人，心里就有点不爽了，老冯这家伙是不是躲着我啊，难道对我有意见？

一旁的副司令长官顾祝同笑了，有什么意见啊，这个老冯，他是怕飞机！

追究起来，冯玉祥的这个病根还是中原大战那会儿落下的。

那时候只有蒋介石有飞机，西北军没见过这个新式玩意儿，特别怕。老冯为了让大伙不怕，就对官兵们打了个比方，说这世上乌鸦比飞机总要多得多，那乌鸦拉的屎也从来没有掉到过我们头上，难不成飞机“拉的屎”（炸弹）正好会掉头上？

结果一颗“屎”偏偏就落他手下大将樊钟秀的脑袋上去了。

至此，老冯自己反而得了心病，对飞机扔炸弹格外敏感。要说有防空意识也并不是坏事，可他却防得过了头。

老冯白天不在战区长官部，是钻防空洞去了。

上海这里没有山，也没有防空洞，不过在旁边宜兴倒有一个张公洞，里面可以防空，他就到洞里面去办公了。

显然，要见老冯，必去宜兴。

宜兴离上海一百多里路，白崇禧坐汽车花了两个小时才赶到那里。一看，老冯眼光倒是不错，张公洞很大，里面藏个一两千人都没有问题。

去了以后，白崇禧弄明白了，原来老冯也不在张公洞里办公，大部分公事和私事都交给顾祝同去处理了，只有到晚上，天上没飞机了，他才会回上海去看看。

冯玉祥自己话里话外也透出了音，他说他要学日本的乃木希典。日俄战争的时候，乃木把事情都移交给参谋长，而自己只做两件事，一为骑自行车和作几首歪诗，一为等死！

也真有老冯的，他其实说的是他自己，人家乃木是带着三口棺材上战场的，两个儿子都赔进去了，能那么闲吗？

更令人发噱的是，某天三战区开军事会议，开着开着，忽然日机来袭，警报大作，众人还未反应过来，就见老冯嗖的一声没了影，那动作绝对是少林武当的身手。

可是屋外也没有遮蔽物，只能往田野里跑，一个不留神，“武林高手”滑进稻田，摔了个四仰八叉，那么大一高个儿，转眼之间就成了泥人。

当时张治中等与会将领都在场，表面使劲憋着，暗地里却一个个捧着肚子笑出了眼泪。

如今的小青年真是不厚道啊。

白崇禧把情况反映上去，跟何应钦一商量，觉得可能还是因为三战区多为中央军和南方部队，与老冯没有部属关系，所以才会弄得这么尴尬。

这时由于津浦线战场频频失利，外界对冯玉祥前去执掌军事的呼声也越来越高。

毕竟老西北军是冯玉祥一手带出来的，如今津浦线上的二十九军、鲁军都可以算是其支脉，从这个意义上来说，他也应该是津浦线战场最理想的军事统帅。

于是在报经蒋介石批准后，中国统帅部便在津浦线上成立了第六战区，并由冯玉祥出任战区司令长官。

在三战区无所建树，还让小青年们看了笑话，老冯其实心里也不痛快，现在听说可以重率旧部，自然高兴，当下便搭车北上。

可是谁都没有想到的事情发生了，偏偏是这个第六战区，对他们的司令长官最为排斥。

其实也怪老冯自己，他此次到六战区去上任，颇有一些个人的私心杂念，那就是想乘机抓军队，以便恢复自己老西北军龙头老大的地位。

六战区的韩复榘、宋哲元虽为老西北军分支，但这时早已自成一派，对此最为敏感，马上就看出来了。

韩复榘当初因为反叛冯玉祥，与老冯素有过节。冯玉祥到得济南，还没等他开口，韩复榘就抢先把山东防务如何紧张汇报了一下，说一千道一万，无非是强调无法随冯玉祥北上。

之后，他背地里一个密电打到蒋介石那里，说他不想进六战区，宁愿划入李宗仁的五战区。

韩复榘统领鲁军，又负有守鲁之责，他的话不能不重视，然而命令也发下去了，总不能说变就变吧。

韩复榘说，你们要硬把我塞给冯玉祥，那我就不打了。

没办法，只好折中，让韩复榘到五战区去，同时从他的部队中抽出一部分到六战区，再给韩复榘挂个五战区副司令长官兼第三集团军总司令的头衔，算做分他兵的安慰。

韩复榘这边闹腾完了，等冯玉祥正式上任后，宋哲元也急急退避三舍。

给出的理由是，旧病复发，情况严重，得请病假，要到泰山去休养一段时间，第一集团军（即扩编后的二十九军）暂交冯治安代理。

自离开北平后，宋哲元的身体一直不好，这是确实的，但此时请病假，大半却还是因为看到老冯要抢夺兵权，索性远远躲开，眼不见为净。

话又说回来，韩复榘的鲁军，宋哲元的二十九军，与老西北军实际已没有多少关系了，人家当初能创到这份家业也个个吃足苦头，很不容易，现在前面抗着鬼子，后面还得防着你夺他的交椅，谁能真有这么大的气量呢？

实际指挥第六战区作战时，老冯在用兵方面又远不及练兵。和在淞沪时一样，他还是怕飞机，怕到了没法正常指挥打仗的地步。

由于害怕日机轰炸，他的指挥所每天都要换好几个地方，而换一次地方，六战区的通信网就要跟着变更一次，各部队因此经常与指挥所失去联系，乃至无法报告军情。大家只好在下面各打各的，变成了一堆乱哄哄的没头苍蝇。

本来北方战场，以津浦线战场对中方最为有利。其时连降暴雨，华北

平原尽成泽国，日本华北方面军第二军大部分时间都不能用于进攻，而是在四处找船，找能够渡过大大小小水滩的船。

在这种情形下，别说机械化特种部队无法顺利推进，就连飞机，也因为雨天能见度差，常常被迫减少出动次数。

多好的作战形势，可是老冯到任后，不仅没有理顺关系，反而越弄越乱，各部队你防我，我防你，大家防着冯玉祥，谁都不肯与日军正面硬拼，结果步步后退，战局也因此一塌糊涂，作为津浦路北端重镇的沧州没多大一会儿就丢了。

成立第六战区不仅没能产生相应效果，反而还被第二军逼到鲁北防线，导致还没怎么成型的第五战区都因此受到不小威胁。

蒋介石大失所望，只好由白崇禧再拟份电报，撤销第六战区，让冯玉祥依旧回南京。原来觉得这事太伤面子，很难办，未料老冯枪杆子没抓着，又连吃败仗，也早就不想干了。

于是，双方解脱，老冯回家重新做他的军委会副委员长，而津浦线防务则交由第五战区负责。

一个曾被人们寄予厚望的战区，就这么悄无声息地昙花一现了。

李猛仔

舞台之上，向来是你方唱罢我登场，第五战区来了，司令长官为李宗仁。

李宗仁，字德邻，广西桂林人，新桂系的掌舵者。

即使与新桂系的其他将帅，包括白崇禧比起来，李宗仁也算得上是一个读书很少且不爱读书的粗人。

据说他小时候宁愿上山打柴，都不肯坐在私塾里做一天好学生，年长后进军事学校，前前后后加一起，也统共只念了三年。

在这三年里，别人或许会翻翻《孙子兵法》，或者“曾胡治兵语录”，可他对这些本本上的东西从无兴趣。

老李爱的就一样，那就是梁山好汉们个个热衷的——“使得些好拳棒”，因此还得个绰号：李猛仔。

李宗仁少时不喜读书，只爱拳棒

李猛仔一生，打了无数的仗，上马杀贼自然不在话下，下马草军书就不行了，稍为像样一点的文字稿都得帐下的文书替他起草。

据他自己说，当初北伐时和蒋介石结拜，他迟迟未将自己的盟帖换给对方。

不换，不是摆架子，而是按照规矩，得在帖子上给对方写一首盟诗。一首诗一共四个句子，但老李绞尽脑汁都想不出一句，又不好意思连这个都让文书代劳，最后实在没办法，就干脆把蒋介石送给他的那首盟诗照抄了上去。

蒋、冯、阎、李，论文化水平，蒋介石和阎锡山可算是一拨的，属于那个时代的中高级知识分子，李宗仁则跟冯玉祥基本一个档次，都是当兵出身的大老粗。

白崇禧曾对冯、李二人有一个很中肯的评价，即：冯善练兵，李善用兵。

“小诸葛”在单独用兵方面并不出色，但作为参谋人才，却堪称优秀，他一眼就能看出两位老大的特点和长处。

练兵，讲的是“亲爱精诚，赏罚分明”，在这方面，老冯确实用尽心思，所以他才能一手调教出可与中央军叫板的老西北军，也才带得出那么多能征惯战的威龙猛将，这可都不是吹的。

然而，与练兵的本事相比，老冯在用兵上就要差得多了，当然不是说他不会打仗，只是到了全面抗战阶段，各人的能量级数都得成倍提高，在内战中还能凑合的，此时就可能显得比较吃力了。

蒋介石是帅，统筹的是大略方针，其余三个人一个个试，阎锡山统领

二战区，自己都感到力不能支，冯玉祥掌握六战区，到最后连战区都给撤了，于是哥仨就只剩下了一个李宗仁。

像白崇禧说的那样，内战时期，老李在打仗方面就颇有一套，但这并不能完全说明问题，只有外战中拥有实际战绩，才能说明你是否真的有两下子。

李宗仁很想告诉别人自己有两下子，可是刚刚上任就碰了壁，这个让他碰壁的人便是原来的山东诸侯韩复榘。

韩复榘不肯进第六战区，而宁愿进第五战区，李宗仁起初对此是很高兴的。因为他的五战区规模不大，尤其缺少有实力的部队和战将，韩复榘当年位列老西北军最能打仗的“韩石二孙”之首位，连孙连仲都望尘莫及，加上他控制的山东实为五战区核心，有此人相助，想来今后必能有所成就。

韩还没来拜见李，李先去看望韩了，没办法，穷领导在富下级面前有时也得表现主动一点，适当弯一弯腰也是必要的。

此前，由于一北一南，两人从未谋面，而李宗仁眼里的韩复榘，虽然识字不多，但人倒生得颇周全，甚至还算得上“俊俏”，真个是唇红齿白，眉清目秀，不似军人，俨然一个摇纸扇的白面书生。

眉清目秀的韩复榘忽然变身为不可理喻的老兵痞

初次见面，又是名义上的上司，所以韩复榘算是给足面子，听任老李滔滔不绝地在那里吹了一晚上。

李宗仁虽不爱读书，但生平一大嗜好就是聊天，喜欢纵论天下大事，到老了都是如此，以至于在美国做寓公时，实在没人好聊，只能跟一帮家庭主妇去“谈国事”了。

斗室之中，老李分析抗战形势，讲解抗战道理，海阔天空地一通发挥，最后越讲越兴奋，而韩复榘也听得聚精会神，一副若有所悟的神情。

这个晚上真是过瘾。

第二天一早谈正事，李宗仁拿出了早就拟好的五战区作战计划。

韩复榘接过一看，却立刻变了脸。

计划上写着，假如山东大城市守不住，希望鲁军就近进入沂蒙山区，跟鬼子打游击，以使其不能尽速南下。

韩复榘当场把计划书往桌上一摔，你这拟的算什么狗屁东西，眼看南京不守，日军从南面都快打到安徽蚌埠了，北面日军要是再一过黄河，两边一挤，我在山里面吃什么，喝什么?

依我看，你们这是想拿我们鲁军送礼，当牺牲品!

李宗仁来济南，本来还是端着一点“李长官”的架子的，没想到作为下属的韩复榘会说来就来，说骂就骂，连起码的面子都不给，顿时被呛得面红耳赤，连句完整话都说不出来了。

俗话说得好，秀才遇到兵，有理讲不清。老李骨子里其实也是粗人一个，可碰到更粗俗的韩复榘，他也无语了。

真个是心有所冀而来，灰头土脸而去。

自此，李宗仁脑海里的韩复榘，就再也不是那个孺子可教的白面书生了，而是变成了不可理喻的老兵痞。

第一聪明人

但是韩复榘其实是个很有心计的人。在某些方面，他比宋哲元的头脑都灵活。

七七事变前后，他曾派人去北平打探动静。去的人用电话向他报告：秦德纯表示，日本人愿意谈判，也不想扩大事态。

当时他就在电话里笑了，并且断定平津难保。

什么愿意谈判，不过是日本人使出的缓兵之计罢了，依我看，他们不拿下北平是绝不肯善罢甘休的。到这个时候，宋哲元还心存侥幸和幻想，

真是愚笨至极。

后来听到蒋介石要进行南京保卫战，他又笑了，这些南方人，他们以为南京能守得住吗？

在韩复榘眼里，宋哲元笨，蒋介石蠢，只有他最聪明。

可是他却聪明得过了头。

一开始他对抗战还算是有所准备的，看到北平不保，他害怕包括济南在内的山东也要重蹈覆辙，于是早早就催促日侨归国，并且作出了像阎锡山那样与日本人大打一场的架势。

在华北以“宋阎韩”为主的三角势力范围中，韩复榘和山东也一直是日本“华北工作”突破的重点，所以韩复榘心里在想什么，私底下的小算盘打到哪个位置，日本人都有数得很。

他们故意向韩复榘透出风声，说日本意不在山东——最多从你这里经过一下，连长久驻留的想法都没有。

韩复榘思前想后，权衡利弊，得出了一个新的结论，那就是避战保鲁。

汉奸是绝不能做的，但如果在此前提下，还可以保住自己的地盘和枪杆子，岂不两全其美。

这个貌似聪明，其实脑子一团面糊的家伙终于走出了第一个昏着。

蒋介石察觉到韩复榘对抗战不太积极，曾找他到南京谈话。

关于是否要抗战到底，蒋介石说，我的意思，你应该完全明白的。

韩复榘却装傻充愣，回来后，便到处对别人说，我明白什么？我什么也不明白啊，我这趟出来，可谓是糊里糊涂去南京，糊里糊涂回济南。

你们问我蒋介石有无抗战决心，我告诉你们，丁点儿没有！

直到战火燃烧到了山东德州，韩复榘才猛醒过来。

当局者迷，旁观者清，他这个“第一聪明人”一般无二地上了日本人的当，避战避战，避到整个山东省都快要保不住了。

七七事变，宋哲元虽也有过犹豫彷徨，但那里面还有一些不可为外人道的内部原因，而且后期在保卫平津，与日本人作战方面是颇有决心和勇气的。

可是韩复榘这时却还一个劲儿地往后退，竟然指望着靠别人帮他保山东。

宋哲元在前面打，第六战区司令长官冯玉祥命令韩复榘上去接应，韩复榘说什么我是五战区的人，防区在鲁东胶济线一带，津浦线上的宋哲元跟我搭什么界，不去！

冯玉祥无法，只得转报蒋介石，后者从南京连发电报，又骗又哄又吓，韩复榘这才硬着头皮，率鲁军进入津浦线。

韩复榘起初笑宋笑蒋，以为都不如他，二十九军和中央军似乎也不及鲁军，起初战场的变化似乎也证明了这一点，他亲率鲁军只一个反攻，就冲进了德州。

原来胜仗这么好打，宋哲元辈真的是太没用了。

可是还没等韩复榘笑够，日军就一个反包围，把鲁军给围了起来。

好打？不过是先给你尝个小甜头罢了。

德州一战，韩复榘差点被俘。

经此一劫，他总算明白了，原来这个世上，谁都不比谁差多少，一旁看着轻松，等到你自己上阵，未必就如人家。

在亲眼目睹日本人确实如狼似虎，比传说中还要凶猛之后，韩复榘连保住山东地盘的信心和勇气都没有了。

所谓鱼与熊掌不可兼得，既然地盘保不住，那就保枪杆子吧。

内战经验告诉他，地盘与枪杆子都很重要，但倘若一定要有取有舍，则孰如舍地盘而取枪杆。

道理很简单，没了地盘，只要有枪在手，迟早还能获得新的地盘，但假如无枪，地盘是肯定无保障的，迟早会被别人抢去，那就真正人财两空，一无所有了。

最近的例子就是中原大战。那一场大战下来，还能保得人枪的，都能勉强爬上岸，打得一个不剩的，就只能喝着水，咕嘟咕嘟直接沉到水里面

去了。

韩复榘从避战保鲁一下子退到了避战保鲁军。

他急着要跑路，但一时间又脱不了身，原因倒不是怕蒋介石或者李宗仁拦着，而是日本人不给他这个机会。

当时山东面临的形势是，日军还没有渡过黄河，也未从胶东沿海或青岛登陆。

迟迟不渡黄河，不是因为鲁军挡在那里过不来，而是双方在谈价码。

出面谈价的本来是华北老特务土肥原。土肥原当年纵横华北，人脉十分深厚，在他提出的洽谈名单上，不仅有韩复榘，还有石友三、万福麟，甚至于商震。

这些所谓的华北实力派皆为识时务者为俊杰的高手，他们也都曾向土肥原作过“恭顺”的表示，其中万福麟还按照土肥原的要求，暗中一退再退，屡屡回避作战，这也是津浦线战场为什么一败再败的重要原因之一。

不过，你要他们现在就明着做汉奸，那个压力就太大了，谁也不愿意，最多是你不打我，我不打你。

土肥原潜入中国内地多年，熟悉这里的人情世故，知道不能将这批人逼得太急，但是华北方面军司令官寺内寿一却认为应一竿子到底：要么做汉奸，要么投降，别无第三选择。

土肥原再拗也拗不过华北方面军的老大，只得甩甩手躲到一边去。

寺内自己派人去与韩复榘谈，不仅盛气凌人，而且一开口就是要让韩复榘直接宣布山东独立，实际就是下水当汉奸。

韩复榘这边的出价，则最多是避战保鲁，我不出来跟你打，你也别进来，汉奸暂时还不想做。

双方一时谈不拢，日本人也暂时未动手。

对急于脱身的韩复榘来说，这一情景很令他尴尬。

既然谈不了，那就得跑路，但敌人不来攻，你却先退走了，连仗都没怎么打，方方面面没法交代啊。

不久之后，韩复榘又听到一个消息，觉得不能再耽搁了。

被划到一战区的宋哲元不仅出击未果，还把大名给丢了。大名在济南的西南一侧，此地一丢，便有截断他往鲁西南撤退的危险！

赶快跑，再不跑就来不及了。

此前，中国统帅部为杜绝前线争相后撤的现象，特地下达一纸严令，要求各个战区守土有责，一人管一摊儿，也就是说，你在你那个战区里抗战，千万不能跑到别人的战区里去。

韩复榘才不管这些，他把自己的集团军总部一口气搬到了河南，也就是一战区那里去了。

谁都看得出，这是要准备溜了。

别人这么说他，他并不否认，而且给出的理由冠冕堂皇。

你们看，南京不是都丢了吗？证明我们在东边是守不住的，不如西撤到平汉路以西，等国际形势变化，合盟国之力反攻，再行收复国土。

话讲得很好，很漂亮，连兵学泰斗蒋百里都说韩复榘此人颇有些歪才。

获悉韩复榘心猿意马，不思防守山东，始终在关注着抗战进程的蒋百里心急如焚，亲自赶了过来。

蒋百里对韩复榘说，你说的那些话没错，可是不够。

为什么呢？

西撤是肯定要西撤的，但要看怎样撤。

我们必须撤得有条有理，如果大家都乱哄哄，自作主张地往西跑，那不叫撤，叫败退。这样即使到了西边，还是一团糟，就是好的国际形势来了，又有什么用？

换句话来说，我们可以等待反攻，但反攻也得看如何反攻，消极的反攻等于不反攻。

就时间而论，你在没西撤之前，就得准备东返。从空间而言，西部有西部的准备，东部也得有东部的安排，不是一撤到西边就万事大吉，什么都不用管了。

如果胡乱撤退，失地哪是那么容易就能恢复的。

蒋百里对抗战方略研究多年，他向韩复榘直言："全国范围之内，我认为山东最为紧要。只要控制住山东，日本人是无法轻易进入中原的，而且这里对徐州及其以南地区也将起到极好的屏障作用。"

人家一流军事理论家上门免费辅导，条文缕析，讲得多么透彻，多么恳切，可是韩复榘始终听不进去，或者是不愿意听进去。

"聪明人"的做法开始变本加厉。

别人的军需物资都是往前面送，韩复榘的却是往一战区后方运。五战区执法队按照战区专守的规定，拦着不让车马通过，但鲁军有枪杆子，岂是几个执法队员就拦得住的。

状告到第五战区长官部，李宗仁便给韩复榘发了个电报，旁敲侧击地告诉他，统帅部有严令，战区之间不能越界，你那些东西不能拖到一战区去。

韩复榘如今早就不想给自己名义上的领导任何面子了，拿过电报，批曰：现在全面抗战，何分彼此？

你说我擅自跑进一战区，大家又不是打内战，怎么我就不能跑他那里去呢？反正都是跟日本人打仗，分什么一战区、五战区。

李宗仁接到回电后气得浑身发抖，可一时也奈何不了这个混世魔王。

恰恰就在这时，黄河北岸的日军突然对鲁北黄河防线发动了夜袭。

原本华北方面军一直在与韩复榘谈价，但寺内并无土肥原那样的耐心，见对方迟迟无动静，他便再也不想等了。

松井石根连"支那"首都都占领了，我们还在这里傻愣着干等，有没有病啊。

姓韩的，我再问你最后一次：是否愿意独立？

未等到对方回音，寺内便下令第二军强渡黄河。

黄河号称天险，若鲁军据险以守，第二军哪是想渡就能随随便便渡过来的。此前在平汉线上，香月的第一军也是冲到黄河边就徒呼奈何了。

可韩复榘根本无意于守，竟然欲下达全军撤守的命令。令牌刚取在手中，帐下忽转出一人，大叫：慎重慎重。

定睛一看，却是南京驻鲁军事联络员蒋伯诚。

中原大战之后，蒋介石重用叛离冯玉祥的韩复榘，任命其为山东省主席，但万没想到，对方会居心叵测，发展成为一方诸侯。之后，山东几成韩某一人之天下，连南京派来的党务主任都被他给暗杀了。

如果山东没有国民党要员存在，那跟“独立”还有多大区别?

但问题是谁敢去呢?

蒋介石遍觅高手，最后属意蒋伯诚前往。

蒋伯诚有民国最大牌卧底之称，当初爆发“两广事变”，陈济棠阴沟里翻船，多半也就翻在他的手上。

人的手腕有多高，那几乎是没有边界的，蒋伯诚概属此类高人。韩复榘明知对方来者不善，是蒋介石派来山东的“监军”和卧底，但不仅未对蒋伯诚痛下杀手，两人反而还很快热络起来，成了结拜兄弟。

蒋伯诚站稳脚跟之后，于不动声色之中，慢慢掌握了鲁省众多人脉，而这都是在韩复榘眼皮子底下干成的，你说这是一个什么样的人。

见韩复榘要撤除黄河防线，蒋伯诚再也顾不得“韬光养晦”，急忙上前阻止，要求先请示“委员长”再作定夺。

帐下一班谋士也纷纷向韩复榘进言，希望其看在经营鲁省多年的分儿上，万万不能就这样轻易放弃国土。

然而，韩复榘此时早已充耳不闻，他要一意孤行。

见情况不对劲，蒋伯诚赶紧向蒋介石禀报，后者发来一份十万火急的电报，严令韩复榘不得撤退，必须守住黄河天险。

接到电令，韩复榘却已坐着装甲车到了泰安。

他拿着电报，呵呵乐了，还让我守黄河天险，对不起，山东大势已去，连省城济南我都不守了，还天险，谁愿意守谁去守吧。

韩复榘的弃守使日军得以长驱直入

得知韩复榘退到泰安，李宗仁也赶紧去电，让其至少固守泰安。

韩复榘当即回电一封：南京不守，何守泰安？

连首都南京都完了，丢一个泰安又怎么啦。

这个鬼东西真的是老子天下第一，什么也不顾及，连避讳两个字都不管了。

等到李宗仁报知蒋介石，蒋介石又再急急匆匆地来电命令时，韩复榘已跑到下一个城市济宁去了。

当然，作为官僚圈子里的老手，“第一聪明人”韩复榘在开溜的同时，也做了点表面文章，即留下少数部队在当地虚张声势，以便敷衍塞责。

他机关算尽，却弄错了一件事。

官僚主义这东西可以玩儿，而且很多时候大家也都在玩，但你得分时候。

韩复榘选择了一个最不恰当的时候，所以后来倒霉就是注定的了。

济南、泰安一失，徐州门户洞开，第五战区和中国统帅部均大受震动。

可怕的秘密

中国统帅部连日在武汉召开军事会议，商讨对策。

韩复榘所作所为引起了公愤，与会诸人群情激愤，都认为如果事情得不到严肃处理，大家都学着姓韩的去做，刚刚重拾起来的一点抗战信心将会因此而崩溃。

不是就他韩复榘长着两条腿，大家都有腿脚，也都会跑，韩复榘不想打仗，其他人也不都是天生受虐狂。

就在众人议论纷纷的时候，一份报告送到了蒋介石案头。

报告是戴笠送来的，看过之后蒋介石大吃一惊，报告揭示了一个可怕的秘密。

这个秘密是从刘湘身上找到的。

全面抗战之初，刘湘的抗战热情确实很高，可是热情这个东西，往往不能持久。到了淞沪会战后期，蒋介石决定迁都重庆，虽然由于准备武汉会战等缘故，一些重要的军政机构还停留在武汉，但刘湘十分清楚，抗战抗战，中央势力已经快要“抗”到他自己地盘里去了。

对于刘湘来说，要想保住自己的地盘，最好的办法，就是赶紧打包裹回家，或者干脆直接阻止中央军进川。

但是当时南京危在旦夕，蒋介石已任命刘湘为第七战区司令长官，他需要指挥川军在皖南御敌，重任加重责，使他一时不敢擅离职守，更不可能抛下军队独自离去。

等到南京即将陷落，重庆铁定要做陪都了，刘湘正寻法子准备闪人，却又赶上胃溃疡复发，被送进了汉口医院。

刘湘情绪的变化没有逃过蒋介石的眼睛，他被戴笠牢牢盯上了。

很快，特工王发现，刘湘生病住院，却与华北前线的韩复榘保持着频繁的电报往来，两人关系亲热到了反常的程度。

电报被军统截获了，但因为刘、韩用的是密电码，戴笠翻译不出来，于是便想到了布置卧底。

被戴笠相中的这个卧底叫范绍增，也即民间盛传的“哈儿师长”。

在所有川军将领中，最富喜剧感的莫过于这位“哈儿师长”。“哈儿”，川语意为笨或者傻。几年前，四川投拍“哈儿师长”的戏，由一个川剧名角出演“范哈儿”，其人胖头胖脑胖肚皮，演来果然惟妙惟肖，逗人发笑。

其实，范绍增的“哈”，只是“哈”在表面，内心里大智若愚，颇有头脑。

“哈儿”原本与唐式遵等人同为刘湘手下的主力师师长，而且他的部队还是几个师里面人数最多、装备最好的一个师。

按说这样的人才，刘湘应该予以重用才是。可问题是，唐式遵是刘湘的亲信嫡系，“哈儿”却不是，而且他也有意向南京政府靠拢，想编成正式的国防军，因为这个原因，刘湘的一帮亲信背地里常称其为“伪中央（指南京中央政府）的汉奸”。

后来军委会对四川进行整军改编，刘湘正好利用这个名目，借鬼打鬼，把“哈儿”的师长职务给免掉了。

人又没犯什么大错，直接免当然不好，所以名义上不是免，而是升：升为副军长。

由范师长变成范副军长，外面听着是好听了，可是刘湘又不准他去上任，就那样不死不活地把他晾在那里，结果是，人家都修成正果，好歹成了“中央军的杂牌”，而“哈儿”却什么都不是，连川军都没得带了。

“哈儿”自然一肚子不满，恨不能马上去蒋介石那里告刘湘的御状，只是苦无真凭实据而已。

正在这时，戴笠找到了他，并直言相告：证据，还得你自己找。

由此，“范副军长”也与刘湘住进了同一所医院。

如果是陌生人，或非川籍人士，刘湘必当防范有加，但范绍增是自己下属，又手无兵权，就难免疏于提防了。

“范哈儿”（居中者）从军前的身份是黑社会老大

“哈儿”平时看上去傻里傻气，但他当兵前做过四川袍哥，也就是黑社会老大，所以对怎样打通各种关节皆烂熟于心。

平时哪些人和刘湘接触，韩复榘派来的代表和刘湘谈了几次，用了多长时间，全都没有能逃过他的耳目。

后来，“哈儿”甚至还通过跳舞等手段，买通了刘湘身边的一个护士，通过这个护士来打探刘湘的一举一动。

住了一段时间后，刘湘的身体逐渐好转，胃病也快好了，就打算潜回四川，以便设法堵住路口，不让中央军进川。

按照刘湘的指令，他的私人飞机将到武汉来接驾。戴笠在“范哈儿”那里获悉详情后，提前派人破坏了刘湘的飞机，导致飞机还没到武汉就中途爆炸了。

刘湘没有走成，接着便与韩复榘热络起来。

由于双方是通过密电联系，密电翻不出，戴笠和范绍增也始终刺探不着其中的秘密。

不久，范绍增另外安排的那个“护士卧底”假戏真做，跟刘湘发生了暧昧关系，后者也给了她钱，并且答应送其去美国留学。两相比较之下，“护士卧底”便不再愿意向“哈儿”提供任何情报了。

卧底和情报，双双陷入了困境。

范绍增为人极重义气，虽不在位，那些老部下仍然对他很有感情。

一天，一个从前线回来的团长，专程到医院去探望他。就在谈话过程中，“哈儿”意外地捕捉到了一个不同寻常的信息。

这位团长和刘湘的参谋长是老朋友，所以此次来医院，也顺道去会了个面。

进门之后，团长一眼就看到参谋长正埋着头写一份东西。他也没惊动对方，便蹑手蹑脚地走了上去。

原来是一纸命令，内容很简单，是要把川军两个师调到宜昌、沙市一带，并与韩复榘去襄樊的部队取得联系。

参谋长猛一抬头，发现有人进来，顿时表情显得十分紧张，匆匆忙忙地用其他稿子把命令盖住，对朋友说：“别看别看，我在写家信呢。”

不说还好，一说更显得欲盖弥彰，这团长更奇怪了。

明明是命令嘛，为什么他非要说是家信呢？

到范绍增这里，团长也只是把它当成一件趣闻说给老长官听，没想到“哈儿”每时每刻都在琢磨这事，一听，耳朵立刻竖了起来。

不对劲啊，其中定有蹊跷。

一时找不到戴笠，他就先去孔祥熙家串门。

范袍哥原来是混黑社会的，黑社会并不都是我们印象中，只会像香港古惑仔那样光着膀子砍人，比如人家“哈儿”擅长的就是交际，而且还都是交的上层一流人物。

孔祥熙是“范哈儿”的朋友。

一开始，“哈儿”并没敢把自己的想法直接说出来。刘湘身为川军老大，万一事情弄错，可不是耍的。

唠完嗑，孔祥熙留他吃晚饭。吃饭的时候，“哈儿”想想再不说就没机会了，便假装无意地冒出一句：“听说韩复榘的军队要开到襄樊去？”

孔祥熙一愣，不可能啊，中央已下了严令，各战区不能串来串去，鲁军在山东，怎么会跑到湖北襄樊去呢，何况山东前线现在还这么紧张。

你从哪里得到这个消息的？

范绍增便一五一十，把从团长那里听到的内容原样告诉了孔祥熙。

等“哈儿”走后，孔祥熙越想越觉得不对劲。

他住汉口，蒋介石住武昌，隔着一条长江，但事关重大，他连电话都未敢打，就亲自过江去见连襟。

蒋介石一听，也感到此事非同小可，让孔祥熙尽快确认消息的最终来源。

孔祥熙连夜找到范绍增，并问对方：你说的那个命令确实看清没有？这种事可来不得半点儿戏。

“哈儿”紧张起来，他又去找那个团长：你真的看清了？不能开玩笑啊，要是弄错的话，老长官我说不定性命都可能要搭在里面。

团长没想到自己一句无意中的话会引起这么严重的后果，可事已至此，也只得把心一横。

绝对没错，卑职愿以人头担保。

等到戴笠回来，孔祥熙将此事告知，戴笠立刻把截获的电报找出来进行核对，结果一下子破译了刘湘、韩复榘往来的所有密电。

戴笠给蒋介石送来的报告，使刘湘、韩复榘之间的秘密终于大白于天下。

南京失守，日本人认为中国输定了，其实很多中国人也这么认为，其中就包括刘湘和韩复榘。

不过韩复榘的一个幕僚说得好，中国败了，不等于大家都败，说到底，那是以蒋介石为首的中央朝廷败了，作为封疆大吏仍然能找到自存之道。

清末，慈禧老佛爷向全世界下战书，导致八国联军打进北京，但很多省份都没事。

为什么，就因为实行了“东南自保”，也就是这些省的地方大员们和各国列强达成协议，你不打我，我不打你。

当年的“自保”倡议者里面，就有山东和四川。

历史往往都是在不断重复。如今刘湘和韩复榘要复制历史，一个是地盘和枪杆子都要，另一个是暂时保不了地盘，就先保枪杆子——有枪杆子在手，何愁今后没有地盘。

两家最后商量的结果是，会师鄂西，合力阻挡中央军进川！

了解到这个可怕的秘密之后，蒋介石后脊背一阵阵发凉，然后冷汗直冒。

还保卫武汉呢，照这个样子，尚未与日军打起来，就得面临腹背受敌的困境：东边是日军，西边是川军和鲁军，自己被夹在中间，动弹不得，左右不能。

原先蒋介石还在犹豫，对韩复榘要不要动手，动到哪一步。

七七事变以前，在与日本人争斗的过程中，南京政府以对“华北三角”的争取为最激烈，他本人用功也最多，现在宋哲元、阎锡山都过来了，抗战立场也很坚定，只有一个韩复榘，仍然拿捏不住，不知道用什么

策略才能最终稳住对方。

看到这份报告，他才终于下定决心。

现在对韩复榘已不是处分的问题了，而是生死存亡系于一刻，你不除他，他要除你，先下手为强，后下手必遭殃。

同时，蒋介石心里也明白，对付韩复榘，并不像座中衮衮诸公说得那么简单，对方手中有军队，如果那么好对付的话，可不早就解决了。

有决心，更要有策略。

鸿门宴

1938年1月11日，蒋介石督师河南开封。

在到达开封府后，他即刻召开军事会议，并规定，凡一五战区还没轮上打仗的，师长以上的全要与会。

这时韩复榘正准备继续退入河南，当然也接到了会议通知。

对于要不要与会，部将孙桐萱等人劝他不要去，怕蒋介石来者不善，在开封摆的是一桌鸿门宴。

韩复榘一退再退，都是跟五战区和统帅部的命令在对着干，所以心里也有些发毛，迟迟犹豫不决。

这情景急坏了一旁的蒋伯诚。

作为蒋介石放在韩复榘身边的最大卧底，开封会议的内幕他岂能不清楚，假如韩复榘不去，这场戏可唱给谁看？

情急之下，他便将一份刚刚由李宗仁转来的密电送呈韩复榘。

韩复榘细看之下，上面密密麻麻，有四十多个将领的名字，连孙桐萱都名列其中。

若是鸿门宴，他们还会让孙桐萱这样的小角色与会吗？不可能。

于是韩复榘打消顾虑，带上孙桐萱及一个特务营前去开封。

去了以后他才知道，这恰恰就是一场请君入瓮的鸿门宴，不过不光是为他一人所摆而已。

抓捕韩复榘的整个过程，皆由戴笠一手策划和组织，可谓环环相扣，滴水不漏。

当蒋介石宣布其罪状时，会议室内气氛紧张，就连孙桐萱等人都噤若寒蝉，作声不得。反倒是曾为韩复榘所奚落并拒绝援救的宋哲元站起身来，为之求情，说韩复榘固然因不听命令而罪有应得，但希望能看在其是个粗人，没有多少知识的分儿上，予以从轻发落。

冯玉祥时为军委会副委员长，也不肯为韩复榘这个昔日的老部下说情。环顾偌大一个老西北军体系，仅宋哲元一人站出来为韩某说了两句，足见这人的人缘实在是糟糕透顶。

在抓住韩复榘后，何应钦奉命来到汉口医院。

他板着脸，对刘湘说的第一句话就是：你知不知道，韩复榘已经被扣留了。

刘湘心里一惊，但到这个时候，他还要装一下糊涂：为啥子哟？

何应钦只轻轻点了一下：因为他的部队要开到襄樊去。

刘湘的脸开始发青发白。

再没什么可说的了，秘密已经全部暴露，而这个秘密的泄露，对当事人来说，无异于一个致命打击。

何应钦走后十分钟，刘湘大口大口吐血，直至昏迷不醒，三天后一命归西。

人死了，一切都好说。

在官方公告中，刘湘的临终遗嘱颇有令人动情之处，谓：敌军一日不退国境，川军则一日誓不生还。

政府对其明令褒扬，追赠陆军一级上将，丧礼极尽哀荣。

与之相比，韩复榘就倒霉多了。

原来担心的鲁军可能异动的情况，并未因韩复榘被捕而发生，一者鲁军乍失灵魂人物，山东又即将不保，倭寇环伺，无力也无心起来“造反”；二者蒋伯诚很好地控制住了局势，使得中下层鲁境人士能各安其位；三者

韩复榘轻弃山东之举，也确实引起了天人共愤，以致在他陷入囹圄之后，极少有人为之鸣冤叫屈。

在开封待了半个月之后，韩复榘被解送武汉，经军法会审处以极刑，成为抗战中继李服膺之后，第一个被处死的国民党上将。

有好事者就此拟了副对子：枪毙韩复榘，吓死刘甫澄（刘湘的字）。

第九章

沙粒或者蚂蚁

韩复榘被捕及被处死，使抗战军民精神为之一振，而津浦线部队轻于进退的情况亦为之大变。

但是韩复榘先前闯下的纰漏实在太大，一弃黄河天险，再弃重镇要隘，津浦线变得无险可守，第二军主力部队姬路第十师团更是横冲直撞，如入无人之境。

姬路师团师团长是矶谷廉介。

矶谷廉介，毕业于陆大第二十七期，他与土肥原和板垣征四郎是陆士同学，皆来自于“荣耀的第十六期”，毕业后，三人也很快被列为日本陆军中的“三大中国通”。

所谓“中国通”，均具有熟悉中国地理的优势，因此都是侵华将领的上上人选。自矶谷出任姬路第十师团师团长后，该师团也被称为矶谷师团。

第二军南下，规定矶谷和板垣相配合，实行分进合击战术。此时板垣的名声正如日中天，然而跟这样一个明星校友在一起，矶谷却并不甘愿充当配角，他认为自己同样有像板垣一样一夜成名的潜质，只是早晚而已。

自强渡黄河成功之后，这一结论似乎也在一步步得到验证。

韩复榘在前面跑，矶谷就在后面追——其实也不用追，矶谷几乎成了山东的“接收大员”。矶谷师团渡过黄河之后，四天进入济南，又四天拿下泰安，除了赶路需要时间，其他可谓一路顺风。

这时候的矶谷真个是春风拂面，两只手都热得发烫，有一种像摸彩票

一样摸什么中什么的感觉。

当华北战场上除了板垣之外，又一颗名叫矶谷的将星冉冉升起的时候，你们千万不要感到奇怪，因为原本就该如此。

矶谷坐在马上，一脸都是“得意的笑”，仿佛自己已经站在了徐州城下。

猛仔将将

与矶谷相比，他的对手却在发愁，愁的是缺兵少将，调不出人来抵御矶谷。

本来李宗仁还指望韩复榘和鲁军能守住防线，却不料希望越大失望越大，自鲁军退却后，津浦线上几乎无一兵可调，无一将可用，已到了饥不择食的程度。

老猛仔在将将方面的特点，一言以蔽之，即“不拘一格”。

当然，他如今的情况是，就算想“拘”也没法“拘”了，淞沪战后，中国军队精锐损伤严重，剩下来的也大半撤往武汉，他只能领一群杂牌打天下。

内战时期，蒋介石拉拢杂牌，靠的是投其所好，要什么给什么，李宗仁却要什么没什么，金钱、美女、委任状，都无处寻觅。

你别看老李做到了桂系老大，但桂系的这些人，包括他自己在内，平时生活都是很简朴的，除了身份显赫外，饮食起居跟常人无异，就连吃顿饭，都是让老婆到街上去买了菜回来自己烧。

这样的人，哪怕是做到了封疆大吏，也不知道什么叫花天酒地，什么叫夜夜笙歌，所以糖衣炮弹的那一套，根本学不了，也使不出。

可是缺兵少将怎么办，也没别的好办法，只能跟破烂王学，走到哪里，都瞪大双眼四处寻觅。凡见到合用的，甭管他姓甚名谁，出身哪里，都拼着命往篮子里捡。

要命的是，现在连捡来的都在各处填空当，篮子里已经空空如也。

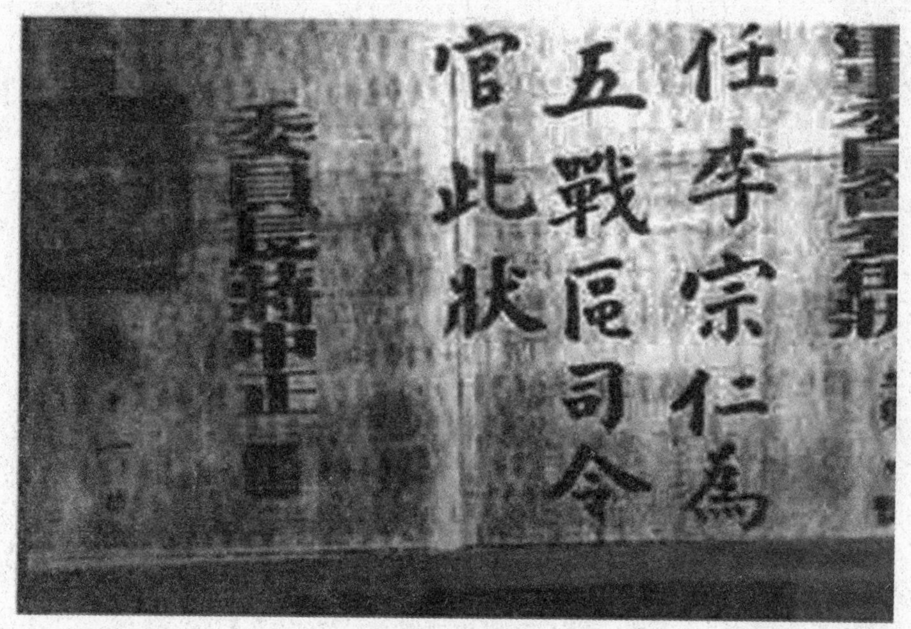
任李宗仁為
五戰區司令
官此狀
委員長蔣中正

李宗仁的委任状

就在愁闷之际，白崇禧忽然打来电话，说手上正好有一支部队，就是不知道你愿不愿意要。

“小诸葛”所说的部队，就是从娘子关前线退下来的川军。

在阎锡山二战区，这支可怜的部队由于属于客军，在北方没有自己的兵站，又苦于囊中羞涩，别说补充弹药，连吃饭都困难。

人急了什么事都干得出来，刚去山西时，官兵尚能忍饥挨饿，勉力为之，等到太原会战结束溃退下来，更无人照应，也无人监督时，基层部队就免不了会有些违反军纪，偷鸡摸狗的事情发生。

这倒也罢了，一不小心，他们把战区司令长官阎锡山都给得罪了。

溃退路上，也不知谁的眼睛尖，发现了军械库，反正没人管理，他们就破门而入，把里面的枪支弹药都取了个干净。要说这本来也没什么，逃得这么急，没准你不拿鬼子拿，损失更大。可这是谁的军械库，“阎老西”的，那么抠门的一个人，他会舍得让你白拿他东西吗？

太原失守后，阎锡山被迫当上了游击队队长。在山沟里骑着毛驴四处

乱跑的日子，哪里能与在太原时相比，“阎老西儿”越想越郁闷，时常盘算旧账，认为一众客军没有帮他保住太原，都是欠了他，尤其是黄绍竑和川军，更被其视为太原会战溃败的罪魁祸首。

黄绍竑是钦差大臣，阎锡山心里就算再不满，也只能背后嘀咕两句，不敢公开叫板，唯有邓系川军，一无后台，二无实力，成了他炮轰的第一目标。现在一听，这帮人竟然太岁爷头上动土，抢起他的军械库来了，这还了得。

于是，他一个恶状告到蒋介石那里，大骂邓系川军不仅武器不好，作战不力，还扰民有余，属于土匪军，二战区容不下，请予调离。

在被阎锡山赶出门后，川军不得不继续他们的辛酸之旅，因为没人肯要。

蒋介石皱着眉头，问程潜的一战区要不要。

程潜一听就不乐意了。

阎老西都不要的烂部队，你们踢皮球一样踢给我，当我一战区是什么，废品收购站?

不要!

蒋介石这时正因刘湘东窗事发，窝着一肚子气，到此再也按捺不住，一拍桌子：“算了，哪儿来的回哪儿去，让他们继续回四川做土皇帝去吧!”

白崇禧负责军队调动，他说“委员长”你先别急，我再问一下五战区，如果连五战区都不要，那就真没人肯要了。

抱着试一试的想法，白崇禧打了个电话给李宗仁，后者一听还有这种好事，马上声明来者不拒。

川军在山西表现糟糕，各个战区几乎都有所耳闻，李宗仁知道的也并不会比程潜少。要按寻常人的思维，他若再接受川军，自然会显得更为掉价。可老李好就好在这一点上，在用兵将将上，他懂得实用比面子更牢靠。

其实若论眼下的境况，他比邓锡侯还真强不了多少。邓锡侯是没人肯要，李宗仁是没人肯来，一样都很无奈。

白崇禧说，我可给你打个预防针，这支川军的战斗力很一般。

那意思，丑话说在先，你别寄望太高。大家都是坐过同一炕头的，到时倘若后悔，千万不要说我白某人不够意思，事先不打招呼就把不合格产品强塞给你。

李宗仁却已经等不及了。

那诸葛孔明草船借箭，犹能化险为夷，川人难道都不如草人？快别废话了，早点把川军调来要紧。

白崇禧笑了，终于明白老李处于什么样的境地，你现在就是把更差的部队给他，他也不会挑三拣四。

就这样，邓锡侯来到了徐州。

当初出川时，邓系川军共有四个师四万人，到山西打了一仗，折了超过一半，连两万人都不到了。更让人觉得晦气的是，别人没有功劳尚有苦劳，川军不仅功劳苦劳统统没有，还在遭到一通埋汰后，被踢皮球一样踢到东踢到西，眼看着竟要给踢回四川老家去了。

知道可能要被打发回家，川军上下均唉声叹气，自觉无颜见江东父老，而邓锡侯也因为看到前程黯淡而脸如死灰。

突然间，有人把他们从水里捞了上来。

从前西南联合反蒋，李宗仁虽与刘湘、龙云等人多有交往，但与邓锡侯却从未谋面，如今能收留他，不啻是在不堪之时，伸出手来拉了兄弟一把，这份惊喜与感动简直难以名状。

邓锡侯被外界称为“水晶猴”，猴精猴精的一个人。

娘子关战役后期，大家都在撤退，可是老阎对川军心怀不满，认为都是四川人作战不力，把事情给搞砸了，所以迟迟未给邓锡侯发来撤退命令。

邓锡侯到达前线时，他的川军已经被弄得稀里哗啦了，真的到了战又战不得，退又不敢退的地步。

为了避免坐而被歼的命运，情急之下，邓锡侯便使了一个滑头，令川军主力悄悄地跟着其他部队撤，但是不沿公路而从小路走。同时，派一个旅留在原地作为后卫，视情况逐次撤退。

好在川军没什么辎重，不走公路也可以，这样一来，不但没人看见，还减少了拥挤，反而退得比其他部队都顺畅。

半路上，终于接到了阎锡山的撤退命令，若再晚一点还真就走不脱了。

滑头那是为了生存需要，当见到李宗仁时，“水晶猴”也不由得动了真情：各个战区都不要我们，天下之大，无处容身，你李长官肯予以收留，那就是恩高德厚了。

对于邓系川军这样的落魄部队，如何暖对方的心，老李自有办法。

这个世上，穷人的愿望其实最容易实现，而你未来将可能得到的报偿也最多——不过是给几颗种子，没准到年关就能收到几大车瓜果了。

问都不用问，川军肯定是“枪械太坏，子弹太少”，而他们许的愿也必定是给些好枪和子弹。

李宗仁打个报告上去，拨下来五百支新枪给川军。

这些当然太少，武装一个营都够戗。

我知道，因为这里还有。

老李把五战区的军械库打开：步枪和机枪是没多少了，不过子弹和手榴弹多的是，拿吧，能拿多少拿多少。

川军从前打仗的时候基本上是放几枪之后，就只好把手里的枪支当擀面杖使，现在看到这么多弹药，激动得眼泪哗哗直淌。

当李宗仁要调川军进入鲁南战场时，邓锡侯和孙震已经知道所临之敌将是矶谷师团，后者精锐程度甚至超过娘子关时的龙山师团，足以与板垣师团匹敌，但受命之时仍毫不犹豫，表示绝对服从命令，让怎么打就怎么打。

孤城落日

川军在山西作战吃足苦头，除了装备奇差，战力有限外，难得出川，没见过世面也是一大主因。

他们分不清中央军与日军的服装到底有什么区别。某天，哨兵看到一人一骑经过，其人上身穿黄呢大氅，脚蹬皮靴，腰上佩把指挥刀。

在川军的眼里，这就是标准的中央军高级军官的打扮，哨兵差点就没上去敬一礼。其实那不过是一个普通的日军探马。

由于缺乏地图，川军根本不知地形，连自己处在什么位置都不知道。

有的士兵见到日军坦克，还以为是中央军的战车，频呼其停车，并报上自己的部队番号，要求随车搭乘。

不仅士兵，身为集团军总司令的邓锡侯亦出过糗。

在娘子关，他的左右两军早已退后，他却不知道，结果孤军深入，踏进了一座被日军占领的村庄。日军开枪射击，他还以为是自己人产生了误会，等到有人员伤亡，才发现大事不好，若不是反应快，就被鬼子给俘虏了。

邓系川军出川后首仗不顺，然而经过这次遭遇，他们也终于见了世面，长了教训。

遥想当年，诸葛武侯六出祁山，至死方休，这才受过一次挫折，算得了什么。

川军进入鲁南后，面貌为之一新。曾经备受诟病的军纪问题，也完全不复存在，山东的老百姓甚至认为，川军在这方面比鲁军做得都好。

即使是在四川本地，川军军纪亦曾令人皱眉，现在变化如此之大，不能不说是痛定思痛后整肃全军的结果。

此时因刘湘病死，蜀中无人，邓锡侯奉调回川主持川康军务，由军长孙震暂代集团军总司令一职。

孙震授命师长王铭章为前敌总指挥，率领川军进行积极反攻，但川军所用皆为轻武器，连一门重野炮都没有，即使从五战区领到了一些迫击炮，要想攻城仍然难如登天，所以只能退守滕县。

反攻的失败，让王铭章认识到，以川军如此薄弱的战斗力和武器，是很难与津浦线上的主力身份相匹配的，川军力量不是不够，而是远远不够。

不客气地说，若以战斗力而论，如果说现在的矶谷师团是沙丘或者大象的话，川军几乎就是沙粒或者蚂蚁。

然而从来没有人能够否认，小小沙粒就不能与庞大沙丘相抗衡，即使是蚂蚁，也有悍卫家园的本能。

王铭章对部下们说：四川内战二十年，是国内绝无仅有的，作为军人，我们罪莫大焉，此番出川抗战，不为立功，仅为赎罪，因此哪怕打光一兵一卒，也不能有任何怨言。

3 月 14 日至 3 月 15 日，矶谷师团猛攻滕县，但遭到川军顽强阻击，其组织的多次强攻均被一一击退。

在此情况下，矶谷突然抽出一个联队，撇开正面，绕道直冲滕县。

为守住外围防御阵地，王铭章几乎把所有战斗部队都放到了前线，双方处于胶着状态，骤然间根本撤不下来，而留在滕县城里的又尽为师部旅部等非作战单位，看过去，全是警卫连、通信连、卫生队……加上滕县保安团，满打满算，还没有超过三千人。

孤城弱兵，如何守法？

王铭章急忙向司令部求援，但孙震手上也没有多余兵力，只能勉强抽出三个步兵连赴援。

这点兵力对于守城来说自然是杯水车薪，正急得无法，孙震忽然想到了从五战区军械库领到的弹药，赶紧用火车运往滕县，其中手榴弹最多，可以保证城内守军每人屁股底下都有一箱五十颗装的手榴弹。

这是 3 月 15 日夜间。

在王铭章的指挥下，川军加紧构筑城防工事。此时他们或许还不知道，自己即将创造的，将是川军史上最光荣的一页。

3月16日，黎明。

矶谷师团开始发挥技术兵种部队的威力，炮弹犹如狂风骤雨，向滕县城内横扫过来。

王铭章召集部将商议，大家都认为从日军攻城的气势以及双方的强弱对比来看，滕县恐怕连一天都守不住。

由此，王铭章自己也对防守孤城产生了犹豫，遂向孙震请示，询问能否到城外去进行机动作战。

孙震传达了五战区发来的电报：死守滕县，以待后援。

他告诉王铭章，坚守滕县是为了给后续大部队集结争取时间，所以必须死守到底。

明乎此，王铭章再不迟疑。

晓谕三军：死守滕县，城存与存，城亡与亡，违者就地正法。

所有后勤人员全部奉令改为战斗兵，与城内的警察团丁一起，增补各防守部队，甚至于给王铭章写文章的文书也不例外，被派到城上防守去了。

王铭章带着高级官佐到阵地巡视，由于他们都穿着普通士兵服装，沿途竟然无人认出，只有这位文书看到长官来了，赶紧举手敬礼。

王铭章身后有人认识这位文书，就开玩笑地问：你敬礼倒是很内行，可你会打枪吗？

参谋长在一边凑趣：你千万别小看人，没准他放得比你还准哩。

3月16日这一天，矶谷师团先用野炮轰开城墙缺口，然后用步兵进行波浪式冲击，其攻势一浪高过一浪。

孙震临时运来的手榴弹，成了守军的撒手锏，指挥官一声令下，两三百颗手榴弹一齐扔，很快炸退日军，并封堵住了缺口。

那位临时参战的文书也跟着又是开枪，又是扔手榴弹，很是过了把瘾。

一天过去，滕县奇迹般地纹丝不动。

不足一个团的川军，挡住了日军一个精锐主力联队的多次攻击，在以往是根本不可想象的。

王铭章闻知前线战况，大为开心，情绪也转为乐观。

前线将有两个团被调回城内，这样的话，明天就有三个团守城了。不足一团尚可支持一天，难道三个团还守不了一天？

如果明天再能撑过去，后续援军便能到达，滕县也必能确保。

可是王铭章不知道的是，每一天都是不一样的。实际上，老谋深算的矶谷已另派一个联队绕到滕县以南，把援兵挡在外面了。

更重要的是，第一天滕县之所以能守住，只是矶谷未用全力而已。

在滕县城外遭到意外的顽强抵抗之后，川军死守滕县的决心已显露无遗，矶谷也在逐渐加大攻击力量。

3 月 17 日，矶谷把炮兵部队的使用等级调到了最高。

一个重野炮旅团被调到城外，同时重轰炸机大队出击，这样造成的效果是，落进城内的炮弹由“狂风骤雨”升级成了“倾盆大雨”。

滕县街道已经找不到了，满街都是由倒塌房屋堆垒而成的一座座小山丘，到处都是深坑、火海、焦土。

在滕县被南北日军紧紧包夹，形势危如累卵的情况下，王铭章仍未放弃获救的希望。

站在城内，能清晰地听到南面激烈的枪炮声，说明援军已经很近了。

组织突击队出城，接应援军。

可是这个希望很快破灭，矶谷不断向城南添加兵力，援军攻不过来，突击队亦不得不退入城内。

城墙缺口终于被炸开了，冲进来的除了比第一天多得多的步兵，还有坦克。

川军甩完了手榴弹用大刀，炸完了步兵炸坦克，可是仍然挡不住日军潮水一般涌进来，双方自此进入了近距离肉搏拼杀阶段。

当得知防线被突破的消息时，王铭章显得极为镇定，尽管他已不再乐观，也知道最后的时刻已经来临。

奇迹不会再发生了，沙粒即将被埋，蚂蚁也面临着被无情踩踏的命运，可是唯一不用担心的，是我们的勇气。

王铭章把身边仅有的卫兵和官佐都召集到一块，决定亲自率领，以作殊死一搏。

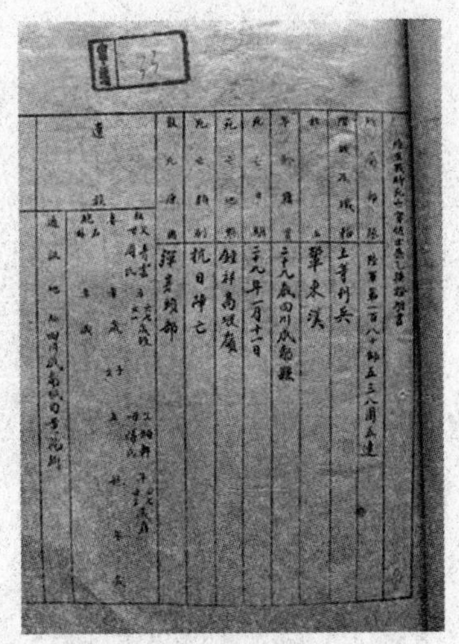

川军士兵的阵亡通知书

走出指挥所前，他向孙震发出了一生中最后一封电报：“决以死力拒守，以报国家，以报知遇”。

经过一场又一场短兵相接，拿着枪的人大部分都战死当场，王铭章也受了重伤，他留下的最后一句话是：“抵住，抵住，死守滕县!”

话未说完，腹部伤口血流如注，副官取出白药都灌不进嘴，一时惊呆了。再上前一摸，已手脚冰凉。

直至3月18日午前，在滕县城内，残余的各股川军小部队仍在各自为战。

这是一种让西方人无法想象的战斗，一群又一群失去任何希望的人的绝望之战。

晚上，枪声终于停止，因为所有的守军都已战死。

川军，他们看上去是那么弱小，然而他们终于把自己的勇气和尊严守护到了生命的最后一刻。

狗咬狗的游戏

李宗仁的五战区庙小，压力却不小，一共要对付来自三个不同方向的对手。

除了派川军在津浦线上阻击矶谷师团外，他还要防止第十三师团北

上，后者虽然是新编师团，但由于配备了华中方面军直属的特种部队，所以也非常难搞，最后是在淮南调集桂军第三十一军，淮北再搭上于学忠第五十一军，一前一后，一个拉一个顶，才勉强将其拖住。

矶谷师团、第十三师团已经够凶够猛了，然而比它们更凶更猛的却还有，那就是从青岛方向杀过来的日方顶尖选手：板垣师团。

老李是员福将，真的，如果板垣师团快一点从青岛南下的话，他绝难逃过一劫，因为他毕竟只有两只手，哪里能忙得过来。

关键时候，板垣却跟海军吵上了，没时间南下。

日本海陆军内部大致有一个分界线，即北边归陆军，南边归海军。按照这一“惯例”，北方战场应该没海军什么事，但海军的军舰一天到晚在青岛海面上转悠，若不是突然爆发淞沪战役，他们早就想在青岛实施登陆了。

在淞沪战役上，海军先点火，陆军却像当年的一·二八会战那样，后来者居上，风头完全压过了海军，这次进攻青岛，参谋本部就想到，与其让对方抢先，不如打声招呼，大家一齐上。

军令部开始没说什么，但在得到一个报告后，不干了。

报告是第四舰队送上来的，据他们说，原驻青岛的于学忠第五十一军已经调到淮北去了，青岛几乎等同于空城一座。

一座空城，第四舰队一家就能搞定，为什么还要等他们陆军。

板垣师团？离青岛还远得很哩。

最后这句话倒不假，因为要给韩复榘时间考虑“独立”，矶谷过黄河就晚了，板垣则更晚。

军令部一听青岛是这样一种状况，马上就动了心，再不顾及和参谋本部的所谓“君子协定”了。

那你们赶快登陆，拿下青岛，算尔首功一件。

第四舰队照此办理，两天之后果然如愿以偿地占领了青岛。

登陆后，他们才发现，日本在青岛价值两亿多日元的几十所重要工厂已全部被毁，同时胶济线上的铁路和公路也遭到了破坏。

工厂被炸也就算了，那铁路公路总不能看着，得去修一修，因为板垣师团马上就要打那儿过了。

但是海军睬都不睬，自当年的一·二八会战起，他们就没靠自己本事真正占过几座重要城市，现在得了青岛，欢庆胜利还来不及，理你？板垣算哪根葱。

板垣师团一向以机动速度快著称，可是由于这个原因，他们很晚才赶到青岛。

等板垣到青岛一看，海军竟然连招呼都不打一声，提前吃了独食，顿时大怒。

更让板垣火大的是，第四舰队占领了青岛之后，似乎这里已经全归他们所有了，陆军连碰都不能碰，所过之处，到处都张贴着“海军管理”的纸条。

你总得让我们有吃饭睡觉的地方吧？

第四舰队翻了个白眼，要不你们就睡大街上吧，那里不属海军管理。

板垣脸都绿了。作为北方战场上“战无不胜、攻无不克”的名将，谁能不给他板垣三分薄面，这口恶气如何忍得。

这时的板垣不是没事做，有一大堆正事正等着他去处理，其中最重要的一项，就是南下与矶谷做配合，会攻徐州，可人家板垣也是有血性的人，要不怎么说“板垣之胆”呢？

徐州晚一点攻都无所谓，还会拿不下来吗，倒是这个海军太可恶了，我偏不南下，就要在青岛和他争个短长。

让我睡大街，老娘跟你们拼了！

板垣层层上访，状子首先就递到了第二军司令部，西尾寿造司令官闻讯之后，理所当然站在了板垣这边。

说好一起干的，又临时变卦，这帮人怎么老是这样贼兮兮的。现在就算不能五五分成，三七开也是要的，海军一定要让出一部分防区给我们第二军。

第四舰队哪里愿意，我们卖力气打下来的，凭什么要分给你们？

西尾不肯罢休，又把状告到了华北方面军司令部。

板垣师团是华北方面军直辖主力，等同于亲儿子一般，寺内当然也不舍得自己亲儿子受委屈。

告诉你们，板垣君是名将，汝辈何德何能，敢对之侮辱孰甚？

寺内虽然身为日本陆军在华北战场的最高军事首领，但第四舰队同老样不给面子，根本不愿作出任何让步。

事情闹到最高层，只好由双方老大——参谋本部和军令部直接协商，后者总算答应让第四舰队抬一抬屁股，挪出点地儿给第二军。

因为这么一吵，板垣南下就被拖了下来，也因此给李宗仁腾出了重新部署和选将的时间。

庞老爷爷

在包围李宗仁的三个日方选手中，板垣无疑名气最大。

他虽曾被陈长捷打得差点现出原形，但随后托香月的暗中帮忙，仅用一天时间，即从以善于守城闻名的傅作义手里拿下太原，一时声名大噪，以致日本军界无人不晓板垣和他的“钢军”，俨然已是华北最大牌的日军主力。

忻口会战，板垣师团在血拼中损失不小，尽管马上进行了休整补充，然而丧元气的东西不是立刻就能补得过来的，这也为他后来的临沂之败埋下了伏笔。

话是这么说，可是举目四顾，能与板垣一较短长的国内战将，仍然渺不可寻。

趁着板垣在青岛跟海军打官司，李宗仁急寻战将——不是一定能与板垣较量，而是只要应付得了场面就行。

蜀中无大将，廖化做先锋。可是五战区别说大将，连牙将偏将都寥寥无几，一眼扫过去，几乎全是砢啦巴碜的主。

韩德勤立于帐下，用手朝自己一指：“长官叫我？”

老李一咧嘴，赶紧转移视线。

五战区部队，韩德勤垫底，所部由江苏保安队改编而成，本来就不是正规军，虽然换了马甲，但也只是门面好看一些而已。

保安队肯定不行，还有没有稍微顺眼一些的？

一旁的幕僚提醒：长官您就别横扒竖拉，挑三拣四了，一共就剩下两位，非此即彼。

一位是东北军缪澄流。

东北军战斗力一般，但一般里面还有分别，于学忠算是一般里面上等的，缪澄流只能排在中下，早在长城抗战时，这位仁兄打仗时那副上气不接下气的样子就让人目不忍睹了。

老李叹了口气。也许缪澄流会比韩德勤强些，却哪里是板垣的对手。

那就只能用最后一位了。

最后的这位战将，是庞炳勋。庞炳勋也属老西北军支脉，过去因伤瘸了一条腿，因此得了个外号“庞瘸子”。

庞炳勋是一员老将，“老”是年纪很老的老。

这一年，他已近六十岁，大概整个老西北军出身的将领，尚在军中的挨个数，没有比他年纪更大的了。

这么一大把年纪还能在军队里面任职，不退不休，庞瘸子能混也是真的，所以人送外号“军中不倒翁”，而且他的军职也颇能给人以假象：他是军团长，比军长还大呢。

不过能升到这个职务，绝不是庞炳勋的军功有多高，纯粹还是年纪太大的缘故，没人好意思再指挥他，就索性让他独门独户，指挥一个“军团”。

所谓的庞军团，更是搞笑，并不是什么大规模合成兵团，只不过是五个步兵团凑一块儿罢了。

以前的李宗仁“常在江南，少来华北”，对老西北军的这些人不熟，到五战区走马上任，才与庞炳勋首次谋面。

庞炳勋老到连李宗仁见了他都不好意思

这一见面，差点把李宗仁也闹了个大红脸。

在庞炳勋面前，他只能称为小李，人家才是老庞哩。旧军队讲究礼数，年纪小的指挥年纪大的，总让人觉得尴尬。

小李只好先跟老庞打声招呼：论年纪和资历，你是大哥，我是小弟，你大我小，本不该我来指挥你，但为了抗战，只好将就一下了。客气完了，得来实质的。

李宗仁问庞炳勋，有没有什么困难，需要我帮助解决的。

老话说得好，冷庙烧香，五战区一共就这么几个战将，要想别人常来庙里给你烧香，当然要先显示“菩萨的灵验”，帮人家实现几个愿望。

庞炳勋的第一个愿望，是希望不要裁他的兵。

按照编制序列，庞炳勋有一个特务团超编了，统帅部要求其“归并”。所谓归并，就是并到另外四个团里面去，而粮饷也只能照那四个团发。

问题在于，庞炳勋的每个团人数都是足额的，僧多粥少，平均下来大家就都吃不饱了。

如果庞炳勋不肯“归并”，那就只能遣散特务团，否则将面临全部停发粮饷的处分。

李宗仁听罢，说这样裁兵确实不公，一定替你力争此事。还有吗?

庞炳勋的第二个愿望，是补充枪支弹药。

李宗仁也点了头。

第一个愿望很快就帮庞炳勋实现了。其实说难不难，也就是李宗仁向上面打声招呼的事，不过保留一个团的编制，连战区司令长官都亲自开了口，谁会驳这个面子呢。

实现第二个愿望也蛮简单。五战区集结的部队本就有限，人头少，分果果就容易，更何况庞炳勋穷得叮当响，从没奢望过补给坦克大炮，能给些打得响的步机枪和子弹就高兴得合不拢嘴了。

庞炳勋见“李菩萨”如此灵验，一时间感激涕零。

山不在高，能让人猫着就行，看来这回在五战区的确是投对了庙，烧对了香。

庞炳勋向李宗仁盟誓，五战区若有差遣，自己绝不保存实力，一定同鬼子拼到底。

很快就轮到还愿的时候了，李宗仁把庞炳勋调至临沂，以抵挡板垣师团，后者欣然领命，并由此创造出光照其一生的经典。

我们也许要问，一个年逾花甲的老爷爷带着五个团的小朋友，敢与号称“大日本皇军中最优秀的板垣师团”叫阵，凭什么?

其实这个问题又与另外一个问题有关。

那就是，在你方唱罢我登场的国内军界，庞炳勋是如何混成“不倒翁”的。要知道，在老西北军的支脉里面，无论是枪杆子还是地盘，庞炳勋都小到几乎可忽略不计，别说和宋哲元、韩复榘比，连石友三都不如。

这样的小鱼小虾，一不小心就可能被大块头给吃掉，这样的事过去曾不胜枚举。那么，老庞长寿的秘诀到底在哪里呢?

除了他对上处世圆滑，从不得罪人以外，对下知疼知热，能得众心不能不说是一个重要方面。

战场之上，欺软怕硬几乎是一个通行的规则。从老西北军时代开始，仗打了一场又一场，庞炳勋几乎场场成为对方痛扁的首要目标，也因此经常被冲得稀里哗啦。

可说来也怪，被冲了这么多次后，庞炳勋所部点来点去，还是那么多人。

大家渐渐发现，庞炳勋的兵跟他老人家放出的鸽子一样，会自己飞回来。

在被冲散或吃败仗时，这些人或被俘虏，或被收编，但只要得到机会，一准会潜返归队，有时还能给这个穷得要命的破家带回一两杆枪呢。

如此恋旧，就缘于老庞对自己的子弟兵确实是好，真的跟老爷爷待儿孙一个样。

当兵的也有心肝，你对他们好，他们是记在心里的，所以即使瘸子落

难时，也没人嫌贫爱富，另觅高枝。

粗看庞军团，确实寒碜，但如果了解这些秘密，你就会知道，这其实是一支很有凝聚力的团队。

打仗的时候，凝聚力就等于战斗力。

可惜这个世上，人们往往更注重衣着外表，长城抗战时，尽管庞炳勋和他的庞军团报名踊跃，可谁也不认为他们能打仗，结果被放到一个不知名的角落，从头到尾也没派上什么大用场。

李宗仁要用庞炳勋，也并不完全是慧眼识珠，更多的原因是他没有第二个选择。要是你此时把薛岳、胡宗南、王耀武这些人交老李指挥，他疯了，非要用“庞老爷爷”不行？

庞炳勋在临沂安营扎寨，这时他得到情报，敌军已兵发莒县。情报上说，来犯莒县之敌并非板垣师团，而是一股伪军。

想想伪军作战力有限，加上在临沂打造深沟高垒要紧，因此庞炳勋只抽出了一个旅驰援莒县。

他没有想到，来者并非什么伪军，而是货真价实的板垣师团先头部队。

小人物也能派大用场

在庞军团赴援之前，防守莒县的只是一支游击队，队长叫刘震东。

刘震东是山东本地人，出身木匠，据说会一手雕工绝活，尤其擅长桃核微雕，也就是在小桃核上刻出各种各样的人物造型。

当年很多山东人都是闯关东的主角，刘震东在闯关东的过程中，因为一手雕刻手艺，而被留在奉军中做了文书，自此一发不可收拾，竟逐步做到东北军的少将旅长。

九一八之后，这位少将旅长却因为东北军实行不抵抗政策，愤然向张学良辞职。自此，东北义勇军、抗日同盟军的将帅名录上屡有其大名，基本上是哪里能抗日，他就奔哪儿去，正规军干不了，哪怕凑一群人，拉开架势继续干。

其实那时他家里已经很有钱，就算什么都不干在家享享清福也可以，但是刘震东说，没有国就没有家，国难当头，还是应该先国后家。

全面抗战爆发，他在南京四处奔走，最后弄到了一张游击纵队司令的委任状。

“游击纵队”有了，不过是个皮包公司，“司令”是个光杆儿，还得自己去招兵买马。

于是他索性回到家乡，把家产变卖一空，然后招募了一支游击队。

在成立大会上，刘司令语惊四座。

他说，我以前在东北军，人家都说我好色，前前后后讨了五个老婆，这个我承认，可是尽管好色，但我爱国，你们大家都看好，我刘某打小日本绝不含糊。

按照委任状上的说明，刘震东属于五战区，但他的“游击纵队”还远不如韩德勤的保安队，连枪支都很少，许多人用的还是冷兵器：肩背大砍刀，手拿红缨枪。

李宗仁那时可怜兮兮，凡是来的人他都要，可是也从没设想过刘震东真能帮他打什么仗，只是当当拉拉队，助助声势而已。

他发给刘震东的军需物资倒也与拉拉队相匹配：每人数枚手榴弹，一个吃饭用的军用饭盒。

然而，小人物有时也能派大用场。

板垣师团还没到达，莒县已沦为空城一座，正是刘震东担任了临时守将。

他进城后就把游击队往城楼上一撒，不料城楼很长，游击队员很少，竟然平均一百米才摊到一个队员。

看着这幅情景，刘震东自己也乐了：难道我们这是在跟鬼子玩儿空城计吗？

就在这时，庞军团的援军赶到。由于路上走得急，部队都还没吃饭，

抗战中像这样的游击队非常多

而且个个疲乏至极，带队旅长便同刘震东商量，能否让游击队在前面暂且负责警戒，等吃完饭后两边再交接守城防务。

刘司令是豪爽之人，当即应允，不料回来后，游击队参谋长却提出，还是把队伍撤出城外，“到日寇背后去进行扰袭”。

说实话，所谓“背后扰袭”云云，都是胡扯。你在城头上居高临下守城都吃力，还“扰袭”，真当板垣师团是伪军了吧？

可是话不能说得那么直白，参谋长隐含的意思其实就是，咱们打正规战根本不是这块材料，还是避到一边，远远地放两记冷枪算了。

刘震东已经答应了人家，临时又变卦，光面子上就过不去，因此很不高兴地回了一句：养兵千日，用兵一时，怕死何谈抗日？

游击队内部争吵不休，有人便叫来了旅长，经后者提议，决定共同守城，并由刘震东担任城防总指挥。

如果真的推选总指挥，应该是那位旅长才是，刘震东也知道对方在激励他，遂当众誓言：我们要与莒县共存亡。

板垣师团乘着汽车来了。

还隔得老远，但游击队毕竟是游击队，没有什么打仗的经验，看到之后马上又扔手榴弹又射击，鬼子没打着，不过倒是给后面的正规军报了信。

双方马上换防，但刘震东仍立于城头之上。

刘司令变成了刘总指挥，所以他认为自己更不能轻下火线，必须继续战斗。说是总指挥，当然也指挥不了正规军，只是往来奔跑，指点日军的突破区域和路线。

就在跑动过程中，一颗迫击炮弹落在城头，刘震东倒在地上，以身殉职。

从木匠艺人，到少将旅长，从家财万贯，到毁家纾难，刘震东的人生历程堪称跌宕起伏，也是那个时代无数勇者的一个典型写照。

人孰无死，唯生命精彩与否。

中国功夫

进攻莒县的是板垣师团一个联队，庞炳勋因为开始判断是伪军，所以只派出一个旅，总共两个团，第一天守住了城，但是第二天就守不住了，只得退守临沂的前沿阵地汤头镇。

此时，板垣师团已将联队增加到旅团规模，庞炳勋也把两个团上升到三个团，双方在汤头展开激烈拼杀。

中国军队正在构筑阵地

在正面攻击的同时，板垣又玩儿了一招阴的，他派出一支特遣小分队从沂蒙山区穿过，企图对临沂发动偷袭。

庞老爷子老胳膊老腿，却也知道眼观六路，耳听八方，发现后，马上把预备队派了过去。

这支预备队就是他向李宗仁求情保下来的那个团，称为特务团，实际上战斗力非常强，居于五个团之首。

在《亮剑》里面，有一支日军特种兵，板垣组织的特遣小分队大致就属于这一类型，只不过没有电视上表现得那么玄乎而已。

既然是想偷着揩油，人数就不会多，只有百余人，且缺乏重武器，仅带了一挺重机枪和一门迫击炮。与之相比，庞炳勋的特务团却并不比李云龙的独立团来得逊色，双方一交火，特遣小分队就知道不是对手，赶紧撒开腿就溜。

特务团到山里来打猎，总得带点什么回去，所以哪里肯舍，跟着便撵，最后把特遣小分队关在了一座寨子里。

日机赶来增援，加上山寨坚固，一时无法攻破，但特务团得到了一项意外收获。

他们从地上捡到一个从飞机上扔下的袋子。袋子当然是送给特遣小分队的，未料阴差阳错，落到了特务团手里。

特务团里有会日文的文书，拿来翻译给团长看，团长一看就笑了。

上面写着：将开六辆汽车过来接你们。

随后，庞炳勋在临沂接到特务团报告，要他派两名司机到山区去，老庞起初还以为是特务团子弹快打光了，需要运子弹过去，那边却说不用，去人即可，去了还可以再拉一辆汽车回来。

老庞将信将疑，不信世上还有这种掉馅饼的好事。没想到司机回来时，果真带回一辆汽车，还是一辆六轮的军用卡车。

原来特务团依据捡来的情报，采取围点打援战术，在路边伏击了日军汽车队，最后击毁三辆，俘虏一辆，开回来的卡车就是缴获的战利品。

对于庞军团来说，这绝对是一个旗开得胜的好兆头。老庞觉得说汽车还不够劲爆，干脆让人贴上一张纸条，曰“俘虏日军之装甲车”，然后开到临沂司令部的大门口公开展览。

那会儿的人，没几个真见过坦克装甲车，见这汽车六个轮子，很长很大的样子，大多信以为真，一时间观者如潮，跟赶集似的，都说这庞军团了不得，下面一准还得继续打胜仗。

特务团伏击成功后，准备继续围攻山寨，但忽然接到庞炳勋的命令，要其即刻回防，于是不得不撤围而去。

撤退路上，特务团也没忘记破坏山区公路，以彻底断绝鬼子偷袭之念。

老庞调回特务团纯属无奈之举：三个团在顶了板垣师团整整将近一周之后，终于无力再战，只得撤离汤头。

手里的最后一个团也被拿出来，用于在汤头以南拖住对手，而庞炳勋之所以急调特务团，则是要利用这个团从侧背对日军进行攻击。

特务团果然不愧是五团之首，他们充分发挥了庞军团死缠烂打的那股狠劲和韧劲，不仅白天猛攻，还成立敢死队，频频发动夜袭，以扰乱敌方阵脚。

最激烈时，该团连伙夫都拿起枪加入了战斗。这么能打的部队，要是当时就被遣散了，岂非憾事一件。

一通乱拳，差点把板垣师团给打蒙了，后者急忙从汤头以南撤出，重新退回汤头。

临沂的第一次危机就此得以化解。

庞炳勋手里的棋子有限，但手艺不错，要我说，凭这本事，老庞绝对能归入草根版将领的高手之列，他以往泯然众人，实在是也没得到过什么像样的机会。

当时在徐州聚集着一个数量不小的观战团，里面有中外记者，还有英美武官，大家都坐在观众席上举着望远镜看，而拳台之上的情景则大出意料之外。

一边号称日方最优秀的相扑手，年轻气盛，站起来跟座肉山差不多，另一边却白胡子一大把，若是在场下，没准还得拿根拐棍支撑着，可是奇

怪之处就在于，那个年轻的即使使出浑身解数，仍无法把这个年纪大的赶下台，后者不仅跳来跃去，甚至能逼得对方退后几步。

莫非这就是传说中的中国功夫？

庞炳勋一夜成名，皆以为此老者必是世外高人，否则岂能如此了得。

其实这时板垣还是占优的，毕竟他是攻方，而庞炳勋是守方，但观众可不管这一套。

你板垣的名气有多大，人家有多大，凭你，就应该一出场，二话不说，一个指头即把对手点倒在地，现在做不到不说，看上去还挺狼狈的，我们给点嘘声，喊两声倒彩，那都是客气的，不哄你下来，已经很够意思了。

更有那不厚道的，回到房间后，还会添油加醋地写报道，把板垣这位“第一名将”给说得一无是处。

这种情况下，板垣自然很没面子，同时也感到庞军团尽管是杂牌部队，却不容小觑，于是又赶紧从青岛调来一路援军，使前线部队达到了五千之众，这还不包括增援的坦克大炮等特种部队。

在恢复神气劲儿后，板垣师团又气势汹汹地向临沂扑来。

庞炳勋的几个团，能打的，不能打的，一字排开，与日军展开拉锯战，战到后来，无不伤亡惨重。

汤头以南阵地再次失守，日军一路猛推，一直推进到沂河。

大实话

沂河与临沂城仅一水之隔，其阵地距离庞炳勋的司令部更只有不到三里之遥，在明显感到力不能支的情况下，庞炳勋拿起电话，向五战区长官部告急。

此时李宗仁手下正好新添一员猛将，若寻根究底，这员将也是出自老西北军，但问题恰恰正在这里，此将与老庞虽是过去的同事，两人在历史上却还有一些扯不清的恩恩怨怨，且双方同属战将，也必须有一“帅”负责协调全局才行。

李宗仁自己要坐镇徐州大本营，帅才安出？

我有一本个人很珍爱的小书，这就是《浮生六记》。作者沈三白先生，姑苏一贫士耳，然最善室中小经营，他自己也说，平生所好，唯“人珍我弃、人弃我取”而已。

老李现在是战场上的贫士，看什么都是宝贝，“人珍”他一时也取不到，所以根本谈不到“我弃”，但“人弃”那是一定要赶紧捡的。

他捡到的这个帅才，名叫徐祖贻。

徐祖贻，江苏昆山人，毕业于保定军校第三期，之后又留学日本，在陆士以及陆大中国班进行过深造。

此前徐祖贻一直在东北军里面混，这支军队倒霉他也跟着倒霉。最晦气的时候，是在北平时硬被众人赶鸭子上架，弄去跟日本人谈判，一份“塘沽停战协定”把名声都给搞坏了。

其实他人是很聪明的，也很能干。那年头，上过陆士的不少，可是能到陆大再次进修的并不多。白崇禧曾经亲眼看到过徐祖贻拟订的作战计划，连他也称赞对方具备优秀的战术修养，是不可多得的幕僚长。

能够得到“小诸葛”如此称赞，足见徐祖贻的参谋功底。

也许正是因为白崇禧的鼎力推荐，李宗仁才任命徐祖贻为五战区参谋长，并在临沂战场最紧张的时刻，委其以大任。

徐祖贻出发之前，先打了一个电话给庞炳勋，开口问的第一句话就很见水准。

他问：你手上还有多少预备队？

老庞苦着脸回答：没有了，我连警卫员都派到第一线去了，再要预备队，你看我这老头子行不行？

虽然已经知道前方情况不妙，但听到临沂后方只有庞炳勋一个光杆儿时，徐祖贻仍然吃惊不小。

到了临沂城，他才发现情况比庞炳勋说的还要糟，糟十倍还不止。

日军炮弹时时从临沂司令部上空呼啸着飞过，更有直接在院子里面爆炸的，你想，前线距离这里不到三里，就算再差劲的大炮轰这里又会有多大问题。

徐祖贻是正规军校出来的，从来没有设想过在这样一种情境下指挥作战。

一边画图作部署，一边还得提防着炮弹在身边爆炸，这图如何能画得好呢？

赶快搬，起码要搬到离城南二十里外。

但是庞老爷子却死活不让搬，还说这临沂城易守难攻，当年北伐军攻打张宗昌，拿野炮轰，都轰不穿城墙。

徐祖贻哭笑不得，北伐什么时候，现在什么时候，北伐军的山野炮能跟日军的重炮比吗？

见小伙子领导态度坚决，老爷子这才说了实话：不能退啊，如果前线部队知道我庞某临危后退，而且一退二十里，士气肯定会动摇，那样临沂城就守不住了。

双方争执不下，只好上报五战区长官部裁断。李宗仁是实战出身，觉得庞炳勋言之有理，遂作出答复，尊重后者意见。

于是，一老一少便怀着忐忑不安的心情，在此起彼伏的爆炸声中等待救兵的到来。

第十章

哪里才是我的彼岸

时间还得倒推到半年多以前。

有一个人正徘徊在异国街头，他曾是那么潇洒精明的一个人，然而此时却思绪纷乱。

他还是忘不了那个地方那些人，以至于常常不能自拔。

他做过的事，对了，还是错了，他为什么要在这里，究竟谁能给他一个答案？

没有人能给他答案，他因此痛苦不堪，而异域亦真亦幻的景象则更加重了这种痛苦。

这个人就是久违的萧振瀛。

虽然当年被迫出国，但他人在外，心却一时一刻都没离开过北平，没离开过二十九军，没离开过那些曾经朝夕相处的生死兄弟。

再次回国，是因为七七事变爆发的消息传到了海外，在得知华北可能发生重大变故之后，萧振瀛星夜兼程往家赶。

国难之际，正是用人之时，他当即被蒋介石委任为第一战区总参议。

但是萧振瀛毫无喜色，因为他在途中就已经听到了各种各样的坏消息，其中最让他震惊不已的就是赵登禹之死和二十九军退出北平。

这一切都是为了什么，怎么我才离开没多长时间，就出了这么大的乱子？

在雨中

萧振瀛到华北后做的第一件事，就是登门求见宋哲元。

由于第六战区撤销，宋哲元的第一集团军并入了程潜的一战区，两人虽已在同一战区，但宋哲元迟迟不愿出来见萧振瀛。

原因不难想见，当年是他逐对方出国的，如果萧振瀛走后，自己干得漂漂亮亮还说得过去，偏偏鸡飞蛋打，连平津都给丢了，这个样子，见面说什么呢？

秦德纯、张维藩等人见状，则力劝宋哲元，以前或许可以摆架子不见，现在则一定得见。

无他，身份不一样了，萧某如今不再是过去的二十九军总参议，他摇身一变，成了第一战区总参议，蒋介石的大红人兼帐下军师，又是我们的顶头上司，能不见吗？

宋哲元何尝不明白，所以即使再不情愿，他也只得勉强出来相见。

两人一见面，宋哲元发现原来的担心是多余的，对方并无一点幸灾乐祸或落井下石的意思。

兄弟还是兄弟，不管地位和处境发生了多大改变。

手握到一起，双方的眼泪都已经止不住地流了下来。

逃出北平后的宋哲元，无异于跌入了一个痛苦的深渊。他在当时发给蒋介石的请示电报中，声称是自己让张自忠留在北平负责和议的，这句话其实很违心，可是又不能不这样说。

他能把那一天的不堪往事都和盘托出吗？

那是自揭家丑。别人或许能，宋哲元这个人永远都不能，一直到死，他始终保持着这份属于他的自尊。

然而要是不讲，所有后果就全要由自己来背了。宋哲元很清楚，蒋介石当初要的是守北平，而不是让他搞什么和谈。北平丢了，就是没有完成任务。

所以他一再请求蒋介石处分自己，当然，他也知道，蒋介石未必会真的予以处分。毕竟他还是二十九军的首领，在旧军队体系中，如此的“自请处分”，也往往都是做的表面文章。

可是这一样不能减轻他的痛苦。

实际的情况是，退出北平这件事，不仅使他从此丧失了华北，还使他本人在军中的权威和自信心也受到了严重挑战。

更不用说，还有赵登禹的突然牺牲，张自忠的突然背叛，他们都曾是他的部下兼兄弟。

宋哲元的内心，已经恍如被暴风雨扫过一般了。

他为人性格内向，平素就极为严肃，不太爱说话。有人跟他开句玩笑，他听完之后，不仅不笑，还会很认真地告诫对方，说这次就算了，下次再这样，可就对你不起了。

自从退出北平后，宋哲元更加不爱说话了，整天沉闷不语，想着自己的心事，甚至常有精神错乱的举动。

当见到萧振瀛的这一刻，宋哲元在情感上终于释放出来。

他说，如此巨变，非所预料。

我离开北平，不是我自己想走，而是荩忱（张自忠字）突然来到北平，威胁要我离开，我是实在没有办法才赶紧出走的。

最后宋哲元叹着气，红着眼圈对萧振瀛，又像对自己说：“荩忱何至如是乎?”

大家都是兄弟，至于做得这么绝吗?

萧振瀛听出了痛楚，他知道宋哲元没有说假话。随后，秦德纯所言，也与宋哲元一模一样。

从萧振瀛的内心来说，他还想留下，哪怕是重新做二十九军的总参议。毕竟，他对这里的一切人和一切事都充满了感情，他可以帮助二十九军运谋筹划，可以使这支军队东山再起，甚至在抗战中再获声名。

然而他也知道，这一切都不可能了。

物是人非事事休。事到如今，且不说宋哲元的自尊心不允许，仅秦德

纯等人看他的眼光就是异样的，意思明摆在那里：就你姓萧的行，离开你，我们都没办法是吧。

这里已不再属于他了。但他知道，自己必须作出尽可能的努力，来挽救那些够得着的人和事。

张自忠正前往济南，此时他既蒙汉奸之名，则人人避之唯恐不及，然而萧振瀛打定主意要去见上一面。

我相信，他一定是被蒙蔽的，作为兄弟，我不能抛弃他。

往济南的路不是那么好走的，不仅是雨天路泞，还因为刹那间，往事全都涌上心头。

在纷纷扬扬的雨中，曾经骁勇无比的赵登禹消失了，曾经智勇兼备的张自忠则身影模糊，不可复认。

一切又好像回到了从前，从前那段日子，二十九军草创时期，多么艰苦，多么难熬，可是再难再苦，几个兄弟也会在黑暗中紧紧相拥，肩膀靠着肩膀地往前走。

人最值得回忆的永远是从前，那个既哀伤又温暖的从前。

如今，再不可重现矣。

张自忠也正走在这条路上，只不过与在北平时相比，已判若两人。

他身穿深灰色棉袍，手提小木箱，仿佛一个剃头匠，落魄如斯，几乎和周围的难民没有任何区别。

后方民众则早就把“张扒皮”列入了头号汉奸，有人骂他是秦桧转世投胎，还有的说这厮姓张，原本就是张邦昌的后代，卖国苟且乃是祖传。据民间传闻，张自忠的亲哥哥听到后也引以为奇耻大辱，好几天都闭门不出，饶是如此，大门口仍然被乱七八糟地贴满了“卖国求荣”、“认贼作父”一类的标语。

此时的张自忠悔不当初，真有痛不欲生之感。他对朋友说，自己在平津时好像被鬼所迷，糊里糊涂，根本不知道都做了些什么。

沿途皆属鲁军地界，当年张自忠在老西北军做过学兵团团长，很多鲁军军官皆出自其门下，按照旧军队的习俗，不管老长官犯了什么罪过，部属都应前去探看。

张自忠也到了落魄的时候

可是没有几个人愿意去，都说到这种时候了，谁还会买一个汉奸的账呢。

这个世上，总还有心软或者顾及情面的，但是看归看，也就止于叙旧而已，基本都是聊聊老西北军的那点陈谷烂芝麻。

至于北平往事，有过吗？不知道啊。

过了几天，张自忠连这点可怜的待遇也享受不着了。他想在路过济南的时候找一下韩复榘，毕竟同为老西北军故旧，不看僧面看佛面，落难的时候，总能帮着说上两句吧。

但当别人帮他通报时，韩复榘却没好气地来了一句：“你管汉奸的事干什么，我跟他之间没什么好谈的!”

啪，电话挂了。

见此情景，无人再敢代为通禀。

更有甚者，张自忠原来学兵团的一个老部下，竟也随风转舵，当面讥讽：以前我见你尽读圣贤书，可你都从那里面学了点什么呢？

吾国国情是，假如一个人“十恶不赦”，则似乎所有人都有了站在道德制高点上给予冷嘲热讽的权利。

张自忠一戴罪之身，本不欲多言，此时也被激怒，不由得拍案大呼：张某当粉身碎骨，以事实取直天下!

事实是，从此之后，张自忠的临时居所更变得门可罗雀，眼前连个鬼都不出现了。

当你近乎被全世界遗弃的时候，那颗心真的比三九严寒天的冰块还冷，这时的张自忠进退两难，滋味实在难熬。

还是走吧，长久待在这里总也不是个事。鉴于原来接待的人都躲了起来，张自忠只好不告而别，在桌上留了张便条，谓：急于赴济，不暇告辞。

赴济不一定去见韩复榘，明摆着对方不够朋友，连见面都不愿意。

犹如茫茫黑夜漫游，前方等待我的命运将是什么，谁能告诉我？

恐怕真的只能直挺挺地站在军事法庭上听候宣判了。

当然，也可以偷偷溜掉，实在不济躲到沦陷区或索性出国，兵荒马乱的，谁还能跟在你屁股后面抓人不成，但张自忠自己很清楚，假如这样做，一生就真的被完全毁掉了。

虽曾迷茫犯错，却也是个堂堂七尺男儿，岂肯为之。

再说，若无洗心革面之意，我又怎么会冒着千辛万苦，潜出沦陷区南下呢？

可是，正所谓墙倒众人推，鼓破万人捶，这种时候，无论态度多么真诚，回应你的依然是无边无际的白眼和冷遇。

直到在济南下车，张自忠心里仍然充满了绝望和凄凉，就在这时，一个他从未预料到的场面出现了。

挽救与自救

那个人，萧振瀛真真切切地站在面前。

现在的张自忠不是从前的张自忠，现在的萧振瀛也不是从前的萧振瀛。

士别方三日，两人的距离却已是如此之大：一个是生死未卜的罪人，被痛骂和鄙弃包围的汉奸嫌疑犯，另一个却是第一战区总参议，拥有上将军衔的高级长官。

张自忠更不会忘记的是，在当初驱萧的过程中，也有他的一份“功劳”。

惊讶和紧张，惭愧和惶恐，交替出现在张自忠脸上，让他一时不知说什么才好。

好久，才吐出了两个字：“大哥……”

曾几何时，张自忠意气飞扬，这个称呼被抛到了九霄云外，代之而起的，只是对那一点点现实利益的拼命争夺！

然而一切终将过去，浮华散尽，能够留存的还是兄弟手足之情。

这么久以来，张自忠虽然境遇一落千丈，到了人尽奚落的程度，但从未当着别人的面掉过一滴眼泪，如今却再也控制不住了。

他抱着萧振瀛大哭起来：我对不起团体，对不起大哥（指宋哲元）！

萧振瀛想知道的是，他当初为什么要去北平。

的确，每个人都想知道，那一直是一个藏在许多人心中的谜。

张自忠提到了一个人，那个出卖二十九军的潘毓桂。

潘毓桂当时告诉我，宋哲元已经接受了日本人的所有条件，可是日本人又认为军队已不听从宋的命令，所以要我代替，这样我才赶到北平，代他控制局势，但没想到局势会演变到这个样子。

张自忠不能够启齿也无法解释的是，在“被鬼所迷”的情况下，他是否也曾有过取宋自代的念头。

听到这里，聪明如萧振瀛已经全都明白了。

这是汉奸的阴谋，潘毓桂是什么东西，他的话你能听能信吗？宋哲元从未接受日本人的条件，过错在你一人身上。

张自忠如梦方醒。自己上了当，却还替人数钱，何其愚哉。

等清醒过来，错误却已无法挽回，假如当时萧振瀛在身边，也许不至于如此糊涂吧。

张自忠痛哭着对萧振瀛说，我这颗心可对天地日月，现在是百口莫辩，但是请给我一个机会，让我死在战场之上，用以自白。

这个时候，萧振瀛一定是暗暗地松了口气。

张自忠禀性纯正，过去受人利用，一时迷途，如今既知错能改，则一切犹可转圜。

更重要的是，萧振瀛了解他这位兄弟的军事才能，眼下正值多事之秋，急需抗倭良将，岂可不为国家惜此人才。

但他同时也知道，张自忠犯的错不是一般的错，事情要想有所转机，

非常之难。

当时即将受到处分的二十九军将领一共有两个，除了张自忠，还有刘汝明。

处分张自忠，缘于丢失平津，处分刘汝明，则是因为后者是张家口失陷的主要责任人。

都是丢城失地，但程度上有很大不同。后来南京政府的处分令上也说得非常明确，张自忠是“放弃责任”，而刘汝明只是“抗战不力”，因此，刘汝明罪责较轻，最后仅为“撤职留任”。

然而哪怕再难，萧振瀛也会去做。

他现在没有别的凭借，能依靠的，只有自己对兄弟对朋友的一片苦心孤诣以及纵横捭阖的聪明才智。

趁政府的处分令还没下达，萧振瀛急赴南京，以便在那个最重要的人——“蒋委员长”面前为之说情。

这只是一方面，另一方面张自忠自己也得想办法。

虽然萧振瀛没有在回忆中提及，但很显然，从这时候起，他已经开始给张自忠支招了，教他下面如何一步步去做，否则的话，很难想象，本来在交际言辞方面素不擅长的张自忠之后会突然像变了个人一样，指哪儿打哪儿，而且皆切中要害。

萧振瀛走后，张自忠即前去求见韩复榘。

这恐怕是萧振瀛要他去见的第一人，这个人虽然之前已经无情地拒绝了见面请求，但又非见不可。

因为张自忠的事，光靠萧振瀛自己在蒋介石面前说情是不够的，内部外围都还必须有一个强大的游说声浪，而最重者，乃在于借助老西北军的团体人脉。

韩复榘这里，是一个突破口。

如果把张自忠换成宋哲元，后者在吃了闭门羹后，是无论如何不肯再上门的，就像老西北军落败时，他已经走到太原还不愿去求阎老西一样。

张自忠去自然也是硬着头皮，但即使萧振瀛不讲，他也明白，如今真的只能自己救自己了。

在山东省政府门前报上名姓后，副官即进去通报。照理，这时候张自忠只能在门外等待，然而谁都知道，这种等待将注定是不会有任何结果的。

张自忠跟在副官屁股后面就走了进去。

很不礼貌，但没有办法。

老远就听到韩复榘在屋里高声嚷嚷，还是那一套：搞卖国勾当的人，我跟他有什么话好说？

话很难听，可是再难听也得听着，张自忠鼓起勇气，接上话茬，大声应道："向方（韩复榘的字），是我。"

韩复榘没想到张自忠会直接闯进来，避无可避，但仍然不想给对方面子。

"你卖你的国，咱们之间没什么可谈的。"

那语气，仿佛之前两人从不认识，现在则一个是超级汉奸，一个是民族英雄，泾渭分明，势不两立。

张自忠平心静气地说："不是我要卖国。"

一听此话，韩复榘停住了脚步，从鼻子里嗤了一声。

如此说来，难道是我韩某教你卖国的？

张自忠从怀里取出那份宋哲元当年给他的手令。

韩复榘一看就看出了问题，他惊讶地发现这是宋哲元的亲笔手令，根据这份手令，"政委会委员长"等职务都是宋哲元本人亲自交授张自忠的。

这说明什么，说明宋哲元很可能要为此担责，而张自忠没有责任。

由此是不是也可作一判断，即张自忠也许很快就会官复原职，未来前途仍然不可限量，现在对他这种态度，就等于以后自找麻烦了。

很多人都以为韩复榘是草莽将军，其实这是把他与另一个山东的狗肉将军张宗昌给弄混了。

张宗昌也许很草包，韩复榘却绝不草包，不然的话，你能想象他一个

大老粗，会极力推崇梁漱溟的“乡村建设运动”，并将山东造就成为“乡村建设模范省”吗？

这人机灵着呢，也很会借机行事。

立刻，他就又换了副嘴脸，开始痛骂宋哲元。

明轩（宋哲元的字）这家伙，自己卖国，还让别人给背黑锅，也忒不地道了，荩忱你怎么能听他的呢？

张自忠急忙说，事情不是这样的。

宋哲元和我，原本都是想同小日本大拼一场的，可是二十九军损失惨重，援兵却迟迟不继。我们一合计，是了，这是蒋介石想借抗战之名，来消灭我们杂牌军，以排除异己。

我俩当时是这么分析的，为了抗战牺牲一下无所谓，但如果牺牲于“排除异己”那就太不值了，于是宋哲元就手令我代其驻京，以便把所有部队都撤到保定。

总而言之，言而统之，我们绝没有卖国，目的是“为将来全面抗日储蓄力量”。

张自忠这段言不由衷的话说完，我不知道大家听时有没有一种感觉——太会讲了！

从张自忠以前的经历来看，他并无此好口才，似乎仍然只有一个解释，那就是此番“雄辩”皆出自萧振瀛之策划。

当着张自忠的面，韩复榘也听得一愣一愣的，原来保存实力，逃避作战，还能找到如此冠冕堂皇的借口，竟然归结到“为将来全面抗日储蓄力量”上去了，太强悍了。

张自忠的话，其实是搭准了韩复榘的脉，他可不整天想的就是如何“储蓄力量”吗。

假使宋、张是错的，须受到严惩，那他韩某人今后……

我们其实是站在同一条战线上的啊。

明白了这个理后，韩复榘不由自主地冒出一句：“你们这样干，很高明!”

他转而对张自忠客气有加，不仅请吃饭，还主动替对方筹谋，说要把冯玉祥找来帮忙。此时冯玉祥正要去六战区上任，济南这座庙是必拜的。

韩复榘是个聪明人，这种时候，帮宋、张说情，也是在帮他自己说情。

其实在历史上，无论是张自忠还是萧振瀛，与冯玉祥的关系都不好。

当初老西北军与晋军交战失败，张自忠曾投晋军，这导致冯玉祥一度对其不予信任，并夺去了他的带兵权，后来由于冯治安的力保，才慢慢地得以重新执掌军队。

与之相比，萧振瀛与冯玉祥之间几乎就是死敌。到老冯正式就任第六战区司令长官后，曾派手枪队搜杀萧振瀛，原因就是萧不但不予“合作”，还到处告他恶状。而萧振瀛则以为，国破如此，你一边在公开场合口口声声大喊爱国抗日，一边私底下还偷偷摸摸惦记着要重组老西北军，以与中央分庭抗礼，实在不顾大体，所以我该告的状要告，该说的话还是要说。

后来六战区被撤销，除了仗打得过于糟糕以外，与萧振瀛在蒋介石面前进言亦有不小关联。

全面抗战以来，冯玉祥战绩虽不怎样，然而在国民党内的形象一直是最坚决的主战派，如果这个最坚决的主战派兼六战区司令长官都能站出来说句话，对挽回张自忠的声誉无疑会起到别人难以替代的作用。

冯玉祥会帮这个忙吗，以前可能不会，但现在一定会，除了他要借重韩复榘，不能驳其面子外，也需要重竖老西北军掌舵者这杆大旗。

这是张自忠必见的第二人。

果然，在收到韩复榘的请托后，老冯便毫不犹豫地给蒋介石写了封亲笔信。

在这封信中，他破天荒地用了一个典故，这个典故不是出自《三国演义》，却是出自《圣经》。

没办法，中国人自古以来就没有赎罪忏悔这一说，《三国演义》里对

不忠不义只有一种解决办法——杀，不是他杀就是自杀。

比较起来，还是老外有人情味。

在《圣经》中，耶稣的徒弟彼得前来告状，说他老是被人欺负，他为此一直隐忍不发，如是者三，已经宽恕了对方七次。

他问师父，还需不需要再宽恕下去。

这是一个很无厘头的问题。

耶稣说，宽恕七次就够了吗，不够，我对你说，不是七次，要七十个七次，也就是四百九十次才行。

冯玉祥是基督将军，不是佛教将军，其实类似的说法，在佛经里面也能找到。

老冯建议，宽恕张自忠，因为后者有良心，有血性，只要叫他继续带着队伍打日本，一定会尽其本分。

应该说，后面这句话，确是冯玉祥发自肺腑之言，老西北军这么多战将，他看人还是挺准的。

怎么办

此时，萧振瀛已经在南京的蒋介石面前替张自忠求情了，除了上面已经讲到的那些意思外，他还传达出一个重要的使将策略，即“使功不如使过”。

有功之臣，心高气傲，驾驭必难，而有过之将，极思补过，即令其效犬马之劳亦不敢轻辞。

这一点对于身处危局之中的蒋介石来说，当然十分动心。

何况他也从萧振瀛那里了解到，张自忠禀性端正，不比石友三等朝三暮四之徒。他只是一时受人蒙蔽，现在已痛悔不已，确有立功改过之心。

过错，人人都会犯。

明代堪称最出色的宰相张居正就曾说过，只要不是天生的圣贤，谁会没有过错呢，关键还是看他能不能改。

如果你开始有过错，但“终能迁改”，虽然还有可议论之处，最终亦将既往不咎。

对如何对待这些改过之人，张居正的观点是：皆当舍短取长，优容爱惜。

要用，而且还要好好地用，用其所长，弃其所短。苟能如此，则人人乐于效用，天下无弃才矣。

这番话是张居正在当国师，也就是教太子的时候说的。当时他告诉未来的小皇帝，“此可以为万世人君之法”。

你要想做个好皇帝，一定要记住用这个法子。

明朝第一首辅张居正做过皇帝的老师

蒋介石不是昏君，儒家经典读了那么多，自然明白这个道理。

可现在的问题是，能不能用张自忠这个改过之将，什么时候用，还不能完全由他说了算。

平津失守之后，张自忠不但在民间责诟满天下，政府高层喊打喊杀的也为数不少，皆要求对其进行审查，并以投敌叛国罪论处，严惩不贷，以儆效尤。

冯玉祥的来信让他大松一口气。这就说明不是他蒋某人一个要置党纪国法于不顾，进行有意偏袒。

你们看好了，连抗战爱国叫得震天响的老冯都持此说。

处罚还是免不了的，不然无以对外界之口舌，不过事情已可大大缓和，让张自忠来南京再说吧。

萧振瀛心里一块石头暂时落了地，但他知道，这还远远不够，于是又即刻动身北上。

张自忠还必须见第三个人，然而，与韩、冯相比，这第三个人却是张自忠更不敢贸然相见的。

同样，对方也不肯见张自忠，不仅不肯见，还不能轻易原谅。这个人，当然就是重新被张自忠呼为大哥的宋哲元。

两人之间必须有一座桥，萧振瀛北去就是要做架桥的工作。

他知道，宋哲元一直有一个心结，那就是北平弃守的责任问题，而且他也知道，宋亦是耿直之人，从不会干落井下石的事情，尤其是看到张自忠已落得如此境地，他更不会舍兄弟之义于不顾而痛下杀手。

萧振瀛把他与张自忠见面的经过原原本本地告诉了宋哲元。

张自忠已经知错了，他亲口对我说，对不起团体，对不起大哥，而且我也明确告诉他："其错在汝"。

从事情的整个过程来看，张自忠系受汉奸挑拨和诱惑，现在他境况极糟，我们应该帮帮他。

听到第一句，宋哲元郁结已久的内心为之一宽。

听到第二句，他的心立刻软了下来。

帮是应该的，可是如何帮呢?

萧振瀛闻言大喜，只需如此如此即可。

却说张自忠在看到冯玉祥肯为之写信后，心情顿时好了很多。当天他就给过去的部下写信，信中情绪乐观，表示自己将有可能重返老部队，并通过拼命杀敌，以求见谅于国人。

这时正是五十九军（即扩编后的第三十八师）混乱不堪的时候。张自忠不在，副军长李文田暂代，可是李文田难以服众。

李文田是保定六期毕业的，按说这种军校资历，在其他军队应该金光闪耀，但老西北军发展出来的部队又不同。大家都是泥腿子出身，历来看重的不是文凭而是实际拼杀能力，对军校出身的军人，他们不仅不欢迎，还有一种本能的排斥。

李文田就是吃了这个亏，重编的五十九军下面，两个师长，刘振三和黄维纲，没一个听他的。特别是因为李文田在失守天津过程中"退亦不得，打又不能”的指挥，更是让师长们看不起。

凭良心说，那个时候的指挥失当，并不完全是李文田的错，可两个师长不会这么想，他们就认为李文田光会读书，不会打仗。

这些师长开始是不听李文田的，到后来则是连冯治安的话也不听了。

在原二十九军中，三十八师战斗力居于最强之列，四个主力师里面，可谓独占鳌头。天津之战中，连被日军抓住的小兵都能喊出“老子十八年后又是一条好汉”这样的话，你就可以想见这支部队上上下下有多么骄傲。

与之能够形成竞争的只有三十七师。三十七师以卢沟桥之战而闻名，但三十八师仍然看低三十七师，认为对方战斗力不过如此，到头来还是打不过日本鬼子，守不住卢沟桥，致失北平。

这三十七师却也不是好惹的。老子们再不行，总还一直在打，你怎么样，老是“一个打一个看”，天津最后不是也丢了吗？

到宋哲元去泰山休养，第一集团军由冯治安负责指挥，两军之间的这种矛盾更是加剧。

前面吃了败仗，五十八军认为是七十七军（即扩编后的三十七师）的责任，而七十七军则认为，五十九军消极避战早有先科，属于屡教不改。

五十九军的师长把状告到冯治安这里，未料七十七军近水楼台先得月，已经提前把状子递到了冯治安跟前。

冯治安正为吃败仗而恼火，便想对五十九军训上两句，可是话才刚刚出口，对方就啪地把电话给挂掉了。

哼，我们老长官不在，这姓冯的还不是帮着他们自己的部队说话，找他告状，算瞎了眼。

从此他们再不理睬冯治安的任何命令，只要听见打仗，拉着队伍就往下面撤。

如此一来，五十九军的名声变得糟糕透顶。其实这些师长也不想这么干，只是以为，在内，李文田属于窝囊废，在外，受冯治安压制，没法起劲啊。

收到张自忠的信后，五十九军从上到下，如同被欺负的孩子盼父母一般，纷纷派人到济南，请张自忠归队指挥。

张自忠心有所动。

此时宋哲元已将秦德纯派至济南协助张自忠，但以他多年军内沉浮的经验，深知在中央未有定论之前，张自忠回军队只会弊多利少。

秦德纯到济南后，也发现韩复榘对张自忠采取了外松内紧的办法，张自忠实际处于被秘密监视的状态，万一轻举妄动，只会对己不利。

因此，当他见到张自忠时，立即告诉对方哪里都不要去，更不能回老部队，否则后果不堪设想。

宋哲元之所以要让秦德纯担此使命，无外乎秦德纯的特长就是富有心计，处事谨慎。

在大家都睁大眼睛瞪着你的情况下，这差使可不能再出一点差错。

秦德纯先发电报给军政部部长何应钦，说我准备带张自忠来南京请罪，只是现在外面谣传太多，对张自忠可能不利，能不能前往，请予定夺。

何应钦复电：即同来京，可一切负责。

确认沿途安全有了保证，秦德纯才偕同张自忠一起向南京出发。

韩复榘专门派人陪伴同往，但其实是暗中监视，主要还是怕两人中途溜掉，从而问罪到自己身上，在这方面，“山东王”的心眼多着呢。

南下必经泰山，宋哲元正在此处休养，特意嘱咐让张自忠上山一晤。

在上山途中，张自忠心里一定充满了忐忑和不安。他不知道，那个自己曾经深深伤害过的人，会怎样对待自己。

鄙夷和冷嘲，也许都是免不了的，即使是痛骂和责打，也是应得的。你伤害过别人，不可能幻想一晃而过。

然而这一切都没有发生，大哥已经完全原谅了他，在这里等待他的，是兄弟间温暖的情义。

北平一别，才经两个月，但二人重新见面，却恍如隔世，竟觉得比两年还长。

秉性宽厚的宋哲元原谅了自己的兄弟

没有了利益角逐，没有了钩心斗角，往日情怀伴随着记忆又回到身边。张自忠在泰山一住就是两天，兄弟二人对盏长谈，互诉衷肠，对于平津之失，同感沉痛不已。

当迷雾散尽，所有事物都会变得清晰，世事沧桑，只会让人更加懂得什么才最可珍惜。

从泰山下来，几个人继续坐火车南行。

行至徐州站，突然上来一群气势汹汹的青年学生，一下子拥到了他们所在的头等车厢门前。

张自忠呢，那个大汉奸张自忠呢，快让他出来！

肯定走漏了消息，还是有人欲置张自忠于死地而后快。

秦德纯不慌不忙地迎上前去，主动请学生派代表进车厢谈话。

你们想要的张自忠不在这里，不信的话，你们可以四处查看。

这些学生找遍了头等车厢，未见张自忠身影，只好相信消息有误，遂偃旗息鼓走人了。

张自忠人间蒸发了？

没有，他就在这列火车上，只是被秦德纯事先安排到了三等车厢。

那里尽管嘈杂一些，却可掩人耳目。

宋哲元选择秦德纯陪伴张自忠同行确实是对的，这是一个心细如发的人，虽然他已经得到何应钦的保证，但为预防不测，还是作了必要准备，从而化除了张自忠可能遇到的险境和尴尬。

火车遇险，使张自忠的内心又收紧了，他更加深刻地感受到了自己在国民心中的形象已有多么不堪。

世界如此之大，却已小到了不能够把一个人装下，我怎么办，我怎么办？

他含着眼泪对秦德纯说，你和“宋先生”成了民族英雄，我怕真成汉奸了。

秦德纯赶紧安慰他，这才是战争的开端，来日方长，必须盖棺才能定论，只要你誓死救国，必有为全国谅解的一天，请你好自为之。

这段对话，由于后来张自忠名誉恢复等原因，在秦德纯的回忆中，被放到了北平失守那一天，但其实如果知道当年因果，它在这一段情境中才最为贴切。

峰回路转

南京，是最后一关。

能过得去吗？

此时的淞沪战场，正进入最激烈最残酷的阶段，蒋介石焦思终日，忙得无暇分身，但仍然第二天就抽出时间接见张自忠。

见到蒋介石，张自忠诚惶诚恐，赶紧起立请罪。

“我在北方接连失地，丧师辱国，实乃罪有应得，请严予惩办。”

说着，将早就写好的一份报告双手呈交蒋介石。

这份报告，大致就是张自忠对留守北平过程的一个交代。

在报告的最后一段，张自忠写道，自己受国家培养，理当以至诚效命国家，倘若有丝毫不忠实于国家的地方，甘受最严厉的处分。

话说得十分诚恳，蒋介石看得频频点头：“你在北方的一切情形，我都很清楚。”

张自忠再次请罪。

“我是当兵的出身，一个大老粗，不学无术，愚而自用，本来想和平解决华北局面，结果贻害国家，后悔莫及，请严厉处分，任何处分都是教育我改过学好。”

蒋介石其实和很多普通人一样，是吃软不吃硬的主，你在他面前死不认错，一个劲儿顶牛，他比你还火大，立马拉出去枪毙都有可能。相反，看到你神色憔悴，誓言改悔，他却也有心软宽厚的一面。

“你不用再说了，我是全国军事委员会委员长，一切统由我负责，你要安心保养身体，避免与外人往来，我稍迟再约你详谈。”

继冯玉祥之后，蒋介石又接到了一位大员的来信。

信是在泰山休养的宋哲元写来的，在信中，宋哲元表示，他以身家性命为担保，张自忠必能忠于国家，请求减免其罪责。

蒋介石已经了解到了北平失守的内幕，宋哲元作为受伤最重之人，能最大限度地宽容对方，并替张自忠说情，使他也为之十分感慨。

于是，两天之后，他再次接见张自忠。

这一次气氛更加融洽。

虽然会见时，正好日机在上空轰炸，但蒋介石神色镇静如常，脸上没有任何惧色，攀谈时也再不涉及北平的那些事，都是家长里短，比如最近身体怎么样、读些什么书之类。

最后，他告诉张自忠，当务之急是把身体养好，一旦你恢复健康，仗有你打的。

两次会面让张自忠感动至极，特别是蒋介石最后说的那句话，无疑表明他连重回军队都有希望了。

回寓所时，他在车上就泪流满面地对秦德纯说，如果能够有机会带兵杀敌，一定誓死以报国家。

政府的处分令下来了，是“撤职查办”，虽然比刘汝明的“撤职留任”要厉害，但你性质严重啊，如此处分，既未让你上军事法庭，又未关禁闭，已是好得不能再好的结果了，张自忠自己也心知肚明，因此才感激涕零。

然而解放张自忠并不是一件容易的事，内外部非议这么多，必须经过一段冷冻期。

毫无疑问，这段时期对张自忠而言是非常难熬的。

前方战火纷飞，昔日的大将，却只能蹲在这么一个无人问津的小角落里，方向在哪里，道路在哪里，哪里才是我的彼岸？

在客居南京，等待查办的日子里，被寂寞和彷徨双重折磨的张自忠再一次坠入“烟霞之癖”，又开始靠吸食鸦片来麻醉自己。

此时萧振瀛仍然时刻关注着张自忠的命运走向，他为此很担心。

谁都知道，蒋介石生平最深恶痛绝的就是“鸦片鬼”，他在新生活运动中曾经作出明确规定，对吸食鸦片屡教不改者以及毒贩，要严惩不贷，一律予以枪决。

吸食鸦片这件事，时间一长，不可能瞒过蒋介石的耳目，而后者一旦得知，极有可能会对再次起用张自忠产生顾虑，并会认定对方还是“孺子不可教，朽木不可雕”，当然，张自忠自己也会因此陷于颓废之中而不得自拔。

情况似乎没有变得更好，而是更糟了。

必须继续想办法，早一日把张自忠从坑底给拉上来。

在纵横大师的暗中运作下，老西北军和二十九军的团体力量再次加快运作。

现任六战区高级参谋的张克侠赶来了。

他看到的张自忠，样子更加憔悴，心情也更加不佳。

张克侠此次南来，就是以原二十九军僚属的身份，给张自忠打气，鼓励对方竭力振作。

你是一个良将，来日方长，是非可明！

张自忠独居寓所，有故人探看，精神顿时为之一振，与张克侠分手时颇有惜别之意。

最主要的，还是蒋介石对张自忠的态度。职务撤了可以恢复，可那个说不清的“查办”着实折磨人啊。

张自忠在天津时的秘书长来了。

通过一番转弯抹角，他得到了蒋介石的约见。在约见中，他表示自己身为张自忠的重要幕僚，如张自忠有过错，愿意分担责任。

一听这话，蒋介石就明白了，这是在向他传达一个信息：你得有个说法了。

在这段日子里，萧振瀛把能动员的人脉资源几乎全都动员出来。从冯玉祥、宋哲元开始，就连本来跟二十九军毫不沾边的何应钦、李宗仁、程潜、张治中等都跑到蒋介石身边，给张自忠说过好话。这是多大的一个“院内外游说集团”啊。

是时候了。

几天之后，蒋介石的侍卫长来看望张自忠。随身带来的，还有一张委任状。

在委任状上，张自忠赫然已是“军政部中将部附”。

委任令一出，所谓“查办”就烟消云散，不了了之了。

侍卫长还告诉张自忠，自即日起，你可以接见记者，发表谈话，借以平息民间舆论的冲击。

张自忠突然明白，他终于被解放了。

一直盼着这一天能到来，真的来了，却恍如隔世。

张自忠当即对这位侍卫长说，对“委座”的宽宏大德，我只有战死才能报答。

鸦片烟具扔在了一边，因为他知道重上战马的一天已为时不远。

谢天谢地谢人

此时张自忠的老部队五十九军却已乱得像锅粥。

李文田等不到张自忠回来，自己又指挥不动下面的师长，便暗生另投“山寨”之心，已开始暗中与韩复榘接触，想把五十九军拉到鲁军系列里面去。

这下子，五十九军官兵可急了。

他们往地上一坐，哇哇地就嚷开了。反正是一群没娘的孩子，破罐子

破摔，谁的规矩都可以不管，谁的命令都可以不听，爱谁谁。

不仅是冯治安，连宋哲元的命令都不接受。

你让我们上前线，老子们就不去，除非老长官张自忠亲自来调遣。

如果是一个两个师长不听调令，你可以直接进行处罚，甚至让他们吃牢饭，可现在是一个军上上下下都不听命令。

五十九军有三万人，难道你将这三万人都关起来？

冯玉祥见宋哲元都没办法，只得派时任六战区副司令长官的鹿钟麟前去做工作。

老冯的面子，他们也不卖。

鹿长官，你先给蒋介石发个电报，让张自忠回来再说。

见鹿钟麟发完电报后，还是没有一点动静，五十九军各个师就自己派人去南京找张自忠，希望能把他直接接回部队。

张自忠已获自由，他在见到这些老下属后虽百感交集，但也知道此时此刻，必须极力控制情绪，不可意气用事。

你们放心，“委员长”待我很好。

我现在有过，你们像目前这样闹下去，对我反而不好。

老长官传来了话，五十九军顿时安静了，随即依言渡黄河重新开赴前线。

五十九军的事也惊动了蒋介石，觉得这支部队以往素有能战之名，缺的恐怕还就是一个能镇得住的龙头老大。

不过一开始，五十九军军长一职并没有属意张自忠。

原因也并不复杂，一者张自忠已经跳过查办程序，直接升为了“军政部中将部附”，这么短时间内，又马上授之以军权，恐遭外界非议；二者五十九军之所以大闹，起因于张自忠，若骤放张自忠复职，等于开了个恶例，以后哪支部队有这样那样要求，岂不都可以胡乱闹事了。

李文田作为军长人选最早被提出来，能不能将其扶正，以安众心？

可是这个方案，别说宋哲元，连冯玉祥都不同意。

外面人不了解内情，李文田要是在五十九军内镇得住，哪里还会出现这种混乱局面。

接着，又属意秦德纯。

秦德纯也颇有自知之明，赶紧推辞。

五十九军里面的骨干战将，皆为张自忠当年在学兵团的部下，他的位置，不是谁都能坐的，要能力盖过张自忠才行，这样的人，一时到哪里去找？

只好继续搁着。

等到淞沪战事不力，南京政府机关奉命向武汉迁移，张自忠亦随之一同撤离，中途须经过郑州。

宋哲元的第一集团军在郑州有办事处，办事处的负责人在看到张自忠后马上向宋哲元报告了这一消息。

宋哲元一听，马上派出专车，要接张自忠来军营。

经历过如此多的坎坷，张自忠变得越来越稳重，虽然他其实也归心似箭，但还是克制住了。

他对来人说，我不能跟你走，要走的话，必须经过“委员长”同意才行。

宋哲元明白对方的处境，他随即向第一战区司令长官程潜进行了报告。

报告的主要内容就是五十九军的内部人事乱七八糟，各行其是，李文田不能领导，换其他人也不行，非张自忠不可。

程潜转报蒋介石，后者终于同意张自忠回军。

对外，如果这话说得太透，流言蜚语肯定少不了，所以具体处理方式为：张自忠仍然是“军政部中将部附”，不过从现在起，他将以上级领导的名义下基层指导工作，代宋哲元整训部队。

宛如重生，终于有出头之日了。

张自忠谢天谢地谢人，他说你们大家对我都是恩同再造，在张某有生

之年，应当以热血生命来报答国家、报答长官、报答知遇！

说到此处时，这个高大汉子已潸然泪下。

宋哲元亲自陪同张自忠到五十九军，北平往事仍然是难以避免的话题，因为它关系到一个带兵打仗之人的声誉和威信。

当着众将士的面，宋哲元说：张自忠留北平是我的主张，可那是为了掩护大部队安全撤退。

这是宋哲元第一次在原二十九军内部，对此事作出的解释，也成为后来很多关于北平撤退事件版本的源头。

宋哲元告诉五十九军官兵：军长一直未派他人，就是给张自忠留着的，现在他回来了，我还让他做你们的军长。

军营中欢声雷动，颓丧之气顿时一扫而空。

面对三军将士，张自忠只说了一句话：今日回军，就是要带着大家去找死路，看将来为国家死在什么地方！

闻者无不落泪。

还会想起那个夏天吗？那个起初晕晕乎乎然后又凄凉失落的夏天，曾经拥有的一切，无情地从身边悄悄滑落。

就当过去都已枯萎吧，虽然从无把握。

从现在起，我只有两天。

一天用来出生，一天用来死亡。

一天用来希望，一天用来绝望。

他对过去的老部下说："我这次回来，你知道是来干什么的吗？"

为国家而死的！

自此以后，"死"这个字从未离张自忠左右。

北方古风

张自忠的五十九军原属第一战区，是因津浦线战事紧张而由中国统帅部调入第五战区的第一拨援兵，但在此之前，李宗仁却已与张自忠有过一面之缘。

当时李宗仁刚刚被任命为第五战区司令长官，尚未到徐州赴任，萧振瀛四处托人说情，也找到了他门下。

老李开始还有些犹豫，毕竟对方有汉奸的嫌疑，可能面临军法审判，而自己又与其素无瓜葛，别好事没办成，反惹一身骚啊。

他便多藏了个心眼儿，先对张自忠的情况打听了一下。

熟悉张自忠过去历史的人们告诉李宗仁，这人是不是汉奸可以另当别论，但绝对是把打仗的好手，早在老西北军时代，就以勇将著称。

第五战区有个执法分监，是张自忠的同乡，又与张自忠一起在老西北军里共过事。他言之凿凿地保证张自忠为人侠义，不大可能当汉奸，或许事出有因也说不定。

一个勇，一个义，让李宗仁暗暗地点了点头。

能打仗，又不像石友三那样没品，岂不是宝贝一件，五战区家徒四壁，或许自己今后也有用得着人家的地方，提前送个人情还是有必要的。

不过道听为虚，眼见为实，趁着还未去五战区上任，李宗仁便让那位执法分监将张自忠请出来，私下里见个面。

让他没想到的是，对方竟不敢出来。

这时张自忠并未被明确定罪，只是模棱两可的“撤职查办”。他一个人独居于第一集团军驻京办事处，这里也没有人从旁监视或者限制其自由。按说串个门，走个亲戚，谁也拦不着，但张自忠就像学校里遵章守纪的小学生一样，虽然老师已不在课堂，却还规规矩矩地坐在课桌后面一动不动。

看到同乡前来相约，他只轻声回答：自忠乃待罪之人，有何脸面去见李长官？

张自忠不来，李宗仁不仅没有不高兴，反而加深了好感。

老李不是第一天混迹官场，那些油头滑脑的家伙见得多了，很多人要是落此境地，一听到五战区司令长官相请，立马贴上来还来不及呢，哪见

过像张自忠这样的，而且话又说得如此谦卑，看来的确是个老实不过的孩子。

再请再请。

等到与张自忠见面，李宗仁才发现，对方不光是老实，还老实到了一个让你难以想象的程度。

就像古装戏中带枷犯人上堂朝见钦差大人一样，张自忠完全是以一个犯人的心态来见他这位“李长官”的。最初进屋的时候，竟然连头都不敢抬，非得李宗仁来句与“抬起头来，恕你无罪”相类似的暗示，才敢正常抬头说话。

李宗仁最欣赏的就是这种老实本分的人，真是越看越喜欢，同时心里也不住感慨，过去自己只在旧戏里看到过这一幕，不料还真有相仿之人，北方军人素传留有古风，看来不虚。

这次见面，基本上都是李宗仁一个人在说话，张自忠只是在一旁默坐静听。

老李一番安慰，表示将为之说情后，他才予以答谢，并说了两句话。

其一，等候中央治罪；其二，如能恕其罪过，则戴罪图功，当以自己的生命报答国家。

考察完毕，李宗仁先去找了何应钦，这才知道对张自忠的政策其实早就放宽了，只是考虑要不要马上放他回五十九军任职的问题。

好事做到底，老李又在拜见蒋介石的过程中，专门提到这事，说自己已经反复试探过，怎么看都看不出张自忠是想当汉奸的人。眼下既然五十九军谁都不接受，那不如让他重回老部队。

张自忠能官复原职，再次带兵，并非一人之功，真的是要谢天谢地谢人。

尽管有过这么一段缘分，当张自忠即将奉调来徐州拜见时，李宗仁心里还是有些没着没落。

原因无他，乃是他对北方军人又有了新认识，特别是屡次被韩复榘甩臭脸之后，他发现，原来北方军人身上并不是都有“古风”，一不爽时朝你翻白眼儿骂街的大有人在。

过去张自忠对自己倒是毕恭毕敬，不敢越雷池半步，不过那是以戴罪之身被剥夺了军权，现在重掌权柄，今非昔比，他还会把你放在眼里吗？

要知道五战区可是个十足的破庙，李宗仁这个穷菩萨也踌躇起来，想着见到张自忠时，没准还要看对方脸色行事呢。

但是，事实证明所有担心都是多余的。

进得长官部，张自忠立正，敬礼，全部一丝不苟，并且一口一个“李长官”，俨然供李宗仁调遣的普通一兵。

你别看老李贵为战区司令长官，但他原先也不过是新桂系山头的山大王而已，论层次，都没有指挥娘子关战役时的黄绍竑高，人家好歹也是政府重要部门的部长，中央一品大员，加上五战区的门面又这么寒酸，所以一直以来，基本上都是老李讨好别人，没别人给他敬礼的。

张自忠一不许愿，二无索求，麾下兵强马壮，还能这么把你当尊佛供着，那感觉真不能用语言来形容。

老李先前稳坐太师椅，那是为了维持一点“李长官”的起码体面，别像跟韩复榘在一起时一样，想跟对方套近乎，还反过来给弄得灰头土脸，颜面扫地。

现在一看张自忠这样知情识趣，赶紧起身，又是让座，又是递烟，不知道该怎样关心体贴这个宝贝爱将才好。

大勇之将

张自忠此时的一言一行，却皆为其内心真实映照。

五十九军进入第五战区，首要任务是守住淮河。

虽有淮河之险，但面对第十三师团的大举进攻，于学忠第五十一军和桂军第三十一军都有些招架不住了。

此时李宗仁手上还是有牌的，他的桂军共分三个军，但除第三十一军外，第四十八军和第七军都还离得尚远，一时赶不过来。

如果淮北的于学忠首先掉了链子，让第十三师团过了淮河，徐州必将腹背受敌，成为第二个南京。这个道理，不光五战区的官兵明白，尚留在徐州的民众亦十分清楚。

但很多人仍对起用张自忠持有保留态度。

原因就是张自忠在众人心目中的不良印象并没有完全被抹去，对于淮河战场如此危急，政府还派这样有污点的将领出战，很多人心里都疑窦丛生，而张自忠对此也十分敏感，因此举手投足间均谨小慎微。

张自忠的经历，其实就是民国大多数优秀军人的经历。他们当初大多怀抱梦想，欲救国救民，但真正从军之后，却纷纷堕入你争我夺的是非漩涡，乃至使外人得隙，趁势入侵。

用张自忠反思的话来说，就是中国之所以闹到今天这个地步，都是军人的罪恶，要是军人早点认清国家的危机，团结御侮，东夷是绝不敢来犯的。

在南下的列车上，当着随军记者的面，他沉痛地说，你问我现在的军人该怎么办，很简单，就是怎样找个机会去死。我们要洗刷罪恶，报效国家，也只有一条路——去死，早点死，早点光荣地死！

张自忠要与敌死战，但还未到达目的地，前方却传来消息，淮河防线已被突破，连淮河北岸最坚固的防御要地小蚌埠都丢了，东北军由此纷纷后撤。

如果张自忠此时不在军中，处在这样的情况之下，五十九军的本能反应，准保也得像过去那样掉头就跑，或者被撤退的东北军所裹挟或拖垮。

张自忠的决策是，不退不跑，不闪不避，以硬对硬，以拳对拳。他斩钉截铁地对部下说，这次我们要赢！

不管对手多少，强弱如何，都必须赢，不能输，因为我有过。我的冤枉，只有一拼到底，拿真实的战绩，才能洗刷干净。

一个军对抗一个师团，并不一定能占上风，五十九军此前在津浦线上打过不止一仗，对手有时只是一个旅团、联队，甚至一个大队，但就是从

不退不跑，不闪不避

没赢过。

若论实力，五十九军未必就孬。在原二十九军各部中，张自忠的部队训练最好，装备也最好，并非一般地方部队可比——步兵拿的都是中正式步枪，每班一挺捷克式轻机枪，另外还配有步兵炮和重机枪。

以前吃败仗的原因很多，或是上下不齐心，或是士卒不用命，但在这一刻，所有的不利因素都不复存在，即使是小兵都知道，眼前这一仗关系到老长官是否能恢复声誉，必须豁出性命去打。

部署已定，五十九军不仅未停步，反而加快行军，抢在日军前面展开队形。对手刚一露头，就猛地送上一拳。

第十三师团正追得起劲儿，还没回过神来，已重重地挨了一记，于是一边喊疼，一边拥兵上前，双方战成一团。

当场面趋于白热化之际，张自忠亲笔给前线部队写去一纸命令：要忍最后一分钟，要撑最后一秒钟，定能得到良心上之安慰！

接到命令后，五十九军营长以上军官均在阵前盟誓：有进无退，以胜利为长官洗刷冤情，如有畏缩不前者，就地枪决。

五十九军山呼海啸一般往前冲，第十三师团并没有能全部过河，且立足未稳，遭此猛击，一下子就吃不消了。

几天之后，张自忠力夺小蚌埠，第十三师团见大势已去，只得退回淮河南岸，中日两军重又形成隔河对峙的局面。

张自忠勒马岸边，壮怀激烈。

历史记载着，淮河战场是一个著名的古战场，一千多年前，东晋与前秦在这里鏖战，那也是一场文明与野蛮、弱小与强大的殊死角逐。

东晋仅能派出八万人马对垒，而前秦却拥兵八十万，整整差了十倍，若光论数量，几乎不在一个档次，但东晋大将谢玄硬是创造出了“风声鹤唳”的典故——八十万前秦兵马被杀得大败，连听到风声和鹤叫都以为是对方追杀过来了。

我知道，假如前秦战胜，一定会有人在书上写下“民族融合”、“统一乃是历史的趋势”之类妙语，前秦的苻坚没准也会被大书特书。

可惜，汉民族赢了，江南文明得以保存，此皆谢氏家族之功也。

时光荏苒，然上赖先人庇佑，下凭勇将横槊，淮河再一次为我们挡住了异族强寇。

这是张自忠回师以来打的第一个胜仗，张将军真可谓大勇之将。

何谓大勇？

先轸是春秋时晋国一个很有名的元帅级将领。历史上著名的城濮之战便是这位先生的杰作，所谓“城濮之事，先轸之谋”。

他手下有一猛人，叫狼瞫，素为如狼似虎的勇猛。可先轸觉得他还不够勇，不重用他。狼猛男为此很生气。

春秋时候，人重气节。很多大大小小的猛，一旦得不到上级的重用，通常做法就是：一赌气，死了算了。

狼瞫的同伴便问他：你怎么还不死。要是你自己下不了这个决心，我可以帮你。

你听听，说的真不像人话，可是狼瞫没有生气，他回答同伴说，我死是肯定要死，但是死而不义，非勇！

真正的勇，要“能供世用”。

秦晋大战，狼瞫自为前锋，当场战死。

其实先轸也是这样一个人。他曾经因为公事分歧，当着晋文公的面“不顾而唾”，朝文公吐唾沫，很不讲公共卫生。

晋文公却大人有大量，没跟他计较，结果反倒是他自己觉得愧疚，最后在和狄人，也就是春秋时的游牧部落作战时，连甲胄都不穿，就冲锋陷阵而死。

《左传》上因此说，这些人都具备大勇，是君子一流的人物。

从大勇到铁石

就跟玩儿接力一样，南方淮河战场刚刚解除警报，北方临沂那一块，庞炳勋又大叫救命了。

所幸此时第四十八军和第七军已经赶到淮南，加上第三十一军，聚一块的桂军来了个三英战吕布，通过“转灯儿般厮杀”，总算又把第十三师团夹了个不能动弹，这才使得张自忠得以从淮北抽身而出，并再次充当救火队队长的角色。

也许老天都可怜李宗仁兵少将寡，这小家操持得颇不容易，因此替他安排得十分周到，几乎是环环相套，丝丝入扣，要是庞炳勋早一脚顶不住，或是两支桂军晚来一会儿，张自忠是无论如何抽不出来的。

张自忠要援救庞炳勋，可是两人之间以往却有一些过节。有一个说法是，当年中原大战老西北军分崩瓦解，老庞这家伙曾起过歹心，想借机并了张自忠的人马，幸得后者早有提防，才未得逞。

从庞瘸子原来一贯的油滑作风来看，这类趁火打劫的龌龊事他兴许还真干过。

早在张自忠奉调徐州后，就曾私下通过其他人向李宗仁转述过自己的苦衷，称自己在任何战场上都可拼死一战，唯独与庞炳勋在一起会感到尴尬。

李宗仁当然要做思想工作，而临沂危急，张自忠当然也不会真的不

去，只是面子上有些挂不住罢了，经过李宗仁几句劝解后，便立即答应领命前往。

淮北之役拔得头筹，使张自忠和他的五十九军声名大振，在国人心目中的形象也为之一变。回军徐州后，各界民众公推代表来见这位得胜之将，请他发表讲话，以激励军民士气。

未料张自忠一开口就直接戳入了自己的痛处：

对我过去的一切，国人不谅解，骂我是汉奸，这是我终身所痛心的一个污点。我只有拿事实来洗雪这一切，现在无话可讲。

说到这里，张自忠忽然哽咽不能成声。

在情绪近于失控的情况下，他用一句话概括了自己的决心：在徐州战场，我们完全有把握战胜对手！

张自忠这句话并不是信口开河，“张扒皮”扒出来的子弟兵不是盖的，尤其是在具备必胜信念和决死精神之后，更是如同猛虎生翼。

整整一百八十里路，五十九军一个昼夜便赶到临沂，当听到他们来援的消息时，前线阵地顿时欢声雷动，士气大振。

张自忠、庞炳勋会面，并没有原来预想中的难堪，对外战的共同关切，早已使双方在内战中的郁闷一扫而空。

几句客套话之后，立即商量作战方案，也就是如何解临沂之围。

庞炳勋这些天被打得苦不堪言，自然希望张自忠能早点把他替下来，以便让自己坐旁边喘两口，这也是当初他企盼援军的本意。

大家的视线都朝向张自忠——以张将军淮北之役的神勇，想来绝不会推辞。

不料与众人的想法相左，张自忠恰恰推辞了。

此前，张自忠已对五十九军在黄河以北吃过的种种败仗进行了细细分析。他发现，这些败仗都有一个共同特征，即单纯防守，而单纯的阵地防守却并非五十九军所长，他们平时训练中最拿手的不是阵地战，而是长途奔袭或者夜袭。

舍长取短，当然要吃败仗了。

因此，张自忠对庞炳勋说，要依我，就不得不为难老哥你再苦撑一下，我要抄板垣之后背，使其顾此失彼，如此，临沂之围自解。

张自忠、庞炳勋各提方案，最后交徐祖贻定夺。

徐祖贻判定，张自忠是对路的，遂在此基础上部署全局。

张自忠回营后，立即对本部兵马作出动员。

我知道，大家经过急行军，已经非常疲惫，按常规要休整后再战，但我们面对的是板垣师团，那是武装到牙齿的日军主力部队，跟他们打，一定要以非常规对常规，像淮北之役那样，超前出击。

传我命令，徒涉沂河，抄击汤头！

沂河宽百余米，但并不深，仅到膝盖那里，只是早春北国，春寒料峭，那河水亦是冰冷刺骨。

这时候看的就是一支部队的功底。台上一分钟，台下十年功，张自忠训练出来的军人，都是身上被“扒”掉过好几层皮的，普通的挨冻受伤，对于他们来说，根本就算不了什么。

张自忠亲自在身后督师。

天空飘起了霏霏细雨，更增寒意，然而这个人的心里却是热的。

雨，并不完全代表着诗意，有时它也会给前行制造各种各样的困难。比如，骏马会因为泥泞路滑而摔倒，雄鹰，也可能因为方向不清而迷失。

只有穿越，顽强地穿越，才能看到远处的风景。

那里，是无边旷野，是辽阔天空，是供勇士奔驰和飞翔的天与地。

拯救自己，也是在重塑生命。

张自忠自信他还能赢，不断地赢，因为他心中没有惧怕，有的只是超越任何私心杂念的力量。

但是当随军记者要张自忠预测一下，与板垣一战究竟胜败如何时，他还是变得谨慎起来。

板垣实力强劲，不容小觑，此战成败其实并无确定把握，不过我将全力而为，以求良心之所安。

果然，五十九军在登上沂河东岸后，行情开始还不错，连克日军多处阵地，但板垣何等样人，他马上反应过来，并且察觉出张自忠的意图。

板垣立即从正面抽出兵力，转而向侧翼反扑。五十九军虽然上了岸，却站不住脚，几个回合之后，便只好退回沂河西岸。

日军趁势追过沂河，眼见得形势不仅未有缓解，反而还急转直下。

一渡沂河的失败，令张自忠十分震怒和吃惊。

他撤掉了一个对此负有责任的旅长，同时调上预备队进行猛力反击。

两军以西岸的刘家湖村为中心进行鏖战，双方各自据守村庄的一半，隔着水塘射击，仅一天一夜之后，水塘周围便死尸累叠。

经过三天血战，五十九军损失很大，两师的营长伤亡近半，连排长则全部易人。徐祖贻坐镇临沂，将这一切尽收眼底。他打电话向李宗仁请示，准备让五十九军暂时下去休整一下。

然而此时正是战至酣处的时候，张自忠哪里肯退。

我伤亡大，板垣伤亡也不会小，双方都在咬牙苦撑，胜利的关键，就决定于谁能撑到最后五分钟。

请再给我一天一夜的时间，我要倾全力给板垣以致命一击，如果不获成功，再遵令撤退不迟。

李宗仁复电：同意。

张自忠颁下命令，所有主官一律靠前督战，所有山野炮和重迫击炮推至第一线，在规定时间内，必须将所有炮弹，一颗不少地送给板垣尝尝鲜。

他一改几天前对记者的谨慎态度，严令参战的几位战将：此次攻击战，许胜不许败，否则军法无情。

这是与板垣决一胜负的最后机会，所以绝不能有任何闪失。

3月16日夜，临沂大地忽然地动山摇。

在数不清的弹雨之中，张自忠集聚全力，霍地一拳向板垣的小肚皮击了过去。

戴罪之身的张自忠打起仗来真的是拼了命了

临沂之役进入了最高潮。

张自忠动作之猛之快，完全出乎板垣意料之外，以致过河部队猝不及防，自家火炮全部失去效用。

经过一夜苦战，到凌晨时分，板垣师团的过河部队终于抵挡不住，包括刘家湖在内的西岸所有日军主阵地皆被攻破。据日军俘虏交代，他们自登上沂河西岸后，已经五天没有吃上一口饱饭了，可知张自忠所说的“双方都在咬牙苦撑最后五分钟”并非虚言。

战后清点，板垣师团仅在刘家湖就遗尸接近两百具。以往日军作战，想着法都得把他们的尸首带走，即使一时拖不走，仓促之间也会从死者身上弄个细零碎回去，比如一根手指，一只耳朵之类，回国后交给其亲属——也不知道这些日本人怎么想的，血淋淋的，有什么可看?

这次却是例外，由于张自忠出击极为迅速果断，日军根本没时间干这些活，剩余人马就自顾自地逃到对岸去了。

在将板垣师团驱出沂河西岸后，张自忠冒雨二渡沂河，一系列组合拳打过去，不给对手以喘息之机。

这次他不光是在后督战，而是亲自过河到了第一线。他的出现，使前线官兵士气达到沸点，即使是伤员都没一个肯下火线，非得张自忠出面劝说，伤势较重的才肯去后方医院。

张自忠侧翼进攻的得手，使板垣师团顾此失彼，庞炳勋趁势掩杀，临沂不仅成功解围，而且整个战场形势至此全面翻盘。

3月18日，距离张自忠第一次强渡沂河，刚满五天，板垣的最后五分钟已撑不下去了。

五十九军和庞军团在将临沂附近残敌扫荡一空后，联手将板垣师团包围在了汤头，后者连兵站都被中国军队给端掉了。

当中国统帅部的特派慰问代表来到临沂时，他看到沿途日军死伤枕藉，仅被炸毁的坦克就有六辆之多，而丢弃的战刀、军毯、罐头食品以及其他各种各样的战利品则堆积如山，俯拾皆是。

蒋介石闻讯，喜不自禁，就好像一个巴掌打在了那个盛气凌人的近卫脸上，心里这个爽。在他给五战区发来的嘉奖令中，便有“开抗日胜利之先河”一语。

美国大使馆上校武官、后来大名鼎鼎的史迪威，此时也在徐州观战。此君能讲一口流利的中国话，是美国人中的“中国通”，平时和李宗仁吹牛聊天都不用带翻译。他开始对中国抗战的前途也是极其悲观的，甚至认为中国人是在拿筷子和日本人作战，实在看不到有丝毫取胜的可能，然而自此役起，他也有些乐观起来，认为中国抗战未必就没有一点取胜的希望。

“钢军”碰到打铁汉，尽管极不情愿，但板垣失败的命运已不可避免。

此前，无论南口战役、平型关战役，还是忻口战役，板垣的作战模式几乎都如出一辙，即两支部队作配合，一个走正面，一个出侧面。

这是板垣从迂回包抄战术中演化出来的一种特有战术，可称之为“双头蛇战术”，称得上是板垣的拿手绝活。说它绝，就绝在可以双拳出击，让你防不胜防，所谓正面、侧面皆不固定，能随战场形势移来换去，甚得进攻之妙。

应该说，不管与谁搭档，板垣始终都是“双头蛇”中的唯一主角，最耀眼的明星。若没有他来牵制大量中国军队，换任何一支日军部队，都很难从旁边偷袭得手，这也是板垣在东瀛军界能够声名鹊起的重要原因。

从战后缴获的军事文件来看，他此次南攻临沂，为的也是要像以往那样用双头蛇来咬人。

可是这一次，曾经屡试不爽的“双头蛇战术”再也玩不转了。

加上在临沂这里耽搁的时间，板垣的南下已被迟滞达一月之久，不仅无法如期和矶谷会合，连牵头吸引中方更多优势兵力的作用也没能体现出来。

通过临沂大捷，张自忠善战之名至此享誉五战区和整个国内军界。

能与板垣对阵的都不是寻常之辈。南口战役，汤恩伯把第十三军的家底搬出来，还被板垣打得一退再退。到了太原会战，陈长捷则不惜以老底子死磕，并以百团大战的规模，才一度击退板垣。

应该说，这两仗虽没有完全把板垣给打垮，但是把他给打疼了，并种下了板垣师团的胎里毛病，只是在香月等人的百般掩饰之下，才没有露出其逐渐虚弱的内囊，而一般不了解内情的人，也以为板垣师团仍然是日本军界的第一流部队。

饶是如此，汤恩伯、陈长捷之外，能与板垣在马前走上两个来回，甚至战而胜之的国内将领，仍是屈指可数。

张自忠到此时，已真正走进了抗倭名将排行榜的前列。他在敌我力量悬殊的情况下，之所以能屡建奇功，除确有大将之才外，与其特殊的人生经历也有很大关联。极少有人能像他那样，每至战场险恶之时，都能始终不为所动，而一动则必达目的不罢休。

随军参谋张克侠一语道破张自忠成功秘诀：“公决心之坚决，盖如铁石也”！

撼山易，撼铁石之将难。

最后一秒钟

张自忠本已将板垣师团困于汤头，形势非常有利，但这时张自忠忽然接到五战区命令：滕县失守，津浦线十分危急，需要马上增援。

现在的李宗仁，只要觉得哪里不行，第一个想到的便是张自忠。

张自忠一战淮北，再战临沂，无一败绩，加上又对自己唯命是从，如此战将，谁不喜欢，所以早就成了老李心头的一块宝贝疙瘩。

张自忠受命之后，留了一个旅给庞炳勋，主力随其向津浦战场开去。

可是行到半途，李宗仁忽然又来了电报，让张自忠停止前进，原地待命。

这份电报却是蒋介石让发的。

徐州战场虽由李宗仁直接指挥，但很多大关节处，皆由蒋介石一手调度，后者不同意将张自忠调离临沂战场。

老李急于解西战场之急，他忘记了，东西战场原本一体，若只顾一头，就会陷入当年平型关战役或太原会战那样的困境："双头蛇"必有一头能咬住你，并将它的毒液注入你的体内。

要知道，张自忠只是暂时击退板垣师团，击退不等于击溃，板垣仍有足够实力卷土重来并拿下临沂，对于防守徐州来说，这才是最大的威胁。

李宗仁接到蒋介石指令后，起先还犹豫不决，他不相信临沂战场会再陷危机，同时朝令夕改，不仅影响军事长官的威信，也必然会使所调之将感到十分为难。

一个"原地待命"，实际在观察临沂战场的动静。风平浪静，则原令不变，若有不测，再作计较。

然而蒋介石的推测不幸而言中，板垣果然又捅过来了，这次的声势比上次更大，庞炳勋被迫再次呼援。

眼见不对劲，蒋介石索性亲自给张自忠发电报，要其速返临沂。

当兵的是人，不是机器，这么来回折腾，谁也受不了。五十九军将士对上级的不当指挥颇有怨言，唯有张自忠，死且不避，安惧劳苦，在他的竭力动员下，五十九军于一天内便强行军赶到临沂。

张自忠的速度很快，可是已经迟了。

临沂战场的情况已今非昔比，不仅防守阵地失去大半，板垣师团还再次杀到沂河西岸，使得前几日临沂大捷之功近乎化为乌有。

战场之上，没有谁是真正的天神，一旦战机逝去，纵有回天之力亦难以补救。倘若当初不被调离，或早一点回来，乘胜攻下汤头或莒县，则绝不至于像现在这样被动。

李宗仁在前面下的棋基本中规中矩，没有明显漏洞，但是把张自忠调出临沂，后又动摇不定，迟迟未下决心将其调回的这一着，却实实在在是个败着。

在看清局势后，张自忠的心情十分沉重。

板垣师团是老虎，不是纸做的，只要它回过神来反噬，你要想再把它打趴在地，实在是件难上加难的事情。

看到大救星王者归来，庞炳勋激动得眼泪鼻涕直流，一个劲儿对张自忠说，要不是你及时回转，我就惨了，临沂肯定保不住。

这老爷子，他还真把张自忠当成了天神，以为后者一来，一切难题皆可迎刃而解。

张自忠不得不说实话。

战机没有了，所能依托的防守阵地无一在手，我的部队上次临沂大捷蒙受较大伤亡，刻下又疲惫不堪，为今之计，只能另在日军侧背重建阵地，且宜守不宜攻，等板垣把锋芒朝向我，到时临沂之围自解。

庞炳勋一听就呆住了。

这就是说，他还要靠一把老骨头继续在临沂城支撑下去，可他实在已经撑不下去了。

此时的庞军团每个团仅剩可怜巴巴的两三百人，好一点的是特务团，

可也只有七百人。老庞把临沂城里所有能扛枪的动员起来，连学生队都开到前线，全部人马也不过二千出点头。

板垣师团有多少，光在正面参加攻城的，就有四千多人，整整是庞军团的两倍，再加上重炮坦克这些特种部队的配备，确实够他受的。

想到张自忠来，仍不能帮助自己摆脱危机，庞炳勋不由得老泪纵横，竭力央求张自忠采取攻势。

徐祖贻一直在临沂城陪着庞炳勋，他也很清楚，庞军团实在已连挣扎的气力都没有了，张自忠之策虽然稳妥，但风险也很大，如果板垣再使足劲往前拱上一拱，不光庞军团可能全军覆没，临沂城亦难确保。

另一方面，五十九军的损失，一本账也明明白白。在临沂大捷中，整支部队付出不小代价，有的团只能缩成一个或两个营，尤其是张自忠在二十九军时的老底子三十八师更是损失惨重，包括给张自忠当过卫队长的一个营长在内，相当数量老兵均当场战死。

徐祖贻虽有协调之权，然而看着眼前的这一对难兄难弟，他也不知道究竟该说什么好了。

决定权在张自忠手里，无论他怎样做，都是对的，无可指责。

时间一分一秒过去，张自忠咬了咬牙，攻，哪怕豁出去也要攻，以解庞军团和临沂之困为要。

他的本钱仍然是黄维纲第三十八师，这个师是临沂大捷的功臣，转败为胜全靠它，尽管伤痕累累，疲惫不堪，但舍此再无适当人选。

决心已定，更不迟疑，张自忠一声令下，黄维纲师火速出击，如同挥舞铁扫帚一般，开始猛扫沂河西岸的日军，并且当晚就廓清场地，使板垣失去了借以在西岸立足的凭借。

天一亮，板垣增添兵力，大批日军又向西岸反扑过来。

第一次临沂之战的失败，让板垣更加认识到占据沂河西岸的重要性，所以这次他发了狠，即使大门牙被崩一地，也得把西岸阵地给死死咬住。

就在双方你争我夺之时，沂河东岸的庞军团主阵地忽然被对方接连攻破两处要地，庞炳勋真的是顶不住了！

在西岸仍处于胶着状态的情况下，张自忠从黄维纲师中抽出三个步兵团，亲自督师，三渡沂河，以帮助庞军团夺回主阵地。

可是守住阵地相对容易，要想再夺回来就变得异常棘手。

庞军团修筑的工事曾挡住板垣师团，现在反被其所用，给五十九军造成极大伤亡。

战场之上，昏天黑地，张自忠眼睁睁地看着子弟兵在自己面前纷纷倒下，陈尸郊野，一日之内，伤亡竟高达两千多人。

三十八师很多官兵皆为张自忠从小看到大，一手带出来的，这种情感联系，绝非简单的上下级关系所能囊括。

第一次临沂之战，官兵死伤累累，负伤后运者络绎于途，张自忠还“屹然无动志”。然而这次不同，在私下独自面对张克侠时，他已掩饰不住内心的巨大创痛，“泫然流涕，痛切于心”。

从学兵团开始，张克侠跟着张自忠东征西杀，身经百余战，但在战场上从未见张自忠神色有过任何异样，这是生平所见到的“唯一之惨泪”。

落泪只能躲于帐中，伤口也只有自己悄悄抚平。一出大帐，面对麾下官兵，张自忠又恢复了“铁石心肠”：

看着多年的患难弟兄为国牺牲，我心里的难过，真比油煎还狠，但我深信，我带大家走的是一条光明大道，虽死犹荣，因为军人报国，此其时也。

张自忠看着远方，忽然喃喃道：“也许有那么一天，我也会倒下去，这是一个军人在国家危难时应尽的责任。”

在三个步兵团被抽走后，黄维纲在沂河西岸更显吃力，因为板垣正不断往这里增添兵力。

板垣是“双头蛇战术”的高手，他现在实施的仿佛是“小双头蛇”：“要么把沂河东岸全让给我，要么让我在沂河西岸插上一脚。”

张自忠自然不能让，因此严令黄维纲必须坚持。

黄维纲把最后的师预备队都用上后，前线仍然摇摇欲坠，不得不通过电话向张自忠直接求援。

张自忠回答他的，仍然是“五分钟理论”：“我们困难，敌更困难，再坚持最后五分钟，你就能得到支援。”

再听下去，所谓的支援，却是张自忠正调兵向日军的另外一侧进攻。

黄维纲一听就急了。

这么说，“五分钟”过后，给我的还不是直接援兵啊，我这边已经没有一个人可抽调到正面阵地上去了。

张自忠闻言大怒：“没有人吗，那是谁在给我打电话?”

这话说得真叫不讲理，可是黄维纲根本就不敢反驳，放下电话赶紧跑到前线督战去了。

张自忠是一时气急，对于黄维纲那里的情况，其实心里也未尝不清楚。通完话，他立即把手里最后的预备队集中起来，亲援黄维纲。

到了黄维纲那里一看，发现情况确实不妙，已经完全被对手压住打了。

此时的临沂战场，板垣占有压倒优势，临沂城也处于日军的三面包围之中。

城内的最后一个野战兵都被调到了一线，城池交由保安队防守。五十九军和庞军团双双在城外苦战，但都只剩下了招架之功。

其中，庞军团几乎完全失去了战斗力，五十九军则累计伤亡达到万人，人马仅剩一半且士气开始低落。

徐祖贻向五战区长官部紧急求援，然而援兵到来是要有时间的，这段时间成了守军最难熬的时刻。

张自忠能用以维持前线的，仅剩下了一个独立旅，他也随之产生了一种不祥预感，但在给李宗仁发去的电报中，他仍然表示自己只要一息尚存，一定奋战到底。

为了能够继续支持下去，他给独立旅旅长写去一封手令：

援军今夜将到，再撑五小时即有转机。我估计，敌人也到了最后关头，谁能忍最后一秒钟，谁就能成功！

接到命令后，独立旅又接连两次击退日军进攻，但到第三次时已摇摇欲坠。

防线眼看即将崩溃，关键时刻，张自忠飞马赶到！

见到自已的军长，官兵的精神猛地振作起来，一齐跃出，挥刀猛砍，终保阵地不失。

“最后一秒钟”太重要了。

战神翱翔天空，却一直在冷冷地观察着地面人们的动静，它只钦佩意志最坚者，并随时转换战机。

3 月 29 日这天下午，它看到了临沂城外的这一幕，也就随之确定了下一个幸运者。

这个幸运者是张自忠。当晚，他终于迎来了援军。

如果说有不幸者，那就是他的对手。由于矶谷迟迟拿台儿庄不下，第二军司令官西尾寿造向板垣发出急电，让其暂停进攻临沂，除留下两个步兵大队外，主力急速西进，增援台儿庄。

主力一走，两个大队在临沂实为孤掌难鸣。在坚忍和耐力方面，板垣又一次输给了张自忠。

第一次，他没有经受得住“最后五分钟”的考验，这次在“最后一秒钟”的较量中，竟再次与制胜良机擦肩而过。

所谓战机，就是电光火石，刹那间出现的事，它是战神所赐，归根结底，却又属人之所为。

一出一进之间，形势瞬间转换，一直处于苦战中的张自忠忽然再挥重拳。

3 月 30 日深夜，张自忠发起全线反攻，迫使板垣向汤头以北仓皇溃退，史称第二次临沂大捷，临沂战场由此得以再次趋于稳定。

作为所谓的“东瀛第一名将”，板垣当然明白张自忠的反击成功意味着什么，那就意味着在台儿庄侧背安了一个钉子，即使主力增援台儿庄，

亦随时都有后顾之忧。

张自忠因功被正式任命为第五十九军军长

不算在青岛延误的时间，从向临沂发起第一次进攻开始，又是将近一个月过去了，临沂仍然可望而不可即，这还是那个从南口一直打到太原从无败绩的“钢军”吗？

纵使别人不说，板垣自己也觉得没脸见人。

据日本相关杂志报道，因两次临沂之败，这位曾经称雄华北的师团长饭也吃不下，觉也睡不好，甚至曾一度羞愤到自杀当然是作秀而已。

张自忠坚忍抗战，三战三捷，其表现赢得满堂赞誉。前方报捷后，蒋介石按捺不住欣喜，当晚就颁令撤销了对张自忠“撤职查办”的处分。

功，总算能抵过了。

因居功至伟，张自忠还被正式任命为第五十九军军长（先前的名义仍只是“军政部中将部附”），随后又晋升为第二十七军团军团长，可以和庞老爷子平起平坐了。

这个曾经不知所措的人，现在终于看到了彼岸，而他脚下也早已是一条光明大道。

第十一章
生死台儿庄

矶谷师团自攻占滕县以后，一路摧城拔寨，在津浦线上的进展越来越快，开始接近台儿庄。

台儿庄者，运河以北之要邑也。一过台儿庄，徐州便再也无险可守，所以守城必先守河，守河又必先守庄。

运河等于徐州的护城河，而台儿庄也相当于徐州的外围城墙，日军逼近外城墙，城里的守军就是心理素质再好，也免不了会产生不安情绪。

可是坐镇徐州的李宗仁却丝毫不为所动。

空中子弟兵

早在矶谷师团渡过黄河之后，蒋介石就开始考虑五战区长官部是否要搬迁的问题。

战场之上，无论是胜是败，最高指挥官往往是需要保护的第一资源。这个道理，就跟咱们下象棋，失一卒甚至弃一车都可在所不惜，唯独不能被人家“将军”，“将”被擒，则满盘皆输。

南京保卫战，在感到南京可能难以守住时，蒋介石安排唐生智先行撤离，即属此例。矶谷师团往前推进得这么快，要是一个冷不防直接杀进徐州，李宗仁就很有可能会因撤退不及而战死或被俘。

对于长官部究竟迁往哪里，蒋介石在河南和安徽各指定了一个地点，让老李任择其一。

李宗仁却一个都没选，他思前想后，还是觉得自己不能离开徐州。

徐州是津浦线上的交通和电信中心，电话网络可密布到前线各个主要区域，有什么命令，马上就可以下达过去，而前方有任何情况，长官部也能立即作出反应。

假如搬到另外那两个地点去，电话是根本不用指望了，前后联络只能靠收发电报。电报这东西哪里有电话好使呢，我发过去，你得等一会儿，你发过来，同样得耗上半天，要是碰上军情紧急，岂不要了命。

何况大战在即，徐州市民早就跑得精光，偌大一座城市，已形同死城一般，如果大家知道长官部也搬走了，全军士气将更受打击，直至不可收拾，那还如何做到有效指挥？

李宗仁不想搬，也不能搬，但驻徐州的各军政机关都听到了风声，人心思迁，甚至长官部都有人巴巴地过来问："我们什么时候走？"

问得多了，李宗仁感到必须摆一个样子出来，不然没人能够安心。

他成立了"设营小组"，任务是前往察看两个拟搬迁地点的情况，回来后再向他汇报。

老李在听取汇报后，拿一支铅笔，在地图上这里画一块，那里涂一块，说是要分配各机关驻地，但是画来涂去，如何分配总是决定不下来。

中国的事情，随便起来可以很随便，认真起来足以没完没了。鸡毛蒜皮这么一搅和，半个月都过去了，还是没搬，而徐州的政府人员却觉得自己一直是处在"搬迁中"，所以并没有怨言。随着战场形势越来越紧张，大家伙忙于筹划军事，搬迁一事也就不了了之，既没人想起，也无人过问了。

前线虽然危急，但大本营不能慌乱，在这一点上，李宗仁和唐生智都想到了一块。

每天早上或者午后，老李都要骑上一匹青骢马，到徐州的大街上去遛上一圈，用意就是告诉大伙，少要担心，休要害怕，主帅在此，徐州可安。

那段时间，徐州一直遭到日机空袭，警报拉响后，在城里采访的作家记者以及一些官员竞相往防空洞里挤。

李宗仁不去。

我堂堂战区司令长官，岂能钻到那座小洞里，和一干俗人挤作一团？

当然办公室也是不能久待的，这点打了大半辈子仗的猛仔可是明白得很。他到草地上去散散步，以一个老兵的角度，猜猜下一颗炸弹会丢到哪个地方。

如果有胆大的记者跟在后面，老李还会兴致勃勃地跟记者吹吹前线的战况。轻松之态，就像我们现在吃饱了饭，一定要聊聊国际形势，争论一下朝韩是否会真的扭到一处一样。

日机虽然未炸中长官部的办公室，但落于附近的倒不少。

我们在电影院里看美国大片，有时都会被影片里震耳欲聋的爆炸声所惊倒，何况现场。纵使记者再胆大如斗，当炸弹接二连三落地时，也常常会恐惧得面无人色，唯李宗仁处之泰然，若无其事。

不过老这么被动挨炸，总也不是个办法，长官可以假装“闲庭信步”，普通军民可不行，炸来炸去，士气会被炸掉的。

既然你能空袭我，为什么我不能空袭你，李宗仁准备找空军来给大家壮胆鼓劲。

中苏空军的主力都在参加武汉空战，来不了徐州，老李召来的是空军三大队。

这个三大队不是原来的中央空军三大队，后者在淞沪会战时就消耗完了。

如今的三大队让李宗仁感到格外亲切，因为他们的前身是桂系的空中卫队，即广西空军，飞行员也以广西人居多。

作为中央空军的替补，广西空军一直在湖北襄阳接受苏联式飞机训练，两个月前，他们才刚刚以新的中央空军三大队的名义，去兰州基地接收了“黄莺”伊－15。

以前由于飞机数量有限，空军内部都只能采取轮流休息制，即大家轮流开飞机。这次则不同，好机人人有，在领到崭新的“黄莺”后，这批广西飞行员一个个高兴得像过年一样。

李宗仁的题字“焦土抗战”

李宗仁找他的空中子弟兵帮忙，开始并未寄望太高。

广西空军毕竟缺乏经验，不然还会给中央空军当替补吗？这个道理谁都明白。虽然如今换了新飞机，但自古道，好马配好鞍，飞行员经验不够，性能再出众的飞机在实战时也得大打折扣。

在湖北机场训练时，机场上空曾经发现一架日军轻型侦察机，三大队十几架飞机追人家一架，追了两次，竟然都被对方轻松逃脱。

别说高志航、刘粹刚这些天王级飞行员了，就淞沪会战时期在战斗机大队中垫底的老三大队也不至于这么窝囊吧。

李宗仁告诉新三大队，我既不需要你们保护徐州上空的安全，也无需长期配合陆军作战，我所要的，只是去敌方阵地扔几颗炸弹，然后再到我方阵地摆个造型即可。

要求真的太低了，低到了让飞行员们都感到脸红难为情的程度。

可问题是他们没法投弹。

苏联战机不比美国鹰式，后者一机两用，既能战斗又能轰炸，苏联的战机则是要战斗就不能轰炸，要轰炸就无法战斗，眼睛归眼睛，鼻子归鼻子，分得十分清楚。

老李不是空军出身，他不管这些。

跟外行没法说，只能自己想办法，最后想出来的办法，就是在机翼下面装一套炸弹架。

每架“黄莺”可装八枚小炸弹。小归小，直接扔人堆里总能造点动静出来。

在得知三大队将来徐州后，李宗仁赶紧将飞机到达时间和架数通知前线守军——可怜大家伙就没怎么见过自家飞机，不通知，又得以为头顶飞的是日机了。

为此，五战区还特地发出通知，规定各部守军必须在地上铺一块长白布，以便识别，防止三大队分辨不清，把炸弹投到己方阵地来。

其实不光中国军队，日军也想象不到对方空军会跑出来玩儿空袭。当三大队飞到日军阵地上空时，他们还以为是日机，未作出任何防备。

三大队一共出来两个中队，二者轮流值班，一个警戒，另一个投弹，一百多颗炸弹一个不少全投给了鬼子兵。

战壕里的中国官兵吃够日机的苦头，这回看到日军也被飞机炸得东躲西藏，四处乱窜，一个个欢呼雀跃。

说来也巧，就在三大队打完靶，兴高采烈准备回家的时候，却意外地碰上了两架日本轰炸机。

这两架轰炸机每天到徐州去搞轰炸，而且早中晚三趟从不误点误时，敬业得很。它们不知道今天日子有所不同，不宜出行啊。

趁着兴头上来，三大队派出四架战斗机，四打二，十秒钟不到，就把两架倒霉的日机全给干掉了。

轰了日军步兵，还捡了漏，暂时解决了徐州上空的隐患，李宗仁对三大队大为称赞，连夸好得很。

空军是用来助助威，振奋军心士气的，真正解决问题，还得靠陆军自己。

石头城

由于看到徐州战场将成为淞沪、南京之后的第三个主战场，蒋介石开始打破常规，跨战区调兵，使得李宗仁手上拥有了更多棋子。

在川军死守滕县的那几天，李宗仁从一战区迎来了第二批援军，并将其逐步布防于台儿庄正面，这就是孙连仲第二集团军。

孙连仲与庞炳勋同出自老西北军，而孙集团军的情况与庞军团也颇有

异曲同工之妙。说起来是一个集团军，其实只有三个师——在娘子关战役中，孙连仲的儿女亲家冯安邦把一个整军的番号都给打没了，现在的部队就是原来剩下的，只不过在河南整训时多添了不少新兵而已。

对孙连仲，李宗仁寄予厚望，因为前者也素以善守闻名。

当初中原大战时，孙连仲每行军到一个地方，官兵如果不先挖立式散兵坑和交通壕，就不许吃饭睡觉，他们建立的阵地，连中央军主力都很难过得去。在国内部队中，恐怕也只有傅作义的绥军能与之比肩了。

娘子关战役，孙连仲使尽全力，还是没能打赢一仗，感觉就像被日本人赶出山西一样，憋了一肚子火。

这次来山东前，正好又赶上韩复榘被正法，作为当年“韩石二孙”中的一员，孙连仲深有感触。他传令下来，在每个官兵的胸章反面都印上八个字：生在陕西，死在山东！

最初随孙连仲来报到的是第三十一师师长池峰城，他也是孙连仲手下资历最老的一名师长。

在五战区长官部，池峰城第一次见面就没客气，开口便朝李宗仁要东西，不是柴米油盐酱醋茶，而是索要一张军用地图。

作为老西北军中士兵出身的战将，池峰城识字不多，即使肩扛将衔后，背后还有人开玩笑说他是“文盲将军”。然而正像《亮剑》中的那个李云龙一样，池峰城虽然斗大的字识不得一箩筐，也知道要想打好仗，地图是绝对少不了的。

中国军队不像日军，地图全是稀罕物，五战区长官部一共也就两张，一张在李宗仁办公室的墙上挂着，一张在参谋处。

老李便把墙上的这张揭下来送给了池峰城：守台儿庄就全靠老兄你了。

池峰城抱死战决心进入台儿庄，拿着地图就与日军开练上了。

可是决心是一回事，真打起来又是另外一回事。

3 月 24 日晚，矶谷师团第二大队抵达台儿庄附近。

别看就一个步兵大队，但日军主力师团的技战术素养非常高，而且矶谷师团所配属的特种部队，无论在数量还是质量上，都不是中国军队所能想象的，光重炮兵就有一个大队，另外什么工兵、坦克、汽车队，应有尽有。

台儿庄实际上是一座石头城，其东西北三面都有牢固的城墙。可是再怎么牢，也承受不了日军特种部队高密度高强度的钢铁打击。

一夜之间，城墙就被轰塌一块。

顺着缺口，第二大队以坦克为前导，向庄内一拥而入，双方近距离杀成一团。

交火之后，池峰城甚至觉得这个大队的作战能力要超过我方的一个军，也就是说，即使孙集团军全上来，面对第二大队也够呛。

娘子关战役够激烈了，台儿庄比娘子关还要火爆。前沿负责堵击的部队被打得只剩区区四十个人，几乎没有什么战斗力了。

在国际通行规则中，到如此地步，阵前投降是可以接受的，换成西方军队，老早就会举着双手，从战壕里走出。

可是东方战争的残酷程度，却是西方人无论如何不敢设想的。

南京失守之后，放下武器的中国军人几乎全被杀得一干二净，据说大冬天的，由于地面上全是流淌的鲜血，竟使一些在场的日本兵有微温之感！

再没有人愿意屈辱地死去。

士兵们问指挥官：我们怎么个死法，是反攻过去，还是以手榴弹自爆？

指挥官说：反攻！

于是大家呐喊一声，向日军猛冲过去，通过刺刀相搏，竟然把已进入庄内的日军给硬生生赶了出去。

眼看着肉都要到嘴边了，矶谷师团自然不肯放弃，于是在台儿庄以北构筑阵地，随时准备再次攻入。

双方开始拔河了。

池峰城虽有死战决心，可现实残酷，一个师损兵折将之后免不了就有

想法，可是他再有想法，也不敢在孙连仲面前哼哼。

对孙连仲，池峰城是既敬且畏。据说在五战区，他跟李宗仁都可以有说有笑，偶尔来点小调皮什么的，唯独在孙连仲面前，无论何时都毕恭毕敬，就像课堂上学生见到老师一样。

当然也只有一个孙连仲，其他人还是可以说说的。

趁着孙连仲不在，他便在电话里对参谋长发牢骚，说你这个作战计划也不知道是怎么定的，为什么总让我打头阵，我的部队伤的伤，亡的亡，弹药也消耗一空，你这样做，太对不起朋友了。

参谋长跟池峰城关系不错，可这种时候，刀架在每个人脖子上，他的日子也好过不了。一听，怎么着，你还朝我嚷上了，见你个大头鬼。

他马上对池峰城说，正因为你我是朋友，我才特意把这个核心据点安排给你守，谁知道你还不乐意。告诉你，有人想守还轮不上，托人来向我说情呢。你反而还想下来，行，我马上报告孙总司令，把你换下来。

池峰城不过是心里闷得慌，过点嘴瘾而已，见参谋长动了气，似乎还要来真格的，赶紧换了口气，让对方千万不要向孙连仲报告。

你这个天大人情，我领了还不成吗，台儿庄继续守着就是了。

由于战事进入僵持，矶谷很快又派出两个中队进入台儿庄，而孙连仲的另外两个师也随之赶到。

池峰城师居于庄内，其他两个师则一左一右，犹如两个保镖，从外围两侧拱卫台儿庄。

可是三个师对一个半大队，竟然还是挡不住，在矶谷师团发动第二次进攻后，台儿庄再次被攻破。

接到战报，李宗仁当然很不满意。他对孙连仲下达严令，限其两日之内必须将进入庄内的日军全部肃清。

可进来了，哪是那么容易肃清的呢？

台儿庄独特之处在于，庄里庄外，千间房屋均为石头垒成，只要钻进去，你就很难把人赶走，所以每一座石房子，几乎都等同于一座小型碉堡。

在孙连仲的严厉督促下，池峰城红着眼睛，费尽九牛二虎之力，却仍无法将对方一口咬死。

非但如此，第二大队还要反过来“肃清”他们了。

台儿庄进入逐屋巷战，庄内陷入一片混乱之中。

双方一会儿你冲过来，一会儿我冲过去，犹如潮涨潮落一般。有个兵在退却时掉了队，步枪也没了子弹，就拎了把刀躲在石房子里。过了不久，中国军队这边又打回来，一个日本兵同样脱逃不及，也进了房子。

因为屋内光线昏暗，两个人开始谁都没有看清谁，均以为对方是自己人。

等到外面的肉搏厮杀声稍止，日本兵拿着枪先走到门口，中国兵一看，原来不是自己人，于是追在后面就是一刀，把小鬼子砍翻在地，因此还夺了一支三八大盖。

台儿庄内的战斗十分残酷

随着巷战深入，形势濒危，日军一度冲到离池峰城主力团指挥所仅五六米的地方。团长打电话给池峰城，请求下令撤退，因为子弹快打光了，后方弹药一时又接济不上来。

池峰城身体强健，即使当上师长后，仍然可以翻上十几个单杠而气不屑喘，然而这时也急得一个劲儿咳嗽，连血都咳了出来。

有人来救他了。

台儿庄有一个青岛海军的临时军火库，里面全是子弹和手榴弹，看守仓库的海军把仓门打开，使池峰城在最需要的时候得到了补给。

当兵的有了弹药，就如同汽车重新加足油一样，油门一踩，呜的一声就冲了出去。

池峰城亲临一线督战，到了晚间，连伙夫都被动员起来，凭借大刀和手榴弹，总算没有让日军的占领区域继续扩大。

在台儿庄外，矶谷正逐步加压，第二天，他把攻城步兵增加到一个联队，所专门配属的特种部队更是让人看到眼花缭乱的程度。

除了集中本师团的特种部队以外，他的上司西尾寿造还通过寺内的关系，从第一军调来了一批坦克重炮。这样一来，日军炮兵竟然超过步兵，坦克更达三十辆之多，成了名副其实的机械化部队。

孙连仲自己只有迫击炮，这种武器在重野炮面前简直不值一提。老西北军时代传下来的大刀固然勇猛，但也就是夜战或短兵相接时才能派上用场，大部分时间里它既躲不开大炮，也砍不了坦克。

大家精疲力竭，台儿庄眼看就要悬了。

请君入瓮

唯一不变的似乎还是李宗仁。

兵凶战危之际，犹能如此气定神闲，指挥若定，真帅才也。

事实上，如今的局面并未完全出于李宗仁意料之外。

第三批援军早就到了，论数量，这批援军比张自忠和孙连仲的部队合起来还要多，属于地地道道的大军团——汤恩伯第二十军团。

按照常规，李宗仁应命令汤恩伯守台儿庄，可他并没有这么做，而是允许后者在台儿庄以北打自由式运动战。

不让更强的汤恩伯从正面挡住矶谷师团，而是由孙连仲负责开门迎客，本来就是李宗仁“请君入瓮”的一个既定方略。

简单来说，台儿庄就是饵，要先让孙连仲在这里吸引住对方，再让汤恩伯扮演收网的角色。

显然，这是一个非常大胆且极具智慧的用兵策略。若运用得当，则矶谷攻进台儿庄这样看似占得先机的举动，其实已犯兵家之大忌，入我陷阱矣。

战争，有时也是一门艺术，凡人看来危如累卵，在高手眼中却可能是光明一片。

矶谷被李宗仁算计，也实属咎由自取。

他攻占滕县后，本可稳扎稳打，待会合板垣，或等津浦以南日军北上后再行南下，然而他贪功心切，一心想抢得头功，竟然在汤恩伯尚逡巡于周边之际，就纵兵冒进，实属自寻死路加倒霉催着的大败招。

古语有云，骄兵必败，哀兵必胜，看来矶谷这回难逃一劫了。他想“先入关者为王”，结果却可能是“先入关者遭殃”。

台儿庄之战，实际上已被李宗仁策划成了一个口袋阵，其中孙连仲做袋底，汤恩伯扎袋口。

这个口袋打法，当初阎锡山在山西时也尝试过，可不是袋底破，就是

扎不紧，临到后面，干脆只好把整个袋子都一股脑儿给扔了。

其实不是袋子不好，而是扎袋的人欠功夫。假如你水准不够，还是老老实实别玩这些虚招为好。

千万记住，敢玩儿虚招的人，必定是高手才行。

另外，即使是帅才，也需有人从旁筹策补过。老李的长处是善于用将，敢作敢当，然而智者千虑，必有一失，否则的话，他也就不会在临沂战局大好之际，走出抽调张自忠这一败着了。

老李身边还需要一智囊，这是确定无疑的。

《水浒传》中描写，宋江每遇过不去的沟坎，就十分忧闷，这时候身边总会闪出一人，说道："兄长不必烦闷，只需如此如此……"而宋江也一定会大喜道："军师之谋甚善。"

有了智多星吴用，不仅宋头领能够涉险过关，这部巨著也多出了许多智慧的光亮。

李头领的智多星是谁？

不用说，已做了中央高官的副参谋总长白崇禧是也，广西李宗仁、白崇禧嘛，还有比这两人更般配的搭档吗？

从前夜读《三国演义》《水浒传》，我曾经疑惑，以孔明、吴用之才，为什么不自己做主而仅能居次呢，后来逐渐明白了，一个萝卜一个坑，老天就是这样搭配来着，假如错位，并非好事。

闻知矶谷师团已进入石家庄，徐州危在旦夕，蒋介石派白崇禧飞赴徐州。

在这个圈子里，要论高参，真是舍"小诸葛"再无二人。李宗仁、白崇禧合力，一个善谋，一个能断，立即产生了极佳的化学效应。

矶谷师团作为日军老牌师团，要把它装进口袋，这事想想容易，做起来太难了，而做成功简直难到了极致。

目下让汤恩伯扎口袋还为之尚早，最主要的是不让袋底破掉，以致竹篮打水一场空。

白崇禧亲赴台儿庄视察，在看到日军拥有强大的特种部队，火力凶猛之后，他立即决定，从各个战区紧急征调特种部队来台儿庄。

到底是朝中有人好办事啊，这种命令可不是李宗仁能下得了的。

“小诸葛”把孙连仲给救了，也把台儿庄给救了。

坦克天敌

全国各大战区里面，最近的是程潜的一战区，而与五战区相比，一战区称得上是富矿，不仅所辖部队大多为精锐主力，而且有独立的炮兵团（独炮团）。

白崇禧以副参谋总长的身份下达命令，按照就近原则，首先将一战区的独炮团调到前线。

这支独炮团参加过长城抗战，共有十门大炮，炮的名称听听很了不得，是德国克鲁伯野炮，但其实全是九一八前东北兵工厂的仿制产品，每门大炮也只有数十发炮弹。

打仗的时候，炮弹的消耗是按基数算的。日军炮兵部队出发时，一般都会为山野炮准备每门至少二至三个基数的炮弹数量，一个基数是一百发，这就是说有两三百发炮弹可用。

与之相比，独炮团不仅大炮的档次低，连炮弹都不敷使用，真是要多寒酸有多寒酸，但把这些大炮摆在运河南岸，有总比没有好，至少这边象征性地开上两炮，那边日军炮兵部队也就不能专心致志地轰击台儿庄了，相应减轻了池峰城身上所承受的压力。

池峰城轻松一些了，却轮到独炮团难受了。

这些仿造的德国炮无非是用来给鬼子挠挠痒，吸引其注意力，但一旦真的给同行盯上了，哪里是其对手。

于是独炮团内部攻关，研究出了一种特殊的游击打法。

独炮团有多少力道，两炮过后日军炮兵便有数了。在炮战进行时，日军炮兵阵地的指挥官一直用望远镜进行观察，以锁定炮位。

锁定之后，日军的重炮一齐对准目标，朝南岸的中国炮兵阵地猛烈轰击。

中方炮兵阵地被轰得七零八落，在望远镜里，那些仿真的克鲁伯野炮更是粉身碎骨。

中国炮哑了。可是当日军把炮管朝向台儿庄时，南岸的炮声竟然又响了，只不过这次大炮所处位置不同罢了。

见鬼，“支那”大炮虽然差劲，数量还不少嘛。

只好继续新一轮的炮战和定位。

如果日军炮兵知道真相，没准会气到吐血。他们前面轰掉的那些“炮”，其实不过是附近村庄里收集来的木头抽水机，四台一组，远远看去，颇像野战炮架。

在炮战时，真正的野战炮放在木头炮架后面。轰完一阵后，炮兵们就会赶紧把真炮给推走，重新换一个位置，所以日军重炮炸来炸去，不过炸的是留在原地的木头架子而已。

当然，这样的快速转移，要想准确命中目标，或在炮战中取胜是根本不可能的，但独炮团本来就取不了胜，只要扰得对方坐立不安，且能保存自己，就是大功一件。

在独炮团之后，白崇禧终于弄来了好东西：德造卜福斯山炮。

一般情况下，山炮的射程还不及野炮，但这种卜福斯山炮以射得远著称，早在淞沪会战时便被称为“浦东神炮”。等到它一上场，就不光是给鬼子挠挠痒，而是要正宗干仗了。

在“浦东神炮”的带动下，炮兵们大显威力，虽然没法胜过对手，却也让日军尝到了被炸的滋味：卜福斯山炮可以一直威胁到日军后方，矶谷师团的运输车队经常被炸得车仰马翻，锅碗瓢盆甩一地。

炮战达不到预期效果，矶谷便只能寄望于坦克战。

虽然孙连仲早在台儿庄外围挖了很多坑壕，但日军坦克兵直接选择了无视，坦克呼呼地开过来，竟然把坑壕都给碾平了。

白崇禧的预见是对的，若不从全国征调特种部队与日军对抗，光凭大刀和石头，如何能守得住台儿庄？

为了帮李宗仁打赢这一仗，“小诸葛”真的是殚精竭虑，在调集独炮部队的同时，他已在四处搜刮，满大街寻找能制服坦克的利器。

白崇禧第一个想到的，是正在湖南湘潭整训的杜聿明第二百师。

第二百师是当时全国唯一的装甲兵团，堪称坦克专家的集中营，只要问问他们，你们坦克兵最怕什么，不就什么都结了。

坦克最怕什么，答案是炮，不是普通的炮，而是战车防御炮，简称战防炮。

所谓战防炮，实际上就是早期的反坦克炮。与一般的曲射炮不同，它是直射炮，炮弹也很特殊，为专用穿甲弹，可以直接穿透坦克装甲。

既然要对付坦克，当然得面对面打，离得太远不行，所以这种炮与其他炮不同，得用战车拉到第一线作战，因此才被命名为战车防御炮。

毫无疑问，它是坦克的天敌。

在武侠小说中，用毒高手一般自己都得准备解药。第二百师的主要作战武器是坦克，但他们也配备了反坦克的战防炮，共有四营七十二门，全部都接到了征调令。

西瓜要，芝麻同样不能漏。当时有些甲种德械师已初步配备有小型战防炮部队，在接到白崇禧的调令后，也都陆陆续续赶到了台儿庄。

战防炮齐集台儿庄，立刻挡住了日军坦克部队的集团式冲锋。仅仅两天时间，日军坦克竟被打掉二十多辆，达到了其总数的三分之二，庄内庄外随处可见坦克残骸。

除了摧毁坦克外，战防炮还帮了池峰城的大忙。

台儿庄内的石房子很坚固，日军钻在这些“小碉堡”里，中国军队也难攻得进去。

有了战防炮这一攻坚专家，就变得相对容易多了，抵近射击，先用穿甲弹击穿墙壁，再往里扔炸弹，搞定。

至此，台儿庄战役逐步演变成以特种部队对特种部队，以步炮协同对步车协同的半立体化战争。

孙连仲虽仍不能将矶谷师团完全驱出台儿庄，但起码大家半斤对八两，又形成了拉锯战。

移形换步

矶谷小里小气，从一个大队到一个联队，似乎总舍不得在台儿庄搏一把大的。其实他不是不欲为之，而是不敢或不能为之。

渡过黄河之后，矶谷师团起初在津浦线上一路高歌猛进，除了在滕县首次遇到强烈抵抗外，几乎就没有碰到过什么像样的强敌，而板垣却一直苦着个大盘脸，像一轮明月一样地被吊在临沂。

看到这幅情景，矶谷都要笑出声来了：你就是这么跟我会师台儿庄的吗？

算了，还是我来拉你一把吧。

在进攻台儿庄的同时，矶谷分兵一个联队前去临沂，想在自己的明星校友面前拿点噱头出来。

如果这一行动得以实施，南北夹击之下，张自忠和庞炳勋将险中更险。

恰在此时，矶谷接到了一份情报。

情报是陆军航空队在微山湖上空侦察时得到的。如果看过老版本的《铁道游击队》，大家对微山湖应该不陌生。

微山湖上本应静悄悄，但航空兵探头往下面一看，发现湖上热闹得很，千帆竞渡，蔚为壮观。

这支庞大船队载着一支神秘的部队正在向湖东——矶谷师团的后方大本营驶来。

矶谷看完情报后，出了一身冷汗。因为微山湖的船队并不是他派出的。

究竟是中方的哪一支部队，暂时还不知详，可是矶谷仍然感到害怕。

幸亏有飞机侦察，要不就惨了。

他赶紧将准备拿出去显摆的那个联队撤回，师团主力也暂停南下。

很快矶谷就获得确证，原来微山湖上的神秘部队，是驰援津浦线的汤恩伯第二十军团。

拿着这个重要情报，矶谷不敢再有丝毫大意。

师团主力再不能动，应拱卫大本营，以防备其进袭。至于台儿庄和临沂，可以各派一个大队前去试试运气。

其实汤恩伯的主力部队——王仲廉第八十五军早已到达津浦战场，可是实际上没能引起矶谷的多大重视。

南口一役，汤恩伯的基干部队第十三军几乎灰飞烟灭，没剩下多少老兵。第八十五军虽有少数老兵打底，但大多数都是在河南整训期间补充进来的新兵，其战斗力早已今非昔比。

川军苦守滕县，接到李宗仁命令，计划前去援救王铭章的就是第八十五军，然而根本就不是矶谷师团的个儿，救不了别人，自己还差点陷进去。

几个回合之后，连王仲廉的军指挥部都被日军骑兵冲入，若不是反应迅速，只身跳入水沟脱逃，差点就成了鬼子的俘虏。

知道凭现在的两下子挡不住矶谷师团，汤恩伯选择了闪，王仲廉奉命让开南下的道路。

每个人都会退，但不是每个人都会闪，王仲廉第八十五军的残部仍然留在矶谷师团的后方，并逐渐成为矶谷的心腹之患。

由于汤军团大部队的出现，矶谷退而求其次，出击临沂的部队由一个联队改成了一个大队。就在这时，养足精神的王仲廉却突然冒出来，一口气攻下附近的三座碉堡和一座水楼，令矶谷恐慌不已，只得放弃增援临沂的计划，将一个大队也撤了回来。

第二十军团的大部队来了，人是很多，加起来有好几万，可是却没有人们想象中那么强。

不客气地说，这个大军团几乎就是一个大杂烩，里面什么样的部队都有，有原来程潜指挥的湘军，也有参加过历次会战但实际已被打残的中央军部队，最像样的还是关麟征第五十二军，但也早在保定会战中就损兵折将，很难算得上是多强的劲旅。

驾舟登岸之后，汤恩伯便指挥第二十军团向矶谷师团发动全力进攻，然而效果让他自己都看不下去了。

周碞第七十五军攻滕县，无所作为，张轸第一百一十师打韩庄，愣是打不下来，而韩庄里面的日军，不过才一个中队。

太让人伤心了，这都什么战斗力。

汤恩伯向李宗仁提出，他不固守台儿庄，而是在日军后方实施运动战，某种程度上也是出于一种无奈，因为他守台儿庄的把握，未必就比孙连仲大。

运动战是我的专长，这个我更有把握。

在展开运动战之前，汤恩伯首先将第二十军团中最强的部队——关麟征第五十二军抽出来，防守台儿庄西侧的津浦铁路。

第五十二军战斗力虽然也削弱得不成样子，但毕竟是曾经参加过长城抗战的中央军主力，武器装备还是不错的。

十二门榴弹炮一字排开，隔着运河便将矶谷师团的进攻阵形给完全打乱了。

原先，矶谷也曾经动过直接沿津浦线南下，以加快部队机动速度的主意，但看到这边的火力如此之猛，只得将兵力向台儿庄方向调整。

汤恩伯此举很重要，不仅打断了矶谷迂回绕击之念，使孙连仲避免了腹背之患，同时也保证了台儿庄前线与后方联系的畅通无阻，徐州送到前线的援兵粮弹很多是从这一生命线上转运过去的。

关紧了门，再在户外活动就放心多了，基本想怎么干就怎么干。

作为“荣耀的第十六期”成员，矶谷的兵法懂的不比板垣少，当然也知道汤恩伯潜伏在自己身后的危险性，他之所以一直按住师团主力不动，又将原拟赴援临沂的大队撤回来，都是为了集中力量与汤恩伯决战，以求解决自己的后顾之忧。

可是汤恩伯自从由进攻战转入运动战后，就开始玩上了“蘑菇战术”，在鲁南的方寸之地闪来挪去，移形换步，使得矶谷始终找不到他——不光矶谷找不到，有时连李宗仁都不知道汤恩伯在哪里。

如此多的人马进行不停歇地频繁转移，又不是一天两天，这对于双方来说都很吃力，汤恩伯跑得累，矶谷追得也十分辛苦，可是苦过之后仍然一无所获。

矶谷一方面抓不住人；另一方面他还脱不了身。

和南口战役时一样，汤恩伯又组织了大量的小部队，不过其成员大多不是正规军人，而是绿林好汉。

说汤军团是个大杂烩，其实一点都没说错，不仅野战部队杂，原来的番号和出处五花八门，而且中间还掺有很多民间武装，他们构成了汤氏游击队的一个重要组成部分。

细细一看，会让你大开眼界。

比如谍报队，说是谍报队，可没一个是戴着耳机坐在那儿发电报的，都是民间探子，里面有开饭馆的，卖唱的，说书的，甚至青红帮的，反正三教九流，什么角色都有。

红缨枪和大刀一样，都是抗战时中国人广泛使用过的冷兵器

又比如红枪会梭镖队，所谓红枪会，跟义和团那一拨差不多，都是喝了口“仙水”，就以为子弹穿不过肉身的。这东西当然很迷信，可是迷信的东西也要看它用在什么地方，用在杀鬼子上面，那就是好的。

最剽悍的是武工大队，他们跟梭镖队一样，也是人手一杆红缨枪或一把大刀，唯一不同的是，这些人虽然不喝“仙水”，却人人皆有一身好武艺，属于打起架来三五个人近不了身的那种。

平时，汤恩伯在前面领着矶谷师团的主力转圈子，小部队就在其后方四面开花，而且各部队分工很明确：谍报队负责搜集情报，武工队和梭镖队则在拿到情报后，利用晚上出来对日军据点进行袭扰。

留在据点里的鬼子并不多，给这么一闹腾，吓得晚上都不敢一个人出来尿尿。

游击队的作用不仅仅是发动夜袭这么简单。

在台儿庄战役中，日军飞机始终发挥不了多大作用，缘于陆军航空队在枣庄的一座汽油库给烧掉了。飞机是机器，而机器是靠汽油活着的。从北方南下的飞机到了枣庄，却无汽油给它续力，自然没劲再往台儿庄前线飞了。

烧日军汽油库的功臣就是汤氏游击队。

争城以战

矶谷被汤恩伯的鬼魅式打法弄得头疼不已，南下进程也因此被一拖再拖，能够把攻打台儿庄的兵力从一个中队增加到一个联队，已几乎是达到了极限。

他也曾经想把作为师团主力的另外一个联队调到台儿庄，将进攻部队升级成旅团规模，可是汤恩伯在察觉到这一意图后，马上就从背后跳出来发动反攻，所以又只好悻悻地取消了这一计划。

台儿庄战事迟迟没有进展，一个联队加强大的特种部队仍不能毕其功于一役，不仅矶谷烦恼，第二军司令官西尾寿造也坐不住了。

问题当然还是出在兵太少上。

当初，矶谷师团过黄河南下时，三日下一城，五日夺一邑，十分爽，现在却全成了身上的包袱——由于要分兵驻守，弄得前线兵力越分越少，乃至于再怎么精打细算都还是觉得不够用。

本来指望板垣能够迅速拿下临沂，从而与矶谷会师台儿庄，那样人就大概够用了，但关键时刻，板垣这个“第一名将”似乎也不灵光了，临沂占领不了不说，还老是被对手打得连连后退。

为了攻占台儿庄，西尾决定暂时放弃临沂，将板垣师团的主力直接调到台儿庄，以缓解矶谷师团兵力不足之困。

3 月 29 日夜，板垣师团坂本顺第二十一旅团到达台儿庄附近，这使得进攻台儿庄的日军猛地超过了旅团规模，成了一个半旅团。

这下孙连仲的日子又难过了。

孙连仲是一个以胆大勇猛著称的将领，参加此次台儿庄战役，也确实有“死在山东”的决心。

他曾指着台儿庄告诉部属：这里是西北军的光荣之地，是我们的坟墓！

当时为了纠正有些指挥官不了解前线战况的弊端，中国统帅部对集团军司令部的位置有专门规定，即不能距离一线超过四十里。

孙连仲自我加压，他把司令部放在台儿庄以南仅十几里路的一个小村庄里，足足比规定缩短了三倍多。

这座村庄与台儿庄仅一河相隔，不仅枪炮声和喊杀声清晰可闻，而且还在日军火炮射程之内。战事激烈时，炮弹常呼啸着落于村头，众人尽皆失色，劝孙连仲往后退一退，然而他始终不为所动。

见前来劝说的人太多，他就说，你们走，我不能离开这里。

孙连仲以身犯险，不是作秀，而是不得不如此。

虽然他把力量全部贯注于台儿庄，但一时一刻没有疏忽临沂，因为他深知，临沂一失，板垣师团就会顺势南下台儿庄。

所以他和同出老西北军的张自忠一直保持电报联络，而张自忠那里传

来的消息，却是临沂战况十分激烈，五十九军大有不支之势。

若张自忠所言确凿，孙连仲将可能面临灭顶之灾：矶谷师团这一块大石板已经够受的了，若再压上一块，岂不要被压到骨碎筋折、口吐鲜血？

对于孙连仲来说，唯一的希望就是在临沂被破之前，在台儿庄撑得一日是一日，撑得一时是一时，以待汤军团南下。

这就是孙连仲必须面对的现实。

他跟庞炳勋一样，之所以不肯轻离前线，都是要以“置之死地而不生”的决心，来争取“置之死地而后生”的出路。

可是板垣主力不待攻破临沂，就直接兵临台儿庄，这点是他先前没有想到的。

在坂本顺旅团到达台儿庄后，池峰城被迫下达命令，将身后通往运河的桥梁全部拆掉。如果他不拆，当天日军就可能沿桥而过，因为后者已实际绕到了台儿庄以南的运河北岸。

台儿庄处于四面围困之中，像《西游记》里的妖怪一样，矶谷恨不得把困于台儿庄一隅的池峰城生吃掉，而后者被围在中间，也的确快成了点心。

孙连仲隔着运河看得清清楚楚，不禁脸色都变了。

像孙连仲这样的军人，打仗跟吃饭睡觉一样寻常，即使指挥部在日军大炮的火力范围之内，眉头都不会皱上一皱，而老西北军里的磨炼，也养成了他们在阵前喜怒不形于色的强悍作风。

假如有一天，连他也慌乱起来，可想局势有多么严重。

千钧一发之际，孙连仲急，李宗仁也急。

袋口还没扎好，袋底眼看就要破了，口袋阵转眼就面临着完结的危险。没什么说的，必须在袋底没破之前，赶紧封口，一分钟都不能再耽搁。

3 月 29 日夜，他向汤恩伯下达命令，要求第二十军团急速南进，越快越好。

汤恩伯接令后，即以关麟征第五十二军为主力，从北面进行反包围，从而吸引了刚刚到达庄外的坂本顺旅团，为台儿庄减轻了防守压力。

孙连仲与台儿庄只隔一条运河

趁此机会，孙连仲赶紧连夜抽调敢死队进庄支援池峰城，敢死队的队长就是后来感动了无数人的仵德厚。

仵德厚杀进庄后发现，满庄满街都是鬼子兵，池峰城都不知道在哪个旮旯里打巷战呢，再迟一会儿，你就是请一华佗进来，台儿庄都没得救了。

仵德厚的出现，挽救了台儿庄垂危的命运。但孙连仲的一颗心仍在悬着，因为他知道坂本顺旅团在摆脱汤恩伯纠缠之后，势必还会兵临城下。

必须在对方到来之前，尽自己所有的力量再次发起一次大反击，否则事情就不好办了。

4月1日，三军听到号令，一齐跃起，从东北和西北两个角对庄内日军发动猛攻。

孙连仲进攻没有别的法宝，无非就是继续组织敢死队夜袭，而在这次成立的敢死队中，以进攻东北角的王范堂敢死队最为有名。

出发前，孙连仲下令犒赏每个敢死队队员大洋三十元，但敢死队队员

们看着手里的大洋，摇了摇头：我们打仗，是争取民族生存，是为了子孙后代不给日本人当奴隶，要钱干什么？

随掷于地，慷慨出征。

随着敢死队冲入庄内东北角，里面立刻像水开了一样沸腾起来，一个小时过后，日军弃尸六十多具，剩余的吓得面无人色，竞相逃窜。

五十七人的敢死队，包括王范堂在内，只剩下十三条好汉，每个人都如血人一般，不复辨识矣。

这种疯狂的战斗和强烈的刺激，不是常人所能够经受，即使是这些打了无数仗的士兵，在看着朝夕相处的战友倒在身边时，他们也近乎失去了理智，以至于战斗结束后，指挥部不得不收缴枪支，并安排专人监护，以免发生什么意外。

在克复东北角后，孙连仲又以接连拼光五支敢死队为代价，收复了西北角。

为了这两个角，部队伤亡殆尽，但总算是在台儿庄站稳了脚，接下来只要汤恩伯继续往南攻，则身上的压力将会越来越轻。

让孙连仲万万没有想到的是，在这要命的关头，那根救命稻草突然不见了。

汤恩伯忽然放弃攻击，一夜之间消失得无影无踪，甚至在一段时间内，五战区长官部和孙连仲都无法与之取得电台联系。

点睛之笔

在汤恩伯撤军之后，不仅坂本顺旅团得以脱身，就连矶谷原先被缠住的那个主力联队都有机会南下了。

犹如过山车一样，孙连仲从短暂的侥幸又一下子跌落到了无穷的沮丧之中。

汤恩伯莫非还是想保存实力，所以见死不救？

在司令部内，面对着他的参谋长，孙连仲连强装的镇定都没有了：我们昼夜相拼，官兵伤亡这样惨重，汤恩伯却不肯来救我们，这可怎么办啊？

参谋长只好拿话安慰他。

汤恩伯当着面亲口对我们说过，汤军团和孙连仲集团军是亲密的兄弟军，大家要彼此照应。我们一直做袋底，苦了这么多天，是照应他的。这种时候，我想汤恩伯不会扔下我们不管吧。

孙连仲点点头。

不管怎样，现在能救我们的也唯有汤恩伯，尽快与之取得联系才是最重要的。

在五战区长官部，由于找不到汤恩伯，李宗仁也正急得团团乱转。

对汤恩伯，李宗仁向来都有很大的意见。

汤恩伯这个人打仗是有一套，但是缺点也很多。比如他喜欢摆架子，讲排场，弄得他下面的那些军师旅长也跟着个个牛气哄哄，跟人打交道时俨然以中央军的精锐主力自居。

汤恩伯在衣着上是从不讲究，甚至让人觉得有点邋里邋遢，可“壮汤”爱吃也是真的，即使在打运动战时也不例外。吃饭时，旁边摆满了高级烟酒，罐头食品，所谓煎炒烹炸，应有尽有，麻烦的是，他还不知道避人耳目，有客来访，也邀人家共餐，结果因此大大影响了自身形象。

如果汤恩伯是个恩伯汤之类的异国将领，这倒也不算什么，只要你仗打得漂亮，天天喝香槟，叼雪茄也没人说你，关键是所处环境不一样，而他的这种生活习惯，又与李宗仁大相径庭，后者当然会从心里面觉得特别别扭。

私人生活还是一方面，另一方面则是汤恩伯的个性太强，不是一般的强，如果他认为是对的，会坚决去做，不太容易听得进别人的话。

对于前者，李宗仁或可以睁一只眼闭一只眼，毕竟混迹官场多年，要做到对别人心里厌恶，表面却笑哈哈以应付场面并不是太难，可是后者就不行了，因为他可能会不听你指挥，你要他东，他偏往西。

现在的事情就明摆在这里，汤恩伯一声招呼不打就玩儿失踪，他还把我这个领导放在眼里吗？真是太可恶了！

从李宗仁这个角度上来看，汤恩伯无非就是倚仗自己是中央军嫡系，

有蒋介石做后台，所以可以独来独往，拒不听命。

事到如今，第五战区司令长官还能怎么做呢？他能做的，也就是跟孙连仲一样用电台不停地呼叫，直到汤某现身为止。

大家都在埋怨汤同志，可大家不知道的是，这位老兄自身的处境一度也惊险到了极致。

战场犹如万花筒，一瞬之间，会发生无数个变化。

就在他和坂本顺旅团激战的时候，矶谷的主力联队由旅团长濑谷启少将率领，却又从侧背杀了过来，并逐渐形成一个二者合围汤恩伯的局面。

你这里拿着一个口袋要套人家，对方却反过来又拿一个口袋套你，若论双方的作战能力，谁更容易套得住谁？

当然，汤恩伯还可以选择击退坂本顺，他的第一反应也确实是这样做的。

可惜的是，他根本就击不退人家，坂本顺不退，汤恩伯就危险了，坂本顺和濑谷启一东一西，夹也会把他给夹死。

汤恩伯只得抽身而出，全军向坂本顺旅团迎面开去——却是擦肩而过，相向运动，往坂本顺旅团北面的抱犊崮山区去了。

他要跳出来，重新罩一个大口袋。

如今的口袋阵已经到了第三层，即汤恩伯套坂本顺，濑谷启反过来套汤恩伯，而汤恩伯再套坂本顺和濑谷启。

这是需要一个战将在仓促之间作出的决策，等到你还要犹豫，还要请示报告，晚了，也许早就被对手围得水泄不通了。

不过这是真正的奇招，台儿庄战事以来，此战可谓点睛之笔。

不祥之兆

汤军团主力去做口袋了，汤恩伯将原在滕县附近的周碞第七十五军调入，从侧面牵制坂本顺旅团。

周碞实力有限，所谓牵制也只能是意思意思，孙连仲实际面对的局面是，台儿庄前的日军规模已由旅团上升到了师团——矶谷的濑谷启第三十三旅团，再加板垣的坂本顺第地、二十一旅团。

池峰城刚到台儿庄时就曾断言，矶谷师团的一个大队就需要用中方的三个师才能勉强应付，人家三级跳，变成师团了，台儿庄还能守得住吗？

在东北面拱卫台儿庄的黄樵松第二十七师首先遭到冲击。

孙连仲的三个师里面，还数黄樵松师最有特点。一是敢死队最多，王范堂敢死队即其中之一。二是敢于舍身炸坦克。战防炮不能每时每刻都在最前沿，有时敢死队队员就抱着集束手榴弹滚到坦克车下，以同归于尽的方式，把坦克炸到不能动弹。三是打仗时用军乐队伴奏。

在向日军冲锋时，别人最多在阵前放一个小号手，一吹起来，哒嘀哒嘀哒，黄樵松却有一个师乐队，哐啷哐啷哐啷啷，场面蔚为壮观，热闹得很。

如果进攻顺利，那就奏——大刀，向鬼子们的头上砍去……

如果相持不下，那就唱——前面有东北的义勇军，后面有全国的老百姓……

当然也不全是这些调调，大家在阵地工事里短暂休息的时候，也会来轻松一些的曲子。

反正军乐队什么都会，京剧民乐西洋乐，除了不能现场点播，其他都齐了。

有的官兵听着听着会笑起来，甚至还会跟着节奏哼上两句。在到处弥漫着死亡和恐怖的战场，音乐之声终于让人们感受到了这个世界的一丝美好。

到日军大兵压境，在极度困难的情况下，黄樵松急得把音乐伴奏都给叫停了，乐手们手里拿着的已不是锣鼓唢呐，而是枪，所处位置也变成了一线战壕。

在被分割包围之后，中国军队所表现出来的勇气，令日军大为惊讶。当翻译上去劝降时，阵地上没有一个人答应，所有人在散兵壕内一直拼到了生命的最后一刻。

日军指挥官在阵地上看到，在狭窄而简陋的散兵壕内，尸体重叠相

枕，皆呈力战而死之状。

虽是生死对手，矶谷等人也不得不为之感叹：原来敢于战到尸山血海的铁血精神，并非“皇军”所独有。

黄樵松师血战终日，终于被打残了，只能换防，而其他两个师也伤亡惨重，情况变得越来越险恶。

4月3日，池峰城与五战区长官部的联系突然中断。

这是一个极其不祥的征兆。

几天之前，李、白尚且运筹帷幄，几天之后，连他们也不知所措。

台儿庄是不是已经失陷了，日军是不是在强渡运河，一旦这两者成为现实，汤恩伯纵使现身，他张起的那个大口袋还罩得住谁？

在日军电台里，确实已经堂而皇之地宣布了台儿庄被其全部占领的消息。

李、白当即拟电，向远在武汉的蒋介石告急。

蒋介石正在吃午饭，看完急电，愣了一下，神色骤变。忽然他把电报往桌子上狠狠一摔：“备车到机场，马上飞徐州！”

蒋介石内心的紧张与愤懑可想而知。

自淞沪会战、南京失守之后，举国一片阴郁，悲观论调就是坐房间里面都听得见。眼下，什么战略不战略先放到一边，当务之急，是需要打一个胜仗来冲冲喜。

对台儿庄战役他是寄托了无限期望的。为此，不惜辞去兼职，专任军事，力斩韩复榘，重用张自忠，乃至打破战区界限，凡五战区所需的优势兵力和特种部队，做到了有求必应，随叫随到。

这样还不行，还要败，真是见了鬼了。

铁臂大合围

蒋介石身穿戎装，腰佩短剑，坐飞机秘密来到徐州。见面之后，李宗仁、白崇禧向他汇报，说已下令池峰城继续反攻。

等他们讲完之后，蒋介石不动声色，只问了一句：与台儿庄的电信联系接通没有?

李宗仁、白崇禧无言以对。

是啊，你们说一千道一万，跟台儿庄却建立不了电信联系，请问怎么个下令法?

蒋介石侍从室的一个上校副官奉命急速启程，前去台儿庄探看究竟。

这时好就好在，铁路线仍然掌握在五战区手里，所以这位副官不用冒险过河，只需坐火车北上。

副官是怀着一颗忐忑不安的心出发的，但所见所闻却让他吃了一惊。

台儿庄以西与台儿庄内已连成一片，尽管池峰城等前线指挥官嗓音嘶哑，眼睛布满血丝，但精力很旺盛。池峰城一边指挥打仗，一边还在跟人下棋哩。

氛围很好嘛，这种状态，台儿庄怎么会陷落呢?

听副官说蒋介石亲自到了徐州，池峰城赶紧加派通信兵维修线路，并且在线路接通后，在电话里就战况向蒋介石进行了汇报。

蒋介石的一颗心终于定了下来。

固守台儿庄，短期看来是没有问题的，袋底不破，就等封袋口了，这是最好的时机。那个封袋口的得敲打敲打，因为下面的戏全要靠他来唱了。

前段时间联系不上汤恩伯，那是行动仓促，其实双方的无线电联系很早就接通了。

蒋介石致电汤恩伯，一开始说的话就极不客气。

抗战中蒋介石经常亲临前线进行督战和指挥

我给你配备了十个师，这么多人马，可是一个多月了，你却对付不了日军半个师团，乃至没有取得任何战果，你究竟是怎么搞的?

这是贬，当然跟着还要再捧一下。

现在我知道你小子已经跑到坂本顺旅团侧背去了，干得很妙，以致态势变得有利了，那么这次你一定要交一份漂亮的成绩单给我，否则，作为大将你该怎么跟我解释?

蒋介石的要求是：不要有丝毫犹豫，全线攻击。所谓过了这个村就没了这个店，制胜之机，即在这两日之内见分晓。

打仗，要的就是决心二字，而且这个决心必须下得是时候，早一点晚一点都不行。

汤恩伯可以在李宗仁面前翘尾巴，蒋介石声音高起来他却不能不听，于是当即颁令，从抱犊崮山区移师南下，同时直接电告台儿庄内的池峰城：我下决心尽快将台儿庄外围的敌军击溃，与你会合，如不成功，甘当军令。

这就是告诉袋底的那位，我要封口了，你千万不能在这种时候漏底啊!

这时的台儿庄，既不像诸位想象的那么糟，却也不如大家看到的那样好。如果不是蒋介石亲自到徐州督师，池峰城真是不想再架那个电话线了。

虽然台儿庄并未如日军电台所称那样，被其全部占领，但起码三分之二已为敌所有，那座城已不是生人所能居，再加上日军内外夹攻，差不多沦为团长的池峰城就算钢铁所铸，也有支撑不住的时候。

这样死守下去，必定会全军覆没的，能不能转移阵地，暂时让我退到运河南岸去？

这话池峰城不敢跟孙连仲直接讲，又只能传话给他的那位当参谋长的好朋友。

他一改面对上校副官时的故作悠闲和对蒋介石的慷慨激昂，在电话里一个劲儿用很低沉的声音说：我的部队伤亡实在太大了，我要撤退，我一定要撤退！

参谋长也再不能像以前那样驳斥池峰城了。

在池峰城之前，黄樵松已在换防后撤到南岸休整去了。要论苦，这里所有的人都不及池峰城苦，台儿庄战役打到现在，他一刻都没有休息过，换下来喘口气难道不应该吗？

参谋长去找孙连仲，后者眼神空洞，正躺在床上愁眉苦脸。

然而一听此事，他马上一骨碌翻身下床，眼睛瞪得铜铃那样大，像是要吃人的样子。

什么，池峰城这家伙，他要撤退？他敢，他敢！

孙连仲当然知道池峰城已落到了一个什么样的境地。要不然，就算是让人传话，池峰城也不敢轻易言退。

他拿起电话，几乎是吼了起来：我告诉你池峰城，台儿庄关系十分重大，我决心不撤退！

人不是不够用吗，我马上带总部人员北上。

孙连仲传令，集团军司令部内，凡年龄在四十岁以内的，一律准备随自己进台儿庄作战。

正要出发，池峰城却一个电话打过来报捷了，原来庄内守军发起反击，又把日军给打了回去。

集团军总司令总算没被拿到台儿庄去血拼。

4 月 5 日，孙连仲要求与李宗仁直接通话。

他上来的第一句话就是：能否把我的集团军暂时换下来？

这句话从孙连仲嘴里冒出来，那种苦涩和不得已的味道可以听得真真切切。

现在想退的不仅是池峰城，连孙连仲都扛不住了。因为此时孙连仲集团军经过不断地血战，已伤亡大半，孙连仲希望还能留下一点老兵作为以后重建部队的种子。

电话里传来的不是请求，而是哀鸣。

但是李宗仁不能够答应。

蒋介石就在徐州，并且下达了限期退敌令，而他掐指一算，汤军团明天中午就可以到达指定位置，也就是说现在已进入了大合围的倒计时阶段。

什么时候都可以换防，这时候却不能换，万一一个不慎，把台儿庄给换丢了岂不要人命。

口袋阵啊口袋阵，从构思到成立，几经曲折，多少次差点功败垂成，如今到了节骨眼上，万一袋底还是漏了，别说蒋介石要打屁股，自己都不能原谅自己。

于是李宗仁也像张自忠一样搬出了“五分钟理论”：“胜负之数决定于最后五分钟，你务必守到明天拂晓。明天早上，我亲自来台儿庄督战。这是命令，违令者，斩!”

一个“违令者斩”，破灭了孙连仲仅有的一点希望。

“好吧，我的集团军打完为止。”

李宗仁的要求还不仅限于此：“你别急着挂电话，我告诉你，你不但要守到明天拂晓，今天晚上还要发起夜袭。”

夜袭，仍然是为了守住台儿庄。日军被打痛之后，至少在明天拂晓前不可能再发起攻击，这样，又可以为汤军团南下合围争取到一点时间。

在大包围完全形成之前，每一秒每一分都是那么宝贵。

李宗仁老谋深算，孙连仲却是一副苦瓜脸，要多难看就有多难看。

我的预备队已全部用完，如何夜袭，要不您给再派些兵？

李宗仁没兵，他要孙连仲自己开发。

老李前前后后已经算了一笔账。

你的集团军伤亡大半不假，可那说的是战斗兵，不还有担架兵吗，如此大的伤亡，担架兵也不会在少数，这些人可以用起来。

阎老西若是此时在徐州，没准也会瞪大眼睛：老兄，你啥时候也学会玩儿铁算盘了？

反正是最后的一锤子买卖。李宗仁不惜工本，开出十万元悬赏：除了担架兵，后方所有可以拿枪的士兵，包括炊事兵，你都给集合起来，组织敢死队，十万大洋将来按敢死队的人头平分。

放下电话，孙连仲开始依言组织后方敢死队。正忙着，池峰城又来了电话，影影绰绰地也是想换防。

换防？做梦吧你！

孙连仲恶狠狠地对池峰城说出了一段很经典的话：

士兵打完了，你就自己上前填进去。你填过了，我就来填进去。有谁敢退过运河者，杀无赦！

末了，孙连仲又大声补充：即使剩下一个人也要打，你想撤，可以，先拿头来见我，然后我再拿我的头去见“李长官”。

这句话一甩出来，池峰城算彻底死了心，靠着仅剩的人马一直挨到黄昏。

到达台儿庄的后方敢死队与前方敢死队会合，计有数百人之多，午夜过后，便开始分组行动。

仗这么一直拖下去，不光是守军已被拖得如同死人一般，成天在庄内钻来钻去的日军也好不了多少。

以前他们到了晚上不敢睡觉，就是让敢死队给闹的。

前有池峰城组织的敢死队，后有仵德厚敢死队、王范堂敢死队以及其他大大小小各种敢死队，你刚刚眼睛一闭，也许脑袋立刻就没了，所以神经一直绷得紧紧的，根本得不到片刻休息。

这两天好多了，敢死队少了。白天厮杀一天，到了晚上上眼皮搭下眼

在台儿庄连小兵都成了敢死队员

皮，还是合个眼吧。

可是，不知从哪里又突然冒出一支敢死队，犹如神兵天降一般，他们不知道这究竟是怎么一回事，顿时乱作一团，赶紧抱着脑袋就跑。

一个晚上夺得的街道，日军起码一个早上是拿不回去了。

就在这天深夜，李宗仁在五战区长官部得到汤恩伯的报告，汤军团已提前到达台儿庄以北。这一消息令他大为振奋，袋口终于可以合上了。

我要亲眼看着矶谷是怎样在台儿庄倒大霉的。

李宗仁当即坐火车到达台儿庄郊外，开始指挥这场震惊中外的大围攻。

自从汤恩伯从眼前突然消失后，坂本顺就一直心神不定。

汤恩伯不是一般的“支那”战将，那是可以与他的顶头上司、赫赫有名的板垣将军相抗衡的人，对方的战术意识以及战场嗅觉，并不亚于任何一位日方将领。

这个人走了，往何处去，去干什么，他对此一无所知。

两军对垒，知道的东西都不可怕，真正的可怕是未知。

坂本顺相信，汤恩伯一定还会回来，只是他不知道这个来无踪去无影的神人什么时候会回来。

正是因为两只耳朵一直竖着，使他第一个嗅到了危机。

汤恩伯重新现身后，一口就吃掉了坂本顺旅团位于侧背的掩护分队，接着从三面实施包围……

4月6日清晨，当获知孙军团在台儿庄内发起反击时，濑谷启已经找不到坂本顺了，电报发过去也石沉大海，得不到任何回音。

经过查询，原来坂本顺根本不在台儿庄，昨晚就撤回临沂去了。

坂本顺不能不跑。因为他发现汤军团的包围圈正在合拢，本部队与后方联系被完全切断，补给竟然还得依靠附近的濑谷启施舍。

让人毛骨悚然的是，在此之前，汤恩伯其实一直都在北面与其平行行军，而他自己却浑然不觉。

这种情况下还不跑，岂不等于坐以待毙。

坂本顺的溜号，让濑谷启只觉脑袋嗡的一声，汗顺着脊背就淌了下来。

很明显，坂本顺招呼都不打一声，就这么无缘无故地溜掉，一定是提前感知到了什么风吹草动。

再往四周一看，傻了，大围猎真的开始了。

李宗仁令旗一挥，汤恩伯率汤军团主力从北，周碞从东，张轸从西，孙连仲从南，号角齐鸣，喊杀声已响彻原野大地。

坂本顺这厮先知先觉，一步逃出合围，却把后知后觉的濑谷启给害苦了。

汤军团狂飙突进，从坂本顺旅团空出的一大片阵地前穿过，已接近濑谷启旅团司令部。

濑谷启赶紧向坐镇后方的师团长矶谷廉介请示，要求“暂撤离”台儿庄，向后方集结。

台儿庄这里都要杀猪宰羊了，自我感觉良好的矶谷却还在做他的春秋大梦。在他看来，哪怕是“暂撤离”都不能接受，板垣要滚滚他的，我矶谷绝不能丢这个面子。

向第二军司令官西尾寿造一汇报，西尾也撅起了嘴。

你们这两个师团算怎么回事，说起来，都是“皇军”中最优秀的两支部队，怎么到我手下这么不济事，不就一个汤恩伯吗，至于把你们吓成这样？

给西尾一刺激，矶谷更不同意“暂撤离”了，不但不能撤，还要进攻，继续进攻。

回电过去，濑谷启却早就撤了。

给矶谷发电报请示，其实只是做个样子。濑谷启就在现场，对全军被围的严重后果想得明明白白，他甚至都预料到了，矶谷和西尾这两个老小子肯定不让撤，还会巴巴地要他在这里瞎起劲儿。

把台儿庄的泥土抓一把上来，里面都有血腥味，你们就会说漂亮话，敢情被围住的不是你们是吧？

事实上，由于后方断炊，枪弹匮乏，濑谷启旅团甚至已不得不将伤兵的子弹集中起来使用。

在发电请示的同时，濑谷启就发布命令，不管上级如何回复，当晚铁定撤退。

他的判断是准确的。如果再晚一步，包围圈就要完全合拢，他和他的旅团将难逃生天。

听到濑谷启也在逃离，刚刚走到半途的坂本顺直拍胸口，大感庆幸。

别回头看台儿庄的大火了，快跑吧！

濑谷启没有坂本顺那么幸运，因为他撤得晚，时间仓促，相当数量的部队都没有来得及跳出包围圈。

其中最晦气的就数台儿庄内的部队。他们被池峰城围住无法脱身，又不肯投降，被逼无奈，只得放火集体自焚。

到4月7日凌晨，庄内日军已被池峰城全部肃清。在台儿庄外围，汤军团使出全力，追歼尚在圈内的日军余部。

矶谷师团这样以第一流主力自居的部队，曾是何等骄狂，然到如此境地，也已一崩如斯。

随着闪电轰鸣，一股股处于绝望中的日本兵在大地的颤抖中战栗不已。

这是复仇的时刻。

为那些善良却在流血的生命，为哭泣的孤儿，为心碎的母亲，为上

被包围的日军完全限入绝望之中

海，为南京……

汤恩伯一举奠定胜局，但主力部队也付出了很大牺牲，在南口之战中曾以神勇著称的团长罗芳珪就死于追击战中。

台儿庄战役至此获得完胜，被公认为是抗战初期最大的胜利，不包括临沂战场，日军仅在台儿庄就死伤了七千多人，而西方观察家则认为其实际伤亡数应在一万六千上下。

得知台儿庄战役获得胜利，在湖南的第二百师师长杜聿明第一个想到的就是赶紧让李宗仁给他付利息。

仗还要继续打下去，战防炮部队暂时没法撤回来，所以本还得留着，但是利息总要算的。

这个利息自然是指战场上留下的坦克大炮。

前前后后，战防炮轰，敢死队炸，光炸毁击伤的坦克装甲车就有三十多辆。李宗仁一通搜罗，把这些已形同废铁的坦克剔在一边，专捡模样稍微周正一些的，如此挑出中小坦克八辆，用火车拉回了湖南湘潭。

杜聿明和他的老上司、机械化兵监徐庭瑶兴致勃勃地跑出来看，发现

除了坦克外，李宗仁还额外捎来了两门重炮和四辆履带式牵引车。

这老李向来是乞丐帮帮主的嘴脸，什么时候变得这么大方了：坦克当然是他不会用，重炮战车用得上啊，如何肯随手送人？

再仔细一看，明白了，敢情，原来炮车只剩下了空架子，重要部件都被日军给拆走了。

完好的坦克、重炮和牵引车，都是因为在旷日持久的血战后，弹尽油缺，除了丢弃，别无他法。

其实，打死多少鬼子和缴获多少坦克大炮尚在其次，最重要的是在精神的天平上，中日一胜一败。

在此之前，日军在侵华战争中从无败退一说，而在台儿庄战场，从张自忠的两次临沂大捷，到最后的铁臂大合围，矶谷和板垣这两个在日本军界号称最牛的牛人，都先后尝到了败退的滋味。

我们可能在书上多次看到过这样一句话："打破了日军不可战胜的神话"。这句话最早就起源于台儿庄战役，在日本战史中，曾明确承认，自此之后，"大日本皇军不可战胜"的神话破灭了，日本人也尝到了失败的苦果。

在徐州的将帅们个个欣喜不已。

李宗仁到台儿庄后，还没忘记在火车站站牌旁边摆一个潇洒哥的造型，然后让记者帮他拍下了那张著名的照片。

在老一代战将中，老李确实好好地给自己争了把脸，证明了"廉颇虽老，更复能战"。

蒋介石接到战报，上面写着歼敌一万，他大笔一挥，变成了"歼敌三万余众"。

终于打赢一仗了，能吹就吹点吧。

西南后方为此还出现了一个看似奇怪的"倒流"现象。

南京沦陷后，后方机关陆续迁移至重庆，无论是人员还是物资，都是沿江逆流而上，往下游去的船只很少，就是有，也只是为沿岸要隘载运一些粮草或燃料，有时甚至是空船。

等到台儿庄胜利的消息传来，舆论开始认为武汉是可以守住的，中国没准儿还能“速胜”呢，于是许多在重庆无法安顿的人们又纷纷乘船返回武汉。

后方群众在庆祝胜利，这是春天来到的感觉

台儿庄大捷后的某天晚上，蒋介石带着几个随从副官，在孙连仲的陪同下，微服潜行，来到位于台儿庄的池峰城指挥所，对前线将士进行慰问。

唐人诗云：“今夜偏知春气暖，虫声新透绿窗纱。”在这个夜晚，尽管战争的硝烟仍在四处弥漫，但大家的精神头都格外地好。

在 1938 年的春天，台儿庄这个小小的弹丸之地，曾温暖了无数人的心。

第十二章

山大王在此

有人心情好，有人心情就糟。台儿庄这一跤，把日本统帅部给彻底跌醒了。

经历淞沪会战、南京保卫战后，没想到中国仍拥有这么强的军事实力，特别是汤军团的出现，无疑显示着中央军主力尚存，而这是最让人意外的。

我说怎么中国政府都到了这步田地，还能拧着个脖子死不投降呢，原来是手里还掌握着能作战的军队。

看来，南京还不是中日之战的终点，徐州才是。

4 月 7 日，天皇裕仁下旨：组织徐州会战，争取不让中国军队一人漏网。

日军要南北合力，把徐州战场的中国军队尽收网底。

猴子军

战场之上，如果你不是完全掌握对方的核心机密，其一举一动，都是很费思量的，有时甚至会作出南辕北辙的错误判断。

李宗仁本人倒是极重视情报，他还在天津设有情报机构，但从那里传递过来的却是一个错误的信息，即在台儿庄大捷之后，日本国内掀起反战运动，参谋本部向华北战场增兵的计划因此取消了。

没有一个字涉及徐州会战，涉及日本人即将策动的合围计划。

但实际上，这时的战争形势已在逐渐扭转。

4月中旬，在经过重新整补的第二军的反复冲击下，台儿庄再次拉响警报。

汤恩伯和孙连仲连日鏖战，到此时都已只剩招架之功，没有还手之力，前线急需增援。

李宗仁百思无计，正好看到淮北战场暂时还没起什么大浪，又有自家的桂军把关，便把于学忠第五十一军调了过来。

东北军和川军即使在五战区也属二三档次的部队，都只能应应急，有时甚至连应急都显得极其困难，一旦跟对方处于第一档次的主力较量，难免会露出马脚。

矶谷师团使用骑兵坦克一冲，便把东北军的阵形给冲得稀里哗啦，混乱不堪。

于学忠眼见自己的东北军潮水一般往后溃退，不由得急红了眼，亲率大刀队来到运河北岸，拦住逃兵就砍头，但仍阻止不了颓势。一时之间，官找不到兵，兵找不到官，漫山遍野都是东北军散兵。

往后跑其实绝不比往前冲来得损失小，一个负了重伤的连长是在野地里爬了两天之后，才被友军搜索兵给救出来的。

滇军在云南昆明誓师出征

这支友军就是刚刚上来的超级替补——云南滇军。

所谓滇军，是指卢汉第六十军，共三个甲种师四万五千人。在装备上，要远超川军，甚至还略强于桂军，配备有从法国进口的迫击炮和特重机枪。

桂军当初出师时，是按一比三进行稀释的，即原来一个军，扩编成了三个军，战斗力多多少少有所削弱。滇军虽然也补充了一些新兵，但老兵仍占多数，均在云贵高原上经过了四到五年的训练。

按照原计划，滇军本来是要去解南京之围的。可他们人还没到，南京就沦陷了，只好折返武汉。

南京失守，令蒋介石痛定思痛，感到中日两军在实力上差距还是不小，如果仓促间拉上去的话，难以应付实战需要。

于是在滇军回转武汉后，他便派德国顾问驻军助训，教授新的军事战术。同时，又补给了相当数量的武器弹药。

全军面貌焕然一新，几乎接近于德械部队的标准了。那位德国顾问手舞足蹈之余，也吹起了牛皮。

他说，世界上有三支能征善战的陆军，最厉害的，当然是他们国家的德军，其次是日军，第三个就轮到你们这支云南滇军了。

给老外这么一鼓吹，卢汉信心满满，随即奉调来到北方。

滇军北调，开始不是往徐州，而是到河南，其角色定位，也仅是二线兵团。

在河南还没待多久，便被李宗仁想办法拉到了徐州。

去徐州之前，卢汉只知道前一阶段的台儿庄大捷，知道板垣、矶谷两个师团曾被五战区干得落花流水，可是眼下台儿庄的实际情况究竟如何，他却并不清楚。

卢汉首先拜见李宗仁、白崇禧。

台儿庄危急，临时派上去的于学忠又不济事，李宗仁正在抓耳挠腮，滇军不啻他的救星。

卢汉问前线如何，他便来了个竹筒倒豆子：当然是吃紧了！

还要继续往下说，一旁的白崇禧赶紧掐住话头——李长官说的是前几天吃紧，目前已趋缓和。

白崇禧与李宗仁不同，他经历过淞沪会战中那刻骨铭心的一幕，尝过子弟兵成团成团在眼前消失是何等滋味。

这个老李，你说话哪能这么直啊，卢汉刚刚过来，要是一听“吃紧”，又被吓回河南怎么办？

李宗仁虽相对直爽，却也不失为聪明人，马上听出了弦外之音，遂闭嘴不再言语。

从五战区长官部出来，卢汉又去见孙连仲。因为按照指挥体系，他属孙连仲直接调遣。

中心话题，仍然是前线情况怎样。

孙连仲比李宗仁机灵多了，回答说，日军攻势很猛，前几天很紧张，但是——但是我们打得很好，所以局势已趋稳定。

白崇禧称“缓和”，孙连仲说“稳定”，相互证明了一个“虽然但是”的命题，那就是虽然前线曾经很紧张，但是这段时期已经过去，眼下没有什么刀光剑影，滇军就算上阵，也不过是加强一点力量而已。

卢汉的心理戒备松弛不少，他很快又见到了于学忠。

于学忠告诉他，台儿庄前沿吃紧，需要赶紧增援。

卢汉心里咯噔一下，觉得上了白崇禧和孙连仲的当，你们不是说已经“缓和”、“稳定”了吗？怎么还是“吃紧”？

遇到两个不厚道的，幸亏这里还有一个老实的。

可是当滇军先头部队到达一线后，卢汉才发现，原来于学忠也不老实，其实一线不是光吃紧的问题，东北军已经在大溃退，提前跑路了。

滇军由此吃了大亏，其先头主力营到达东北军撤退地点后，还没回过神来就遭到了矶谷师团的包围，一个营五百人，仅一人得以突围生还。

阵势还未完全摆开，就必须与日军面对面死磕，这让“真正的老实人”卢汉叫苦不迭，却又无可奈何。

卢汉一上去，于学忠马上一屁股坐到地上，呼哧呼哧大喘气。

在命悬一线之际，是卢汉和滇军救了他，不然的话，台儿庄就完了，东北军也完了。

现在满嘴苦涩的变成了卢汉，因为东北军溃退后留下的这个缺口实在是太大了，以至于一个营送进去后，转眼之间便不见踪影。

营不行，那就上旅，事到如今，缺口一定得堵上，否则大家全得玩完。

一个旅上去后，总算是把黑洞洞的缺口给一把封上了，但损失很大，旅长当场战死。

开上战场才两天，就轮到旅长报销了，这让卢汉大为震惊，不由得掩面痛哭。

哭不是办法，既然上来了，你就没法退，非得跟鬼子继续斗下去不行。

台儿庄战场地形开阔，矶谷师团可以大量投入坦克，而滇军因准备不足，身边只有一些迫击炮和重机枪。

迫击炮打不了坦克，加上临阵仓促，来不及修筑工事，使得日军重型坦克直冲过来。

这些勇敢的云南人没有退却，更未选择四散奔逃。

所有特重机枪被集中起来打击坦克，但是仍无法穿透坦克装甲，实在不行，滇军就直接用步兵围攻这些“赶不走、牵不动的铁牛”。

一个日军军官在他的日记中，把滇军称为“猴子军”。

西南诸军，被称为“猴子军”的共有两支，一为广西桂军，一为云南滇军，前者在国内就如此叫法，而后者却是在日本人那里得到了这一称号。

看到坦克到了眼前，“云南猴子”们不仅不避不让，反而还成群结队地爬上去，不断有人滚下来，又不断有人攀上去。

一般而言，爬上运动中的坦克并不像登几级台阶那么容易，普通士兵都不行，非得挑选出来的敢死队才有如此身手和胆气，可是滇军官兵大多为云南乡间子弟，对他们来说，翻山越岭，如履平地，到坦克车上去，也

不过是一纵身的事。

滇军将手榴弹往坦克的孔洞里塞，但这种重型坦克的孔洞过小，手榴弹大，塞不进去，随后他们就跳下车，一个个抱着集束手榴弹，滚到坦克前面，为的只是炸毁坦克的履带。

面对如此不顾性命的作战方式，其他坦克也只好扭头转向，唯恐遭遇同样命运。

矶谷师团使用坦克和骑兵，曾成功地冲乱了东北军的阵形，但当面对滇军时，除了失败，还是失败。

滇军的机枪阵地，从早打到晚，阵地上仅剩一个负了伤的机枪手。

这个机枪手一边流着血，一边抱着轻机枪，从东边打到西边，变换了几十个位置，阵地上几乎所有的机枪掩体，都被他用了个遍。

一个人一挺机枪，日军却愣是冲不过来。

等机枪手返回后方时，大家都以为他是来就诊疗伤的，然而不是，这位是在步兵营交接后，奉命来送请援报告的，若不是为了送报告，他还不会下来。

当有阵地失去时，更是出现了令日军都为之惊骇的场面。

滇军端着枪，齐声高唱《义勇军进行曲》，“冒着敌人的炮火”，“前进，前进，前进”，不间断地向失守阵地发起反击。

在鲁南的平原麦地里，没有任何工事和遮掩物可资利用，滇军起伏前进，有时匍匐，有时冲锋，虽不断有人倒下，然而无人后退，直至阵地重新夺回。

轻伤不下火线已不简单，滇军的纪律却是，未经允许，连重伤也不得离开阵地。

日军在广播中惊叹，说自侵华以来，他们很少遇到如此顽强骁勇之敌，百般查询之后，才知道是“从支那南方开来的蛮子兵”。

这声惊叹听在卢汉耳朵里，却是另外一种滋味——滇军先期过河的两个师已经伤亡过半。

前线还出现了“难兄难弟”的悲壮一幕：哥哥将弟弟的骨灰背在身

上，然后自己也不幸负了重伤，然而这包骨灰始终带在身边，不离不弃，一直到背回云南。

从李宗仁、白崇禧，再到孙连仲、于学忠，当然都希望滇军能在前线坚持得越久越好，可各人站在不同的位置，考虑就会大不一样。

把你们桂军、西北军、东北军拉上来试试，你们能接受这样绞肉机一般的折腾吗？

卢汉手里还剩下最后一个较为完整的主力师，这个师是第一百八十四师，师长是张冲。

如果不是张冲第一百八十四师，滇军就是再英勇，台儿庄防线也早就垮了。

小猛仔

刚来徐州时，张冲曾奉卢汉之命，去第五战区长官部请示机宜。李宗仁随口问张冲：张师长是什么出身？

张冲脱口而出：我是绿林出身！

绿林，不过是土匪的一种好听叫法而已，然而李宗仁不仅不介意，还主动拉着张冲攀谈起来。

第五战区司令长官生平最讨厌像汤恩伯那样牛气哄哄的所谓中央军嫡系将领，他喜欢的倒是张自忠、张冲这样的人，哪怕对方身份低微，或者在别人眼里身背“劣迹”——无妨，因为大家原本就志同道合，是从一个泥巴坑里滚出来的。

除了出身绿林这一点不同外，在其他方面，张冲还真是和老猛仔很相像，几乎就是另外一个活脱脱的小猛仔。

张冲，出生于云南省泸西县的一个官僚家庭，父亲曾做过县知事。

老猛仔不爱读书，只爱使拳棒，小猛仔也是如此，视书本如同冤家对头，一看到“之乎者也”就厌烦，屁股在教室里就从来没有坐热的时候，但是他喜欢打抱不平，谁受了欺负，只要找到他，一准会挺身而出，拔拳相向，因此从小便有仗义之名。

父亲的去世，改变了张冲的人生轨迹。孤儿寡母在乡间免不了受人欺凌，于是他告别老母，准备自己出去闯一番天下。

刚开始想到贵州投军，结果路上碰到另外两个小伙子，那两哥们儿的理想和张冲不一样。

当兵？哪天才能出头呢，不如大家一道上山！

张冲觉得有理，绿林好汉肯定要比规规矩矩地在军营里当兵吃粮有趣多了，那行。

路上，他们见到两个当兵的在向摊贩收“团防款”，那些做小生意的可怜人因为交不起钱，不是被捆被打，就是家破人亡。

张冲大怒，反正要上山了，干掉这两个祸害人的王八蛋再说。

三人从身上拔出匕首，冲上去就把两个兵给结果了——岂止是两个王八蛋，还是两个拿枪的笨蛋。

上山之后，张冲很快就后悔了，不是后悔当土匪，而是后悔跟了一个差劲的土匪头，后者不仅鼠目寸光，毫无远见，而且嫉贤妒能，颇似《水浒传》中的白衣秀才王伦。

在“王伦”眼里，张冲几乎就是那个豹子头林冲的翻版，其人不仅枪法精准，而且富有谋略，很受周围一群兄弟的拥戴。

此后便是我们在书中常见到的一幕，“王伦”想借机暗害“林教头”，“林教头”愤然与之割席断义，自立为王。

做山大王逍遥是逍遥，可总免不了要“被剿”，而这时候大家命运如何，就全靠山寨的坚固程度了，换言之，如果你连官军的前三板斧都受不了，没有二话，等着树倒猢狲散吧。可要是你强大到了水泊梁山那样的程度，那就可以由“被剿匪”转入“被招安”了。

张冲属于后面那一种，云南几次出兵“会剿”都剿不灭，于是张大王也就顺理成章地接受招安，从此成了云南官军中的一支。

在滇军中，张冲向以有勇有谋著称，尤其擅长以弱胜强，曾多次帮助龙云和卢汉化险为夷，否则也不会以“前山大王”的身份做到主力师师长了。

不该冒与一定要冒的险

滇军是在4月22日那一天的黄昏渡过运河的。在全军渡河之前，张冲特地一个人到北岸去察看了一下。

他与“非绿林”出身的军人不同，对危险有一种本能的敏感——山寨不是那么好守的，你得时时刻刻提防着大军来袭。

在北岸，他感觉到了这种危险。

在行军计划中，第一百八十三师是三个师中的前卫，张冲的第一百八十四师是中军。回到南岸之后，他赶紧找到第一百八十三师的高师长，当着对方的面，张冲直言相告：“老将军且慢渡河！我到北岸看过了，那里的情况有些不对劲，我们在北岸还没有建立起可靠工事，大部队这样贸贸然过河太冒险了。”

高师长却很不以为然。

为了渡河，大家都忙了一天，你现在还说这个，算怎么回事？再说了，你是下级，我也是下级，领导让怎么干咱就怎么干，你瞎操什么心。

张冲不肯放弃：“现在敌情不明，一旦过河，就属于背水为阵，想退都退不回来了，我们应该一边侦察，一边向军长请示行止。”

三个师长里面，高师长年龄最大，资格最老，所以张冲才一口一声“老将军”。“老将军”对眼前这个年轻人的话始终听不进去。

行行行，你高明，那你一个人去军部请示卢军长吧，高某人可没这个闲工夫陪你瞎扯。

张冲知道靠他一个人恐怕说服不了卢汉，而且军情紧急，再请示也来不及了，便退而求其次：“要不这样，你的部队过河，我的部队不过河，或者你的部队不过河，我的部队过河，这样也好留个后手。”

高师长年纪大了，早就想上床睡觉，对张冲的话是越听越厌烦：“你这么做就更加要不得了，是违反军令的，别废话了，还是照原命令执行吧。”

争论的结果，第一百八十三师先过河走了，张冲为大局着想，也只好

跟着过河，但他终究心有不甘。

运河北岸肯定有问题，跟这些师长也说不通，只有自作主张了。

他把自己的第一百八十四师一分为二，一半过河，另一半则留在南岸作为预备队。

张冲作为师长，本可以留在运河南岸，但他无论如何不放心，当夜就亲自过河，登岸之后立即指挥部队深挖工事——眼见得危机四伏，还睡什么觉。

第二天的战况说明张冲绝非杞人忧天。

第一百八十四师由于连夜修筑了工事，在最大限度上减少了损失，张冲不仅守住了自身阵地，还得以抽出力量援助其他两师，成为滇军主阵地不致崩溃的重要保证。

首先援助的是第一百八十三师。看到张冲在危难之时主动援助自己，那位高师长感动之余，也十分惭愧。

张冲见状赶紧宽慰对方："过去的事就算了，现在大家同心协力守住阵地要紧。"

这边刚救完火，那边扼守禹王山的第一百八十二师也不行了，已被矶谷师团压到了山脚下。

实施红墙战术之前，日军会先用气球进行侦察并测算风向风力

救是一定要救，可问题是第一百八十四师过河的部队一共才两个团，除自守之外，又分兵支援了第一百八十三师，现在哪还有什么剩余。

幸亏在南岸还留了预备队。

预备队过河需要时间，张冲不肯坐等，就自己先带了一个特务排急奔禹王山。

日军早就封锁了前往禹王山的道路，特务排虽然个个都是挑选出来的精兵，但在一道道火力网面前，连他们也变得胆怯起来。

战场之上，有的危险不该冒，有的危险却一定要冒。

张冲说你们不要怕，只要有火力掩护，就一定没问题，我先来！

趁着机枪手向日军阵地猛扫，张冲几步一跃，率先穿过日军的火力网，有师长作榜样，后面的士兵果然没人害怕了，依样学样，一个接一个地冲了过去。

到了禹王山下，第一百八十二师正在苦战。日军一排炮弹打过来，把附近的小树都给扫平了，张冲也被炮弹震得一屁股坐到了地上。

大家赶紧请他进隐蔽所，张冲把手一摆：什么时候了，我还躲那里面去！

张冲来到前沿阵地，对官兵们说：你们只要再坚持半个小时，我的预备队就能赶到。

第一百八十二师本来都快顶不住了，但看到友军师长亲自率队前来，精神又立刻振作起来，这样一直得以坚持到预备队到达一线。

在预备队到达后，张冲会合两师，不仅成功击退了日军，而且还凭借一个反冲，冲上了禹王山山顶。

按道理说，张冲前来就是增援第一百八十二师的，活也干得十分漂亮，可以打道回府了，但是他的脚步忽然停住了。

因为那种奇怪的感觉又再次袭上心头。

必争之地

站在禹王山山头，张冲隐隐约约看到了许多日军汽车正在来回奔驰，而它们去的都是同一个地方，即禹王山下的一座小树林。

这是要干什么？

一愣神的工夫，张冲忽然醒悟：小树林是日军的一个临时集结点，汽车是在运送兵员和弹药，而动静如此之大，说明矶谷师团要把禹王山作为必争焦点了。

所有滇军将领里面，张冲属于最有心之人。到达徐州之后，他就勘察了台儿庄周边的地形，结果发现台儿庄东南的禹王山很不一般，堪称兵家要地。

跟台儿庄一样，禹王山也是背靠运河，日军只要攻下禹王山，一样可以达到强渡运河的目的。

我们来看生活中的一个小常识，如果你把手伸出去，在同一个位置被连烫两次，要再让你伸第三次，那还真有点强人所难。

矶谷也是如此，他在台儿庄大捷中曾吃足苦头，如今又在台儿庄前沿遭到滇军的顽强阻击，始终攻不进来，那他一定会再动别的念头。

这个念头就是，弃台儿庄而专攻禹王山！

矶谷师团先前采取的不过是试探性进攻，倘若力量全部集中过来，禹王山可就险了。

想到这里，张冲不敢怠慢，立即去见军长卢汉。

现在卢汉对张冲的话很重视，不仅是张冲的部队已实际成为滇军的中流砥柱，还由于前面出现的那些深刻教训。想想看，要是当初能及时听取并采纳张冲的建议，滇军可以减少多少损失。

这个人出身虽然不怎么样，但实在是个既有本事又有头脑的人，他的话，得听。

不过在得知矶谷师团可能重点攻击禹王山后，卢汉仍然吃惊不小。

台儿庄方向毕竟不是滇军一家的防区，第五战区的各部队都在附近，禹王山却清清楚楚是划给滇军的，这里若是被矶谷紧紧盯上，要想单独据守，难度实在太大。

先前滇军一上来就蒙受重大伤亡，曾让卢汉觉得一嘴苦涩，听到张冲的话后，苦又很快变成了急和愁。

可是张冲的表情却是不忧反喜。他说：“矶谷师团要把进攻重点转向禹王山，其实是一件好事，大好事！”

真是语不惊人死不休，卢汉瞪大了眼睛：“你快说下去。”

张冲侃侃而谈："台儿庄只是一道砖墙，禹王山则不同，在这里，日军的坦克将无所逞其技，而我们却可以把滇军擅长山地战的特点充分发挥出来。"

卢汉若有所悟，不过仍然眉头紧锁。

"话是这么说，但你也知道，第一百八十二师前面受损厉害，战斗力锐减，今天假如不是你去增援，别说攻上山头，山下都不一定能待得住。"

张冲想了想，上前一步："末将不才，愿率第一百八十四师固守禹王山！"

卢汉闻言，眼睛一亮，可是随后又黯淡了下去。

你的部队要防台儿庄正面，那里也缺不了人，假如你前脚一走，后脚台儿庄就丢掉怎么办？

张冲早有打算：台儿庄阵地可以让休整后上来的东北军接替。

似乎知道卢汉的想法，他又紧跟一句："矶谷师团将进攻重点转向禹王山，台儿庄防守压力自然会大大降低，相信于学忠能守得住。"

"退一万步说，就算让日军攻进台儿庄，那也不要紧。经过台儿庄大捷，那块地方早成废墟一片，谁守都困难，到时候只需附近的滇军合力一冲，矶谷师团最后肯定也守不住，准保又得灰溜溜地从庄里撤出去。"

卢汉听到这里，才真正算是如释重负："事不宜迟，那你赶快移师禹王山。"

"红苗"登顶

张冲的动作算是快了，可当他将防务交给于学忠，率第一百八十四师强行军赶到禹王山下时，发现还是晚了一步。

第一百八十二师又被赶下了山！

正如张冲所料，矶谷师团这次确实是冲着禹王山来的，在小树林里集中的不光有大部队，还有足量的炮弹。

坦克开不上山，炮弹总还可以打上去的。

禹王山是一座小山，针对这一特点，矶谷采用了"红墙战术"。

开始先试射，等炮弹落地时，就看见山顶燃起点点白烟，然后炮火逐

渐向前后左右延伸，最后整座禹王山都陷入硝烟之中，完全看不出山的形状了。

这就叫做“红墙”，如果你不想死在“墙”里面，那就得乖乖地从里面退出来。

第一百八十二师早已是残破之师，哪里顶得住如此猛烈的炮击。张冲也知道硬碰不得，所以赶紧请求第五战区进行支援。

白崇禧亲自调度，把所能控制的特种部队全都调了上来：以重炮压制日军炮兵，以野炮封锁禹王山通道，以战防炮直接击毁日军坦克。

围绕着禹王山，白崇禧与矶谷面对面地大打“洋仗”，也就是货真价实的炮战。

随着“红墙”逐渐消失，“红苗”就可以登场了。

日本人除称滇军为“猴子兵”外，还另有一个不恭的称谓：蛮子兵，一定程度上，是因为这支部队里面有许多来自彝族、苗族等少数民族官兵，张冲本人就是彝族人。

西南彝族、苗族在古书中出现的身份是“蛮部”，或曰“红苗”。这里出“蛮子兵”并不稀奇，清代文人戴名世在《纪红苗事》中说，“红苗”不分男女，行步山岭个个健步如飞，连马都追不上，普通的棘刺毒螯更不能伤得分毫！

这算是一般的，“红苗”还善于攀岩。

他们只需把手和脚收回来，缩得像个刺猬一样（“但敛手足，缩身如猬”），然后一跃而出，只是吸气换气的工夫，转眼之间，便可以爬到任何悬崖峭壁上去。

跟悬崖峭壁相比，禹王山真的不算什么，所以张冲说得很对，在禹王山上较量，是日军吃亏，滇军占便宜，后者在山里作战的本事，远非平原上的人们所能及。

经过几天的观察，张冲已经琢磨出了日军打仗的规律：这帮小子喜欢先使用火力，然后再上步兵。

于是在向山上冲锋时，他就沉住气，不是像通常那样冒着弹雨硬冲，而是让大家利用攀登技巧，找块岩石先躲起来。

日军要开火就让它先开火，等对方发泄得差不多了，张冲再集中迫击炮和轻重机枪齐射。

其实这就是利用了一个时间差，即它打你时打不着，你打它时，正好日军步兵上来，一打一个准儿！

真正拼死命，要等齐射结束，步兵冲上去白刃肉搏的时候。

百年前的戴名世先生曾这样描述“红苗”的生活习性：居险地、性嗜杀——客观地说，不“嗜杀”也不行，概因当时的彝族、苗族之人“盛则虐边民，而弱则边民亦虐之”。

是欺负别人，还是被别人所欺，全凭自家本事，所以老老少少，全民皆兵，都会两下子。

张冲说，怎么拼杀，得按我们彝族老祖宗的规矩办。

凡受伤官兵，前面中了刀、箭，奖励，说明你是朝前冲锋才受伤的，后面中了刀、箭，就要拿刀砍你的背，因为你是当孬种做逃兵，否则怎么会让人打中脊背？

从普通士兵到旅团将官，一律照此办理。

张冲定下的这条规矩，连旅长都不敢触犯。指挥攻打禹王山的旅长冲锋在前，结果中了子弹，中弹后他不是上担架，而是硬撑着走到张冲面前，请他检查一下，看子弹是不是从前面穿进的。

张冲一看，确实是前胸中弹：行，是条汉子，下山吧。

要派人护送，旅长拒绝了：要送的话，前线就又要少一个兵。我的伤还不算太重，自己能走回去。

滇军已冲到半山腰，只剩下了一个山顶。

作为制高点，从禹王山山顶可以俯瞰包括台儿庄在内的整个战场全貌，守军往后方运个伤员，往前线送些弹药，来来往往，在顶上能做到一览无余。

日军若控制此处，甚至建立起炮兵阵地，无疑可以将中国军队前线与后方的动脉血管一刀切断。

卢汉告诉张冲：无论付出多大代价，禹王山山顶必须收复。

旅长已经受伤下场，身为师长的张冲决定亲自上阵。

这时由于滇军攻势旺盛，日军为进行阻击，赶紧呼叫炮兵向山上发射烟幕弹。

烟幕弹本来是要遮住对方视线的，可是这对滇军却并不一定奏效。

云贵的气候特征跟中原内地大不相同，戴名世当年考察时，就知道彝族、苗族杂居之地，常常会到处笼罩瘴气烟雾，即使靠近了都看不清楚人（“瘴雾弥漫，咫尺莫辨”）。

滇军的少数民族官兵，在家时就等于天天在烟幕弹中来去，还怕你这个。

烟幕弹奈何不了滇军，天气不高兴了，它总得找个人捉弄一下，于是风向忽然一变，鬼使神差地，竟然把烟幕吹向了日军阵地。

云南人既不惧“瘴雾”，也不怕烟幕弹，日本人则是两者都怕，烟幕笼罩之中，顿时脑袋都晕了。

老猛仔是福将，小猛仔也是一员福将。张冲抓住这一可遇不可求的良机，吹起冲锋号，一举将日军从山顶赶了下去。

收复禹王山，张冲擦擦汗，向卢汉发出捷报。

卢汉起先很高兴，等到举起望远镜一看，脸上却由晴转阴。

什么收复，你眼睛是不是瞎了？自己看！

张冲被骂得丈二和尚摸不着脑袋，依言望去，山顶某处真的飘着一杆膏药旗。

张冲立即回答：这是未及遁逃的残余日军，我马上组织敢死队干掉他们。

虽然有卢汉在后面督阵，但张冲并不莽撞，因为他知道越是这种时候，在绝望情绪支配下的鬼子兵，反而会表现得越凶狠和歇斯底里。

敢死队不等于“送死队”，必须有火力掩护才行。

张冲把迫击炮集中起来，以膏药旗为基准，进行覆盖式轰击。在把道路打开之后，才让敢死队前进。

卢汉远离前线，然而一直端着望远镜默默地注视着禹王山山顶。在亲眼目睹日旗倒下后，他举起电话，对张冲说了四个字：传令嘉奖！

欣慰之情，尽在不言之中。

风语者

攻山难，守山更难。

张冲占领禹王山后，即将师指挥所设在山腰的一条小夹沟里，此处离前沿阵地仅一箭之隔，同时他还规定，团营指挥所离一线也不得少于二十米。

然后，张冲向卢汉要来两万多条麻袋，装满沙子，把前沿阵地堆得严严实实。

绝大部分山脊都变成了滇军的地盘，可是矶谷师团也不愿就此退出。他们在滇军对面构筑阵地和掩体，双方距离不超过一百米，即我这边唱歌你听得到，你那边叽里呱啦我这儿也清晰可闻。

在有些崎岖的地方，两军阵地甚至犬牙交错，形成了敌中有我、我中有敌的奇怪景象。

日军对禹王山山顶发起了十多次猛攻，但每一次都是乘兴而来，败兴而去。见阳的不行，他们便玩儿阴的，开始利用阵地间出现的空隙进行穿插式夜袭。一开始滇军没防备，由于营指挥所靠得过前，结果被日军分队摸了进去，还牺牲了一名副营长。

日军在进攻禹王山顶

张冲发现后大怒，马上组织火力，拦腰截断了其后续大部队，然后再派步兵往上一插，把刚刚露出来的空隙堵得严严实实。

这下别说进来，就算你想掉转屁股回去，也不可能了。

不过对于张冲来说，要完全解决这群“瓮中之鳖”却也不是一件易事。

原因是日军分队配备了机枪和迫击炮，人少然而精悍，加上已为困兽，自然有拼到底的疯狂，如果用步兵猛冲，伤亡将难以估量。

张冲决定用神炮手点它。

在电视剧《亮剑》中，作为主角的李云龙曾让神炮手点对点炮击，乃至于把日军一个联队队长都炸得飞上了天。其实，真实生活中这种好事实在不多，就像面对面拼杀，若是你想用一个独立团干掉人家一个大队，那几乎是完全不靠谱的事。

现实些的，还是点击“分队长”这种小角色。

张冲喊来的是一个迫击炮连的连长，这位兄弟在全军中以射术出名，紧急召来后朝着师长啪地一个立正敬礼。

张冲一摆手：火烧眉头的时候，你就别来这套虚礼了，快收起来。

不来虚的，那就要来实的。

虽然炸的不是联队长，而是分队长，可神炮手连长仍然觉得非常棘手。

阵地犬牙交错，炮击目标只是一个点，四周围全是自己的部队，既要消灭鬼子，又不能误伤弟兄，我没有百分之百的把握啊！

张冲说我相信你行，送你六个字：胆大、心细、气定，必能成功。

那位连长听后，一直琢磨着这六个字。回到炮兵阵地，他没有贸然发射，而是用望远镜反复测量距离和方位角，并再三进行了修正。

发射之前，他让张冲给包围的各路步兵打旗语，示意大家做好自我保护，然后才下达发射口令。

一炮过去，不偏不倚，正中靶心。

张冲还唯恐杀敌不尽，又要求扩大炮击范围，连续施放炮弹，到步兵冲上去清理战场时，仅需要对付个把鬼子残兵了。

尝到迫击炮的甜头，张冲便索性把迫击炮推到阵地前沿。

你不是要夜袭我吗，那好，我白天算好你必经的区域，晚上只要一听到动静，马上群炮齐发，好好地请你们吃顿夜宵。

此后日军再想晚上出来搞小动作，往往就会被炸得狼狈不堪，由于炮弹来得非常突然，他们即使倒了霉都还不知道是怎么倒的。

在这种情况下，日军便想到了要掐断滇军的指挥系统，让其前后脱节，连个发炮命令都传达不下去。

起先担负这一使命的不是鬼子，而是鬼子专门训练出来的军犬。电话线均铺在守军阵地之后，人轻易很难渗透进去，犬却不然。

可是日军低估了云南“蛮子兵”的能量，后者对山地太熟悉了，几乎就等同于自家院落。

“哮天犬”很快被发现，下场不是毙命就是活逮。

这招不灵，日军又派特工对电话进行窃听，以便掌握滇军在山上的布防规律和作战指令。

偷袭战打到现在，电话窃听算是最有技术含量的。

可是有一天，鬼子特工忽然发现对方在电话中换了一套语言系统，所说的话他完全听不懂。

他当然听不懂，因为张冲已将前线的电话员全部换成了白族士兵。

云南少数民族很多，除了彝族、苗族，还有白族，而白族语又是一种很独特的语言，有自己的体系构成，外人不浸淫其中绝难领会得到。

日本人也许可以找到朝鲜语翻译，却找不到白族语翻译，甚至他们有可能都不知道电话里传来的究竟是哪族语言，自然就抓了瞎。

记得吴宇森拍过一部《风语者》，里面美军为了防止日军破译密电码，就征召印第安人入伍，称为“风语者”，想不到滇军早有此例，亦为战场之一奇观。

在这场偷袭与反偷袭的反复争斗中，张冲又赢一局。

中国夏伯阳

张冲在禹王山据守二十多天，几乎每天每夜都有激战，有两次最为惊险。

这两次都有一个共同特点，即气候条件非常恶劣，一次是晚上没有一点星月之光，伸手不见五指，另一次则是晚上下起了滂沱大雨，视线被严重干扰。

日军就趁这两次天赐机会，发起了凶猛进攻。

当初张冲收复禹王山时，除山顶残留着一撮扛膏药旗的鬼子外，还有一支日军敢死队退到了距禹王山山顶约五十米的地方。这支敢死队由于所处位置偏于死角，张冲派了两个连进行驱逐，都未能将其赶走，只得暂时作罢。

让人没想到的是，正是这支敢死队，充当了两次进攻的急先锋，在他们后面，日军后续主力不断涌来。

经历两次激战之后，驻守禹王山的前沿部队仅剩三百伤兵，实在支撑不住，不得不请求张冲从速增援。

张冲的作战参谋已经安排好援兵，但被张冲给拦住了，他给前线指挥官打去电话："今天晚上我绝不会给你增援，不是没有援兵，而是绝不可以增！"

张冲的决定看似不近情理，其实却是他多年实战的经验总结。

从援兵这方面来说，由于黑夜暴雨，即使赶到阵地，一时也弄不清日军的位置方向，很难起到什么作用，对于原先的守军来讲，很可能会因为有了增援就松劲，两两相加，负负得不了正，反而会使阵地丢得更快。

张冲告诉前线指挥官："我难，敌也难，何况我们还占着居高临下的优势，就是投手榴弹也比对方投得远些。从现在起，你们要靠自己守住阵地，别指望晚上会有人来增援。谁要想退，提头来见！"

挂完电话，张冲便披上雨衣，带着两个警卫员上了前线。

电话里教训人是一回事，以身作则就是另外一回事，那比所有大道理都更管用。张冲出现在第一线后，已经疲惫不堪的士兵们又重新振奋起来。

师长都冒着雨来督战，那我们就算负了轻伤也不能下去。

三百伤兵齐声呐喊，不需援兵，他们先用手榴弹，再用刺刀将冲上来的日军给赶下了山。

遭遇两次险情，张冲感到那支日军敢死队很麻烦，一定要连窝端掉才能让人放心。

上次神炮手连长点对点炮击给了张冲很大启发，他决定这次也动用迫击炮，不过不用连长了，升规格，用旅长。

张冲还有个姓万的旅长，是日本陆士毕业的，学的是炮科。万旅长奉命亲自发炮，二十分钟炮击，敢死队被杀得一干二净，还缴获一批战利品。

所有战利品中，最引人注目的是白川义则赐赠的一把指挥刀。白川是一·二八会战中的日方主帅，能够把他的指挥刀赐人，说明这老小子对所赐之人是很器重的。

白川的眼光也许不错，拿着这把刀的日军敢死队队长平野庆太郎大尉，曾多次带着敢死队对禹王山造成致命威胁。可惜他的命不好，到头来还是被张冲给“点”掉了。

张冲的卓越表现，令一旁的于学忠都佩服得五体投地，直言整个徐州会战，以禹王山之战打得最为出色，是任何友军不能与之比拟的。

当时有一批青年作家在徐州采访，他们对张冲的足智多谋和勇敢善战印象深刻，有人甚至把张冲比喻为夏伯阳，那个在苏联国内战争中所向披靡的传奇英雄。

由于张冲一夫当关，矶谷师团企图突破禹王山，直下徐州打通津浦线的计划再次被粉碎，让日本统帅部和华北方面军都十分恼火。

台儿庄的失败已经“有损于陆军的传统”，给你第二军添了这么多兵，却仍然是一副熊样，那还是下来吧。

第二军司令官西尾寿造第一个下马，接替他的是日本皇室成员——东

久迩宫稔彦王，矶谷廉介跟着也被编入了预备役。

忆往昔峥嵘岁月，往事不堪一击，台儿庄加上禹王山，原先都不是太出名的地方，却连着撂倒了两位本可“前途无量”的东瀛大将。

板垣征四郎之所以能逃过一劫，缘于他后来趁张自忠被换防，终于攻占了临沂，总算可以有所交代了。

这一仗结束，板垣就跑回国内做了陆军大臣，算是弃武从政，自此再也不用到战场上去丢人现眼了。

在徐州会战的前期，从李宗仁、白崇禧，到蒋介石本人，情绪上都十分乐观，甚至希望重新复制一个台儿庄大捷出来，而滇军的坚守也增强了大家的这种信心。

他们不知道的是，一张看不见的大网正在张开，并且离他们越来越近。

敬请期待《一寸河山一寸血》第四部 万里烽烟……

后记

弘扬抗战精神　振兴中华民族

后记作者：夏世铎
身　　份：抗战老兵
出生日期：1922年
毕业院校：黄埔军校十七期炮兵科
军旅履历：在黄埔军校毕业后留校任教，后参加陆军大学参谋班学习，出任中国统帅部作战参谋，见过白崇禧、何应钦等多位军界要人。

抗日战争是我国近现代史上最伟大的反侵略战争，也是世界反法西斯战争的重要组成部分。抗战胜利是我国人民第一次取得抗击帝国主义侵略战争的完全胜利。

六十六年前，我作为黄埔同学参加抗日战争的亲历者和历史见证人，深切体会到中华民族是具有强大凝聚力的伟大民族。当日本帝国主义野蛮侵略我国领土，中华民族面临生死存亡的危急关头，中国共产党高举抗日民族统一战线的旗帜，推动国共两党二次合作，与全国各族人民一起掀起了波澜壮阔的全民抗战。国民党担任了正面战场的正规战，共产党担任敌后战场的游击战，相互密切配合，汇成一股强大的力量，成为抗战胜利的基础，且为夺取抗战胜利发挥了决定性的作用。

自1931年到1945年，中国军民在与日本侵略军进行的殊死斗争中，在正面与敌后两个战场上，大小战斗共十六万五千余次，发动了二十四次大会战，两次远征缅甸。其中有平型关大捷、百团大战、忻口战役、淞沪战役、南京保卫战、徐州会战、武汉会战、上高会战、常德会战、长沙衡

阳会战、滇缅战役、昆仑关战役等重大战役，共歼灭日军一百五十多万人，约占日军在第二次世界大战中死伤人数的百分之七十。而正面战场我军也伤亡三百二十多万人，敌后战场则伤亡五十八万多人，反映出诸多重大战役都在正面战场上激烈进行。其历史事实，正如《一寸河山一寸血》一书中的记述。

在八年抗战中，国共两党广大黄埔师生为保卫祖国，投入战斗，英勇杀敌，奋不顾身。大批黄埔同学在战场上壮烈牺牲，仅在正面战场上，为国捐躯的黄埔同学将级军官就有近二百人。无怪一位日军退役中将哀叹说："中日之战，日军之败，是由于统帅部对中国二十余万受过黄埔教育之军官英勇爱国力量，未有足够的估价。"他的话不是没有道理的。

六十多年过去了，我们这些亲身经历抗日战争的老兵，抚今追昔，深感今天祖国日益强盛、经济发展迅猛、社会不断进步、人民生活安定的大好形势来之不易，这是不知多少为国捐躯的烈士们用鲜血换来的。回想新中国成立之前一百多年，饱受帝国主义侵略欺凌，几至亡国，就是由于国家政治腐败，经济落后。为了不使历史悲剧重演，为了国家繁荣昌盛、民族复兴强大、孙子后代幸福，我们每个爱国的中国人都要汲取历史教训，永远不忘日本军国主义侵略我国的血泪史，始终要发奋图强，弘扬抗战精神。

夏世铎
2011 年 7 月 16 日